D1637713

Das Buch

Anna ist Biologin: ehrgeizig, jung und gut. Voller Engagement widmet sie sich ihrem Forschungsprojekt im ugandischen Regenwald: Mit einer Webcam beobachtet sie eine Gruppe Berggorillas. Erste Forschungsergebnisse ziehen die Aufmerksamkeit der Presse auf sie und wecken auch das Interesse zweier Manager eines europäischen Pharma-Unternehmens auf der Suche nach dem großen Coup. Sie wollen den Gorillas ein Virus übertragen und beobachten, mit welchen pflanzlichen Substanzen die Tiere sich selbst behandeln, um so ein spektakuläres Medikament zu entwickeln. Dafür brauchen sie Anna, die die beiden ahnungslos nach Afrika begleitet ...

Der Autor

Federico Bini ist Wissenschaftsjournalist und arbeitet für die renommiertensten Zeitungen Italiens. Für das Fernsehen hat er mehrere Sendungen zu Umweltthemen konzipiert und geleitet. *Die Nacht der Gorillas* ist sein erster Roman.

Federico Bini

Die Nacht der Gorillas

Roman

Aus dem Italienischen von Esther Hansen

Ullstein

Besuchen Sie uns im Internet:
www.ullstein-taschenbuch.de

Umwelthinweis:
Dieses Buch wurde auf
chlor- und säurefreiem Papier gedruckt.

Ullstein Verlag
Ullstein ist ein Verlag des Verlagshauses
Ullstein Heyne List GmbH & Co. KG.
Deutsche Erstausgabe
1. Auflage Oktober 2003
© 2003 für die deutsche Ausgabe by
Ullstein Heyne List GmbH & Co. KG
© 2001 by Edizioni Piemme Spa
Titel der italienischen Originalausgabe: *La Notte dei Gorilla*
(Edizioni Piemme Spa, Casale Monferrato)
Übersetzung: Esther Hansen
Redaktion: Angela Troni, München
Umschlaggestaltung: Thomas Jarzina, Köln
Titelabbildung: zefa visual media gmbh, Düsseldorf
Gesetzt aus der Sabon
Satz: hanseatenSatz-bremen, Bremen
Druck und Bindearbeiten: Clausen & Bosse, Leck
Printed in Germany
ISBN 3-548-25717-8

LARAS SCHLAF

Wir nennen uns großspurig Forscher, dabei können wir kaum mehr, als Dinge zu verwandeln. Wir haben einen wenig ausgeprägten Forschergeist, da unser Entwicklungsstand ihn nicht mehr erfordert. Wenn wir einen Urwald betreten, sind wir ihm hilflos ausgeliefert, denn wir verließen ihn vor Jahrmillionen, um uns dem Abenteuer des Erfolges zu stellen. Zum Jagen mussten wir laufen. Zum Laufen wiederum brauchten wir Proteine und mussten jagen. Andere Lebewesen hingegen schlugen eine andere Richtung ein, sie blieben im Urwald und ernährten sich von Blättern. Sie mussten sich weniger anstrengen, denn alles, was sie zum Leben brauchten, stand zu ihrer Verfügung. Deshalb wurden sie weitgehend friedfertig, weise und erfahren.

Sie wissen Dinge, von denen wir keine Ahnung haben.

(Akte LARA, Seite 22)

LARAS ERWACHEN

Uganda, Varese, Florenz

Vorsichtig schätzte Nostril die Entfernung ab, die ihn vom Erdboden trennte. Der Sprung war gewagt, noch nie hatte er sich aus einer solchen Höhe herabfallen lassen. Aber er wusste, dass der Grund mit einer dicken Laubschicht bedeckt war; er konnte es also ruhig versuchen.

Drei Augen beobachteten seine Bewegungen. Zwei gehörten dem Kleinen, der wie immer voller Neugierde die Kunststücke des Erwachsenen verfolgte. Nostril musste ihm beibringen, wie weit man im Leben gehen konnte und was man riskieren durfte. Das dritte Auge starrte ihn unbeweglich aus dem Dickicht der Blätter heraus an und blitzte manchmal unversehens hell auf. Seit Wochen bewegte es sich nicht von der Stelle. Als er sich ihm einmal genähert hatte, war keine Reaktion erfolgt, es schien also keine Gefahr von ihm auszugehen.

Endlich stieß er sich ab und landete sanft auf dem Boden. Seine zweihundert Kilo ließen den Grund erbeben, und ein Arm schoss aus dem Dickicht hervor und zog das Junge zurück, obwohl es das Schauspiel noch gerne zu Ende verfolgt hätte. Nostril trommelte sich geräuschvoll auf die Brust und beschloss dann, dass er für heute genug geleistet hatte. Nun erwartete ihn eine Mahlzeit von mindestens drei Stunden.

Er sah zu dem geheimnisvollen Auge hinauf, das ihn ohne Unterlass fixierte.

Anna Cheli, die Leiterin der Abteilung Primaten im Zentrum für Säugetier-Monitoring von Varese, spürte, wie der

Blick des Gorillas ihr einen Schauer über den Rücken jagte, obwohl über siebentausend Kilometer zwischen ihnen lagen.

»Immer noch mit deinem kleinen Freund zugange?«

Marco hatte die Angewohnheit, wie aus dem Nichts hinter ihr aufzutauchen. »Deine Webcam funktioniert wirklich ausgezeichnet, Anna. Komisch, dass diese Viecher sie noch nicht aufgefressen haben.«

»Diese Viecher, wie du sie nennst, sind friedfertige Gorillas, die in einer Art natürlichem gemischten Salat leben und Nahrung im Überfluss haben. Aluminium, Kunststoff und Glas wären schwer verdauliche Kost, glaubst du nicht?«

»Ich glaube viel eher, dass auch sie der Macht des Fernsehens erliegen. Niemand kann sich ihr entziehen, nicht einmal ein Gorilla. Setz jemandem eine Videokamera vor die Nase und er verändert sich augenblicklich.«

Die Webcam war eine Handkamera mit direkter Verbindung zum Internet, die Anna Cheli vor drei Monaten im tiefsten Urwald von Uganda installiert hatte. Es war ein hartes Stück Arbeit gewesen. Zuerst hatten sie sich vorsichtig einer Gruppe von Gorillas nähern müssen, um dann eine geeignete Stelle ausfindig zu machen, eine kleine Lichtung, wo die Tiere gern zu ihren endlosen Mahlzeiten zusammenkamen. Die Gegend musste genügend Grünzeug bieten, um sicherzustellen, dass die Gruppe sich viele Monate dort aufhalten konnte. Es wäre ärgerlich, sich die ganze Mühe zu machen, nur damit die Gemeinschaft dann am nächsten Tag in eine andere, fruchtbarere Gegend weiterzog. Wochen waren damit vergangen, Kamera-Attrappen aus Pappe aufzustellen und die Tiere an die ungewöhnliche Präsenz zu gewöhnen. Wie zu erwarten, waren die ersten Objekte wiederholt zerstört worden, doch allmählich hatten die Gorillas Vertrauen gefasst. Das merkwürdige Ding auf dem

Baum war nicht essbar und stellte keine Bedrohung dar, das genügte ihnen. Der junge Nostril hatte sich als neugieriger erwiesen als die anderen und vielleicht steckte sogar ein Körnchen Wahrheit in Marcos Worten. Der Gorilla wurde offenbar magisch von der Kamera angezogen. Anna hatte bei ihren regelmäßigen Zuschaltungen beobachten können, wie er scheinbar ziellos in der Nähe umherstreifte. Ihre Techniker hatten dann das ganze System perfektioniert. Sie hatten die Webcam an einen Computer angeschlossen, der mit Batterien aus Solarenergie betrieben wurde, und das Ganze anschließend außer Reichweite der Tiere installiert. Die manchmal zwei bis drei Tonnen schweren Exemplare konnten auch ohne bösen Willen beträchtlichen Schaden anrichten. Das Satellitennetz Globalstar sorgte schließlich für die direkte Datenübermittlung der Bilder aus dem ugandischen Urwald in das Forschungszentrum von Varese.

Es genügte, die Internetprotokolladresse IP 213.765.-456.32 einzugeben. Eine Adresse, die theoretisch dem Büro von Anna Cheli vorbehalten war. Doch wie stets im Netz war »vorbehalten« keineswegs gleichbedeutend mit »geheim«. Und so konnte sich das einzelne Auge, das den friedlichen Nostril beobachtete, unversehens in zehn, hundert oder tausend Augenpaare verwandeln, von denen ihm beileibe nicht alle freundlich gesinnt waren.

Unter dem grünen Schriftzug auf dem Briefpapier der florentinischen Pharmacon lächelte Anna Cheli von einem Passfoto herab, das auf dem Deckblatt einer umfangreichen Akte prangte.

Teo Blasti, Chef der Abteilung Forschung und Entwicklung, und der Verkaufsleiter Martino Dosi kamen gerade vom Tennisplatz und ihrem traditionellen Mittwochsmatch, das in der Firma zu regelrechter Berühmtheit gelangt war. Ihre Begegnungen besaßen echten Unterhaltungswert, obwohl die Besessenheit, mit der beide den jeweils anderen zu besiegen versuchten, fast schon an Manie grenzte, als hinge von dem Ergebnis der Partie (jeden Mittwoch, so weit die Erinnerung der Pharmacon zurückreichte) das Schicksal der ganzen Welt ab. Der Tennisplatz verwandelte sich in Kriegsgebiet, wo alles erlaubt war, von regelwidrigen Schlägen über gestohlene Punkte bis hin zu unverhohlenen Beleidigungen. Ein verrücktes Ritual, das mit Ende der Partie abbrach, so dass die beiden Männer kaum wiederzuerkennen waren, wenn sie freundlich plaudernd das Feld verließen. Die Sechsunddreißigjährigen waren sich sehr ähnlich, zwei stets elegant gekleidete Führungskräfte auf dem Weg nach oben. Dennoch hatten sie, als sie sich bei der Pharmacon begegneten, völlig unterschiedliche Lebenswege hinter sich. Für Teo, der zuvor die universitäre Laufbahn eingeschlagen hatte, war die Anstellung ein echter Glücksfall gewesen nach einem nie ganz aufgeklärten Skandal um eine Studie mit gefälschten Zahlen. Für Martino, der von einer angesehenen Mailänder Universität kam, stellte der Job lediglich eine notwendige Zwischenstation auf dem Weg in die Chefetage eines internationalen Konzerns dar. Ihre Vergangenheit hatte sie charakterlich geprägt: unruhig und getrieben vom Wunsch nach Vergeltung der eine, berechnend und rational der andere.

»Hör dir das an«, sagte Teo. »Anna Cheli, zweiunddreißig Jahre, Vater Franzose, Mutter Italienerin, bei der sie auch aufgewachsen ist. Ziemlich hübsch, würde ich sagen. Sieht ein bisschen aus wie Sandra Bullock, findest du nicht?« Er reichte Martino das Foto und fuhr fort: »Evolutionsbiologin im Zentrum für Säugetier-Monitoring in Varese, dort leitet sie die Abteilung, die sich mit Affen beschäftigt. Studium in Amerika, an der Universität von Wisconsin, ihren Doktor hat sie in Chicago gemacht. Verschiedene Projekte in Ruanda, Tansania, an der Elfenbeinküste und zuletzt in Uganda. Geschieden von einem Footballspieler. Die Ehe hat nur sechs Monate gehalten ... Dabei sollte man denken, sie sei an Affen gewöhnt.«

»Vielleicht hat er bei ihr nie einen Treffer gelandet«, versuchte Martino zu witzeln, während er das Foto zurückgab.

»Sechs Monate verheiratet also. Jetzt ist sie wohl mit einem Kollegen zusammen, aber dazu gibt die Akte nicht viel her. Ist wahrscheinlich so eine Hardcore-Feministin, eine von denen, die an den amerikanischen Universitäten ihre BHs verbrannt haben.«

Martino bezweifelte das insgeheim. Sie selbst hatten an der Uni das letzte Aufflackern der »heißen« Jahre genossen, bevor sie sich agil in das System eingegliedert und es sich auf der anderen Seite der Barrikaden bequem gemacht hatten. Diese Cheli war zu jung, um auf dem Campus Büstenhalter zu verbrennen.

»Meinst du, dass diese Frau uns Schwierigkeiten machen wird?«

Teo ordnete die Zettel. »Warum sollte sie? Bisher hat sie uns einen immensen Gefallen getan. Sieh mal.«

Er tippte die Nummer 213.765.456.32 ein und der Computer startete den Ladevorgang. Nach ein paar Sekunden baute sich Zeile um Zeile das grüne Bild des Urwalds auf dem Bildschirm auf. Nostril war verschwunden, aber links im Bild sah man deutlich drei andere Gorillas.

»Also, Martino, was meinst du: Können Gorillas Schnupfen bekommen?«

Das war alles andere als ein Witz.

Drei Monate zuvor hatte der Vorstand der Pharmacon einen Entschluss gefasst, dessen Auswirkungen die ganze Forschungsabteilung von Grund auf erschüttert hatte. Die Gesellschaft war nach einer Reihe von verlustreichen Investitionen im Fernen Osten, deren Wert mit der Krise an der Börse von Kuala Lumpur enorm gefallen war, schwer angeschlagen. Die Verantwortlichen der Finanzabteilung hatten versucht, dem Verlust durch geheime Käufe an der Tokioter Börse entgegenzuwirken, in der Hoffnung, dass der japanische Markt von der Krise profitieren würde. Doch dann lag ganz Asien am Boden und damit auch die Pharmacon, die sich plötzlich ungeschützt vor den aufgerissenen Schlünden der Konkurrenz wiederfand, die sie schlucken wollten.

An diesem Punkt hatte man sich der Akte LARA entsonnen, eine Abkürzung für »Linea Avanzata di Retroricerca Animale«, ein ganz neuer Wissenschaftszweig, der sich mit der Erforschung medizinischen Tierwissens zugunsten des Menschen beschäftigte. Die tolldreiste Idee war in den achtziger Jahren entstanden, wegen Umsetzungsschwierigkeiten aber nie realisiert worden. Damals hatte das einzige Interesse der Verantwortlichen dem gerade einsetzenden Höhenflug der Antibiotika gegolten, die Gewinne in Milliardenhöhe versprachen. Die Pharmacon blühte auf und niemand kam auf die Idee, sich ohne dringende Notwendigkeit in den Urwald zu den Affen zu begeben. So geriet die Akte LARA allmählich in Vergessenheit und die Pläne verschwanden fünfzehn Jahre lang zwischen Aktendeckeln in den Tiefen des Archivs. Als der Markt für Antibiotika einbrach, weil man ihre Zusammensetzung nicht rechtzeitig variiert hatte und ihre Wirksamkeit daher nachließ, stand der Pharmacon nach all den unbesonnenen Finanzaktionen das Wasser bis zum Halse. Dann erinnerte sich jemand der schlafenden Akte und kramte sie wieder hervor.

Da die Angelegenheit einerseits nicht ganz sauber war und Teo Blasti und Martino Dosi andererseits auf einen Karrieresprung innerhalb der Firma spekulierten, nahmen sie die Sache persönlich in die Hand. Dass die Entscheidung unter dem Einfluss eines erhöhten Adrenalinspiegels während einer der besagten Mittwochspartien gefallen war, hätte die Chefetagen der Pharmacon stutzig machen sollen, doch wurden zum damaligen Zeitpunkt keine Einwände laut. An LARA konnte man sich böse die Finger verbrennen und die Wahrscheinlichkeit eines Reinfalls war wesentlich höher als die eines Erfolges.

Teos Sekretärin steckte den Kopf zur Tür herein.

»Ich habe hier die Daten, nach denen du gefragt hast, darf ich?«

»Komm nur rein.«

»Was für eine elende Heuchelei«, dachte Martino. *Darf ich? Komm nur rein.* Wem wollten die beiden eigentlich etwas vormachen? Die gesamte Firma wusste über ihre Affäre Bescheid, und es war kein Geheimnis, dass Luisa jederzeit, auch nach den offiziellen Bürozeiten und ohne anzuklopfen, Teos Büro betreten durfte. Doch genau darin bestand das Spiel und es blieb ihm nichts anderes übrig, als mitzuspielen.

»Hallo, Luisa.«

»Hallo, Martino, seit wann interessierst du dich denn für Affen?«, antwortete sie mit einem Seitenblick auf den Computerbildschirm.

Dosi beeilte sich, die Internetseite zu schließen und gleichzeitig das Bild von Anna auf dem Schreibtisch unter einigen Zetteln verschwinden zu lassen.

Die junge Frau legte die Mappe hin und ging wieder hinaus. Sie hatte genug gesehen.

Luisa kehrte am selben Abend noch einmal ins Büro zurück, aber diesmal wurde sie nicht von Teo erwartet, wie er es an anderen Abenden getan hatte. Heute besuchte er mit Martino die Jahreshauptversammlung des Tennisclubs. Die Luft war also rein, die Gelegenheit günstig.

»Dummer Junge«, murmelte sie, »ich wette, dass du nicht hinter dir aufgeräumt hast.«

Warum hatte Martino so schnell das Gorillabild vom Bildschirm verschwinden lassen? Sie hatte genau gesehen, dass er im Netz gewesen war, es musste also noch eine Spur davon im Speicher des Computers zu finden sein. Wenn er schon so geheimnisvoll tat, und anders konnte sie sein Verhalten bei ihrem Auftauchen nicht deuten, hätte Martino sich auch bemühen müssen, die gespeicherten Adressen zu löschen, bevor er ging. Unachtsam, wie er war, hatte er das jedoch höchstwahrscheinlich vergessen.

Über siebenhundert winzige Bildchen, der gesamte Inhalt des Cache, tauchten auf dem Bildschirm auf. Weniger als zwei Minuten später hatte Luisa den Gorilla und die dazugehörige IP-Adresse gefunden. Sie notierte sich die Zahlenreihe und stellte fest, dass es sich um eine Seite des CMM handelte, einem ihr völlig unbekannten Forschungszentrum in Varese.

Sie merkte sich die letzte im Speicher verzeichnete Datei, um nicht ihrerseits Spuren zu hinterlassen, und wählte sich dann ins Internet ein.

Nach zehn Minuten Surfen erschien auf der Homepage des CMM das Bild der Frau, deren Foto sie für den Bruchteil einer Sekunde auf Martinos Schreibtisch gesehen hatte: Anna Cheli. Sie notierte sich den Namen und beendete die Verbindung. Sie kehrte zum Cache zurück und löschte alle neu hinzugekommenen Dateien. Nun gab es keinen Beweis ihres nächtlichen Spaziergangs mehr.

»Dummer Junge«, sagte sie, als sie die Tür hinter sich zuzog. »So macht man das.«

Im Erdgeschoss fuhr sie sich ordnend durchs Haar und über den Rock. Der Wachmann hatte Teo vor einer Stunde hinausgehen sehen und vermutete nun sicher, sie habe sich noch mit einem anderen hohen Tier vergnügt. Die Anwesenheit einer Sekretärin um diese Uhrzeit war allein schon verdächtig genug, aber wenn die Sekretärin sich zudem noch den Rock glatt strich, bedeutete das etwas ganz Bestimmtes, über das nicht gesprochen wurde. Kleine Überlebenstricks im Unternehmen.

Sie verschwand in der Dunkelheit. Bevor sie nach Hause ging, hatte sie noch etwas Wichtiges zu erledigen.

Zur gleichen Zeit rumpelte ein wenig südlich des Äquators, der an dieser Stelle ein kurzes Stück durch Uganda führte, ein Range Rover über einen holprigen Pfad auf das kleine Grenzdorf Ngoa zu. Als der Mond hinter den Wolken hervorkam und sein Licht auf die ersten Hütten am Rand der Siedlung fiel, machte der Fahrer den Motor aus und ließ das Auto die letzten Meter geräuschlos weiterrollen. Kurz bevor er anhielt, riss er das Lenkrad herum und kam in entgegengesetzter Richtung fluchtbereit zum Stehen. Er gab seinem Begleiter ein Zeichen und sie stiegen wortlos aus. In ihren schwarzen Overalls waren sie kaum zu sehen, als sie sich schnell in verschiedene Richtungen entfernten: Der Erste huschte auf die Tierkoppel zu, der Zweite schlug einen schmalen Pfad ein, der hinter dem Dorf vorbeiführte. Sie hatten exakt eine Minute Zeit, um ihre benzingetränkten Lappen abzulegen, sie anzuzünden und zum Auto zurückzukehren. Alles hing einzig und allein von ihrer Schnelligkeit ab.

Als die Flammen an zwei Stellen gleichzeitig in die Höhe

schlugen, saßen sie schon wieder im Wagen. Bevor sie losfuhren, warfen sie noch zwei Molotowcocktails auf die Hütten und ließen mit diesem dritten Brandherd die Falle zuschnappen.

Mit ausgeschalteten Scheinwerfern rollten sie einige Minuten durch die Finsternis. Sie wurde nur von den roten Zungen durchbrochen, die im Rückspiegel aufflackerten.

Ngoa stand in Flammen.

Florenz

Der rote Punkt des Lasers legte sich genau auf das Maul des Gorillas.

»Er ist unser Hauptziel.«

Am nächsten Morgen erläuterte Teo Blasti dem Präsidenten der Pharmacon anhand einiger Dias die Akte LARA.

»Ursprünglich war es nicht vorgesehen, ein bestimmtes Tier für unsere Zwecke zu benutzen. Nach sorgfältigen Erwägungen sind wir jedoch zu dem Entschluss gekommen, uns auf einen einzelnen Gorilla zu konzentrieren. Wie die Schimpansen trägt er über neunzig Prozent des menschlichen Erbguts, ist aber im Unterschied zu ihnen weniger sprunghaft und zutraulicher. Mit ihm haben wir also die größeren Erfolgschancen.«

»Ich habe mal einen Film über diese großen Schimpansen gesehen«, schaltete sich der Präsident ein. »Er handelte von einer Biologin, die eine Forschungsstation im Gebirge eingerichtet hatte. Werden wir dort hingehen?«

»Nein, nicht ganz. Die Gegend aus dem Film liegt im Grenzgebiet zwischen dem Kongo und Ruanda und ist wegen des Krieges nicht besonders sicher. Etwas nördlicher gibt es eine andere große Gorillakolonie, in Uganda, nicht weit von Ngoa, im Bwindi-Nationalpark.«

»Ein Nationalpark? Dafür bekommen wir, fürchte ich, keine Erlaubnis, und selbst wenn, wird man uns dort nicht aus den Augen lassen.«

»Wir gehen in eine abgelegene Gegend des Parks, wo nur

sehr oberflächlich kontrolliert wird. *This is Africa.* Das hört man doch schon am Flughafen, wenn das Gepäck nicht aufzufinden ist und sich aufgrund der schlechten Organisation keiner verantwortlich fühlt. Nein, wir werden alle Freiheiten haben, und nichts, wirklich nichts, wird unsere wahren Absichten verraten.«

»Wie können Sie da so sicher sein, Blasti?«

»Die Waffen, die wir mitbringen, sind absolut unsichtbar.«

Varese, Ngoa

Keiner wusste, was Gioele Belli im Säugetier-Forschungszentrum CMM eigentlich genau tat. Offiziell kümmerte er sich um die Computeranlage, aber er machte seine Arbeit so gut, dass die Computer unter seiner Aufsicht niemals kaputtgingen oder, falls mal jemand sehr unachtsam mit ihnen umgegangen war, er innerhalb kürzester Zeit eine Lösung fand, die manchmal mehr als unkonventionell war. So erzählte man sich – doch vielleicht handelte es sich auch nur um eine von interessierter Seite in Umlauf gebrachte Legende –, dass Gioele in seiner vorigen Firma einmal vor einem besonders widerspenstigen Computer die Geduld verloren und zu drastischen Mitteln gegriffen hatte. Er hatte die Festplatte komplett neu formatiert und damit den gesamten Speicher gelöscht. Alle Daten waren verloren, dafür lief der Computer wieder wie geschmiert. Die Geschichte hatte ihre Wirkung gezeigt, und nun überlegte man es sich, bevor man den Wahnsinnigen rief, nicht nur einmal, sondern zehnmal, und versuchte, selbst eine Lösung für das Problem zu finden.

Auf diese Weise hatte Gioele jede Menge Zeit.

Im gesamten Zentrum war er besser als »Treiber« bekannt, und das aus zwei Gründen: erstens weil er sich immer in der Nähe von Computern aufhielt und zweitens weil sein Gedächtnis mittlerweile ähnlich partitioniert war wie eine Festplatte. Die Abläufe waren nicht sequenziell angeordnet, sondern funktionierten über geheimnisvoll miteinander verbundene Blöcke. Das Ergebnis: Mit Treiber konnte man keinerlei logische Diskussion führen, dafür aber über alles reden, da er sich mit unendlich vielen Dingen auskannte. Entscheidend war, dass man stets nur einen separaten Cluster seines Gedächtnisses ansprach. Mehrere gleichzeitig einsetzen zu wollen, wie etwa eine Argumentationskette es erforderte, war vollkommen verlorene Zeit.

»Ich habe da etwas entdeckt, Anna.«

Das war seine gewöhnliche Begrüßung am Morgen und mittlerweile hatte sie sich daran gewöhnt. So brachte der Tag immer eine neue Entdeckung, die manchmal nützlich, meistens jedoch absolut irrelevant war.

»Hallo, Treiber, wie lange bist du denn schon da? Es ist erst neun, und ich dachte, ich sei die Erste.«

»Deinen Gorillas geht es gut.«

»Es sind zwar nicht meine, freut mich aber trotzdem. War das deine Entdeckung?«

»Nein, sie betrifft die NASA.«

»Meine Güte, Treiber, was interessiert uns die NASA?«

»Der Spaceshuttle hat eine Menge ungenutzte Zeit.«

Anna sah Treiber verständnislos an. »Sag, hab ich vielleicht irgendeine Überleitung verpasst?«

»Sie schicken den alten Astronauten hoch.«

»Ich weiß, es stand in allen Zeitungen. Aber ich verstehe immer noch nicht, was das mit uns zu tun hat.«

»Ganz einfach. Die ganze Mission dreht sich um die Rückkehr dieses Astronauten in den Weltraum. Start, Aufenthalt im All und Rückkehr. Das sind die wichtigen Punkte. Alles andere ist nur schmückendes Beiwerk. Ich habe den Flugplan genau studiert. Da oben haben sie eine Menge Freizeit. Natürlich werden sie ihre üblichen Experimente durchführen, aber das ist nicht der Grund der Mission. Der liegt allein beim Astronauten.«

»Erklär mir das.«

»Ist doch klar, oder? Du kennst sicher die Geschichte

von Ubar, der Stadt des Weihrauchhandels aus Tausendundeiner Nacht?«

»Nein, ich kenne die Geschichte von Ubar nicht«, antwortete Anna barsch, »und ich habe auch nicht die geringste Lust, sie mir ausgerechnet jetzt anzuhören.«

Sie ließ Treiber stehen, der nicht im Geringsten beleidigt zu seinen Computern zurückkehrte.

Mit düsterer Miene betrat Marco um kurz nach zehn ihr Büro.

»Schlechte Nachrichten.« Er breitete eine Landkarte von Uganda auf dem Tisch aus. »Sieh dir das an, das sind die Grenzen des Parks und hier ist unsere Webcam installiert. Die Gorillas halten sich am äußeren Rand des Parks auf, in unmittelbarer Nähe zum Steilhang, erinnerst du dich? Und unweit von hier befindet sich das Dorf Ngoa.«

»Richtig, Marco, ich weiß, worauf du hinauswillst, allerdings besteht keinerlei Gefahr. Das Dorf wird von friedlichen Menschen bewohnt, die den Tieren niemals etwas antun würden. Außerdem haben nur ein paar Alte sie je zu Gesicht bekommen. Weißt du noch, dass wir den Kindern Bilder zeigen mussten, die wir mit der Videokamera aufgenommen hatten? Sonst hätten sie nicht mal gewusst, wie ein Gorilla ausschaut, obwohl sie nur ein paar Kilometer Luftlinie entfernt leben. Außerdem würde sich kein normaler Mensch den großen Steilhang hinaufwagen ...«

»Kein Mensch, aber das Feuer.« Er reichte ihr einen Zettel. »Lies das, es kam soeben von Reuters. Sie berichten, dass in der Gegend ein Großbrand ausgebrochen sei. Ngoa wurde evakuiert, es hat viele Opfer gegeben, vor allem Alte, die ihre Hütten nicht verlassen wollten. Die lokalen Behörden hingegen lassen sich nicht aus der Ruhe bringen. Was soll ihnen auch der Exodus einiger hundert bedeuten, wenn sie es normalerweise mit Tausenden von Flüchtlingen zu tun haben?«

»Du meinst, der Brand könnte sich ausbreiten?«

»Dort unten gibt es keine Feuerwehr, Anna, das weißt du selbst. Die einzige Feuerwehr ist die Natur. Ein heftiger Regenguss, ein Streifen Land, wo das Feuer keine Nahrung findet, oder etwas Ähnliches.«

»Was, wenn das Feuer auf den Steilhang übergreift?«

»Keine Ahnung. Das könnte durchaus ein Problem werden.«

»Die Gorillas wären in Gefahr.«

»Eben, deshalb erzähle ich es dir ja. Hieraus geht nicht hervor, in welche Richtung sich das Feuer ausbreitet.«

Die Frau hob in einer hilflosen Geste die Arme. »Wir haben niemanden vor Ort und kein Geld in den Kassen für eine neue Expedition.«

»Vielleicht kommt ja bald wieder was von Reuters. Warten wir erst mal die weiteren Entwicklungen ab.«

Anna tippte die Zahlenreihe in die Tastatur ein. Das Bild zeigte immer noch die kleine, leere Lichtung, aber sie wusste, dass die Gorillas in der Nähe waren, im Pflanzendickicht verborgen. Sie starrte das Bild ganz genau an, bis sie glaubte, schon das Rot der Flammen durch die Blätter zu erahnen.

Die Siedlung von Ngoa war zu einem riesigen Skelett niedergebrannt. Das Feuer hatte alles verschlungen und fraß sich jetzt in Richtung Westen auf den Steilhang zu, wo es im Busch leichte Nahrung fand. Aus der Ferne hörte man die Schreie der Geflohenen, denen es glücklicherweise gelungen war, ein paar Stück Vieh zu retten. Sie hatten nicht viel verloren, aber das Wenige war alles gewesen, was sie besessen hatten; und doch schienen die Bewohner ihr Schicksal mit der üblichen afrikanischen Ergebenheit zu akzeptieren.

Am Himmel kreiste ununterbrochen eine rote Cessna, eine schwache Verteidigung gegen die Feuersbrunst. Der Pilot konnte nichts tun, als die Situation im Auge zu behalten, da er keine spezielle Ausbildung zur Brandbekämpfung hatte. Er war Mediziner, einer der mobilen Ärzte, die kreuz und quer durch das Land flogen und bei Notfällen einsprangen. Man hatte ihn über Funk benachrichtigt, und nun versuchte er herauszufinden, in welche Richtung der Brand sich ausbreitete. Allerdings kannte er sich entschieden besser mit Malaria und Darminfektionen aus. So waren von ihm über Notruf immer dieselben drei Wörter zu hören: »Hier brennt alles.«

Lazarus Boma, mittlerweile weit über vierzig, war einer der ersten Ärzte in Uganda mit schwarzer Hautfarbe. Eine Aneinanderreihung glücklicher Umstände und die hartnäckigen Besuche in der Mission von Kilemi hatten ihn zum Studium nach England geführt, wo er seinen Abschluss in Medizin gemacht hatte. Als man ihm anbot, in London zu bleiben und eine Menge Geld zu verdienen, hatte er abgelehnt, denn von Anfang an war er überzeugt gewesen, nach Hause zurückzukehren. Dabei konnte er noch nicht einmal das Rassismus-Argument vorbringen – so merkwürdig es ihm selbst vorkam, hatte er doch während seiner ganzen Laufbahn in Europa keinen einzigen Patienten erlebt, der ihn wegen seiner Hautfarbe abgelehnt hätte. Neugierig waren sie gewesen, das ja, aber mehr nicht. Das musste er auch seinen Professoren erklären. Er wollte einfach nur nach Hause zurück, sonst nichts. Es gab keinen anderen Grund.

Das Funkgerät knackte. »Lazarus, kannst du mich hören?«

»Ja.«

»Ich höre dich kaum, es muss eine Funkstörung vorliegen.«

»Ich verstehe dich gut.«

»Wenn du kannst, such dir in der Nähe der Flüchtlinge einen Platz zum Landen und lass dir erzählen, was passiert ist.«

Die Ebene, wo er sonst immer landete, lag zu nah am Feuer. Während einer langsam geflogenen Kurve entdeckte er in der Nähe eine andere Stelle, die dafür jedoch gefährlich kurz war. Fast ein Quadrat, dachte er, während er sich wieder einige Meilen in die entgegengesetzte Richtung entfernte, um wenigstens den Anflug zu verlängern. Irgendwie würde es schon gehen. Seine Landungen waren immer ein wenig Glückssache, und von einer asphaltierten, zwei Kilometer langen Landebahn, glatt, sauber, ohne Bäume im Hintergrund, konnte er sowieso nur träumen. Er begab sich auf Kurs, nahm langsam das Gas weg, fuhr so weit es ging die Landeklappen aus und das kleine Flugzeug sank wie auf einem flauschigen Kissen ab. Er setzte etwas spät auf, kam dann aber noch rechtzeitig zum Stehen.

Zuerst rannten wie immer die Kinder herbei, und Lazarus fiel auf, dass sie nicht weinten. Vielleicht war das Ganze für sie nur ein neues und spannendes Spiel. In kleinen Gruppen näherten sich nun auch die Erwachsenen, und jeder hatte etwas zu dem Unglück zu erzählen, so dass er nur Bruchstücke vernahm, die keinen Sinn ergaben. Er zog eine junge Frau beiseite, die er einen Monat zuvor wegen einer kleinen Verletzung behandelt hatte.

»Was ist passiert?«

»Das Feuer hat uns ganz plötzlich eingekreist.«

»Wieso eingekreist? Wie ist es möglich, dass ihr es nicht rechtzeitig bemerkt habt?«

»Ich sage dir doch, eingekreist. Zuerst war es auf dem Pfad zum Brunnen und da bin ich hingerannt, aber dann habe ich hinter mir einen Schrei gehört und das Tierhaus stand in in Flammen. Daraufhin haben wir uns aufgeteilt und alles ging drunter und drüber. Deshalb sind die Hütten im Süden niedergebrannt.«

»Du sagst also, dass der Pfad und das Tierhaus brannten? Gleichzeitig?«

»Ja, ganz sicher, deshalb konnten wir das Feuer nicht aufhalten.«

Er blieb einige Stunden dort, um kleinere Verbrennungen zu verarzten, die sich die Leute bei ihren hilflosen Löschversuchen zugezogen hatten, und dabei erkundigte er sich nach den Alten. Neun von ihnen hatten es vorgezogen zu bleiben und sich damit einem grausamen Tod entgegengestellt.

Endlich kam er zu seinem Flugzeug zurück. Ein kleiner Junge erregte seine Aufmerksamkeit, da er immer wieder die Hände über einem unsichtbaren Lenkrad hin und her drehte.

»Willst du mir etwas sagen, Kleiner?«

Doch das Kind war schon wieder verschwunden.

Langsam rollte er mit dem Flugzeug ans Ende der Piste und startete mit noch ausgefahrenen Landeklappen, um schnell an Höhe zu gewinnen. Einmal in der Luft, griff er wieder zum Funkgerät.

»Hier spricht Lazarus, verstehst du mich?«

»Sehr gut, weiter.«

»Hör zu, ich glaube, hier stimmt etwas nicht. Ich habe den Leuten nichts gesagt, aber ich habe kein gutes Gefühl.«

»Was meinst du?«

»Mir genügt der eine Kurs, den ich an der Universität über das Verhalten im Brandfalle belegt habe, um zu kapieren, dass Ngoa nicht zufällig gebrannt hat. Drei Brandherde zur selben Zeit können nur eins bedeuten.«

»Willst du damit sagen, dass absichtlich Feuer gelegt wurde?«

»Exakt.«

»Ach, komm schon, warum sollte jemand so etwas tun? Um eine Versicherungssumme zu kassieren?«

»Denk darüber, wie du willst. Ich fliege jetzt zurück.«

Anna Cheli war beunruhigt. Die letzten Bilder der Webcam hatten ihr friedlich fressende Gorillas gezeigt, die nichts von dem Drama ahnten, das sich unter ihnen abspielte. Sie trat an den Fernschreiber, über den die Agenturnachrichten eingingen: ein im Computerzeitalter prähistorischer Apparat, der aber noch einwandfrei funktionierte. Sie versuchte, die Zeit zu überbrücken, indem sie Zeile für Zeile die eingehenden Nachrichten verfolgte. Eine überraschte sie ganz besonders.

»Sieh mal, Marco. In Florenz wurde eine gewisse Luisa Mori ermordet.«

»Ja und?«

»Eine Freundin von mir heißt so, Luisa Mori, doch sie kann es unmöglich sein. Luisa lebt als Innenarchitektin in New York.«

»Luisa Mori dürfte ein ziemlich gängiger Name sein. Bist du sicher, dass sie es nicht ist?«

»Ja, ganz sicher. Ich habe gestern noch mit ihr telefoniert. Eine zufällige Namensübereinstimmung, sonst nichts, aber trotzdem irgendwie beunruhigend, findest du nicht? – Sag, gibt's Neuigkeiten vom Feuer?«

»Noch nicht. Um da klarer zu sehen, müsste man einen Erkundungsflug in höchster Höhe machen. Doch es hat keinen Sinn, zu warten. Wenn eine neue Meldung eingeht, wirst du sie sofort bekommen. Im Moment können wir nichts tun.«

Anna warf den Zettel in den Mülleimer und kehrte in ihr Büro zurück.

Bei all dem Trubel war sie noch nicht dazu gekommen, ihren Ordner mit den neu eingegangenen E-Mails durchzusehen, der ihr zwanzig Nachrichten anzeigte. Bei den meisten handelte es sich um die üblichen Bekanntmachungen der dem CMM zugeordneten Institutionen.

Die fünfte Nachricht weckte jedoch ihr Interesse. Der Absender jimdeboe@aol.com war ihr neu und im Bruchteil einer Sekunde schossen ihr alle Jims oder Jimmys durch den Kopf, die sie kannte. Dann erschien die komplette Nachricht auf dem Bildschirm.

Datum: 16. Okt. 1998 01:33:48
Von: jimdeboe@aol.com
An: acheli@cmm.edu
Betreff: Informationen

Sehr geehrte Dottoressa Cheli,
ich verfüge über wichtige Informationen, die Ihre Arbeit betreffen. Die Angelegenheit ist ziemlich dringend. Bitte versuchen Sie nicht, meine eigene E-Mail-Adresse herauszufinden. Es wäre mir lieber, Sie würden mir hierhin antworten, an die Adresse eines Freundes. Wenn Sie die Person sind, die sich mit den Gorillas in Uganda beschäftigt, schreiben Sie mir, wann und wo wir uns treffen können. Am besten hier in Florenz. Ich möchte gern persönlich mit Ihnen reden.
Grüße
Luisa Mori

PS: Ich habe die Bilder Ihrer Videokamera gesehen. Sehr spannend.

Das wäre dann also tatsächlich die dritte Luisa Mori an ein und demselben Tag. Nach ihrer Freundin in New York und der ermordeten Frau in Florenz nun diese geheimnisvolle Fremde mit der E-Mail. Es sei denn ... Sie las die Nachricht erneut. Da stand wortwörtlich »hier in Florenz«.

Sie druckte die Seite aus und lief zu Marco.

»Guck dir das an.«

Er überflog die Seite und gab sie ihr zurück. »Und?«

»Luisa Mori, sagt dir das denn nichts?«

»Ist das deine Freundin?«

»Nein, die würde mir doch nicht in diesem Ton schreiben. Erinnerst du dich denn nicht mehr an die Agenturmeldung von vorhin, über die Frau, die in Florenz ermordet wurde?«

Sie rannte zum Fernschreiber und kehrte mit einem zerknüllten Blatt Papier zurück, das sie auf dem Tisch glatt strich. Dann las sie laut vor: »Florenz. Die Leiche einer vierundzwanzigjährigen Frau, Luisa Mori, ist in einer Straße am Fuße des Hügels von Fiesole gefunden worden. Die Frau wurde mit einem Schuss aus einer Pistole in den Nacken getötet. Sie hatte weder Handtasche noch Papiere oder Geld bei sich. Identifiziert wurde sie anhand einer Notiz, die man in ihrer Jackentasche fand. Ersten Ermittlungen zufolge soll es sich um einen Raubmord handeln, wobei einige Details, wie beispielsweise der Schuss von hinten, noch ungeklärt sind.«

Nach kurzem Schweigen sagte Marco: »Das ist unmöglich. Wahrscheinlich ist es reiner Zufall.«

»Es gibt nur eine Art, das herauszufinden. Ich werde an den Absender schreiben und so tun, als wüsste ich von nichts. Der Ton der Antwort wird uns schon weiterhelfen. Versuch du inzwischen, mehr über die Brandursache herauszufinden.«

Treiber kam gefährlich näher, und Anna gelang es gerade noch, sich in ihr Büro zu verdrücken.

Von: acheli@cmm.edu
An: jimdeboe@aol.com
Betreff: AW: Informationen

Sehr geehrte Signora Mori,
ich weiß nicht, von welchen Informationen Sie sprechen, aber ich würde Sie gerne sobald wie möglich in Florenz treffen. Wir beschäftigen uns tatsächlich mit den Gorillas in Uganda. In Erwartung Ihrer baldigen Antwort verbleibe ich mit herzlichen Grüßen
Anna Cheli
Abteilung Primaten, CMM, Varese

»Das wär's.« Anna schickte die Nachricht ab und hoffte, dass sich alles bald als Irrtum herausstellen würde. Doch sie wurde ihre innere Unruhe nicht los. Selbst wenn Luisa noch lebte, welche wichtigen Informationen über die Gorillas konnte sie bloß haben?

Marco tauchte hinter ihr auf, lautlos wie immer. »Anna, was weißt du über Satellitenfernerkundung?«

»Na ja, nicht mehr als andere. Warum fragst du?«

»Ich denke immer noch über diesen Brand nach. Die Beobachtungen aus der Luft sind, selbst wenn wir jemanden dafür hätten, wenig aussagekräftig. Wir brauchen eine großflächigere Aufnahme der Gegend, um Aufschlüsse über ihre Struktur und Bodenbeschaffenheit zu bekommen. Brände breiten sich niemals willkürlich aus, sie folgen immer den Bedingungen ihrer Umgebung.«

»Wir haben doch alle geografischen Angaben zu der Gegend.«

»Ja, aber sie sind ungenau und oberflächlich.«

»Anderes gibt's nun mal nicht. Hör zu, Marco, wir müssen der Realität ins Auge sehen. Wir können nicht nach Afrika fahren, dazu fehlt uns das nötige Geld. Wir wissen nicht einmal, ob die Gorillas überhaupt in Gefahr schweben. Höchstwahrscheinlich geht das Feuer von selbst aus oder wandert in eine andere Richtung ab. Und selbst wenn es auf den Steilhang übergreifen würde, hätten die Tiere immer noch genügend Zeit, zu fliehen. Das Schlimmste, was passieren kann, ist, dass wir unsere Webcam und unsere schönen Internetbilder verlieren. Wir können absolut nichts tun, verstehst du?«

»Ich bin trotzdem überzeugt, dass es eine Möglichkeit gibt, den Brand unter Kontrolle zu bekommen. Die Lösung liegt in der Distanz, aus der man das Gebiet beobachtet. Paradoxerweise kann man eine Sache umso besser überblicken, je weiter man sich von ihr entfernt. Die Archäologen wissen das. Oder wie, glaubst du, ist man auf die neuen Tempelanlagen von Angkor gestoßen? Und wie, wenn nicht von dort oben, hätten sie Ubar entdecken können?«

Anna unterbrach ihn mit einer Handbewegung. »Was sagst du?«

»Ich sprach von Fernerkundungen.«

Aber Anna hörte ihm schon nicht mehr zu. »Treiber! Mein Gott, dieser Wirrkopf hat mir bereits heute Morgen die Lösung an die Hand gegeben und ich habe sie nicht mal in Betracht gezogen.« Suchend schaute sie sich um. »Treiber, wo steckst du?«

Mit einem Zettel in der Hand kam der Gesuchte herein. »Sieh mal, Anna, was ich entdeckt habe. Weißt du, warum unser Gehirn so schwer mit Zahlen umgehen kann?«

»Vergiss jetzt das Gehirn. Was hast du mir heute Morgen erzählt? Als du von Ubar sprachst – weißt du noch?«

Den jungen Mann schien ihr plötzliches Interesse zu erstaunen. »Ja, Ubar. Aber warum hab ich dir das erzählt?

Ach ja, wegen der NASA. Letztlich wurde Ubar nur aufgrund der Bilder entdeckt, die aus dem Spaceshuttle aufgenommen wurden. Die Archäologen wären noch Jahre dort herumgelaufen, ohne das mindeste zu finden. Doch von dort oben, zack!, war alles ganz einfach.«

»Und der Shuttle, sagtest du, verfügt bei seiner nächsten Mission über viel ungenutzte Zeit?«

»Das weiß ich nicht.« Treiber war etwas verunsichert über das Verhör. »Ich vermute es, nachdem ich im Internet den Flugplan studiert habe.«

»Für ein paar Aufnahmen ist außerdem immer Zeit. Weißt du, was wir machen? Wir schreiben einen schönen Brief an die NASA.«

Marco schüttelte skeptisch den Kopf.

»Sie werden uns helfen«, schloss Anna, während Treiber sich frohlockend entfernte. Endlich einmal wurde er ernst genommen in diesem Irrenhaus.

Uganda, Florenz, Varese, London, Washington

Er kaute immer noch auf seiner Nahrung herum, was ihm allerdings keinerlei Befriedigung verschaffte. Der Kleine, der immer so gerne seine Klettermanöver in den Bäumen beobachtete, hatte sich in letzter Zeit verändert. Vielleicht war er krank. Er wagte sich an niemanden heran und suchte bei jeder Gelegenheit Schutz bei seiner Mutter, obwohl diese mit ihrem Neugeborenen beschäftigt war und ihm keinerlei Beachtung schenkte. So lauteten die Regeln der Gemeinschaft: sofortige Entwöhnung und frühzeitig allein zurechtkommen.

Nostril ließ von seinen Blättern ab, um das Mahl zu einem späteren Zeitpunkt fortzusetzen, und kam langsam näher, da er die Mutter nicht alarmieren wollte. Ein flehender Blick bestätigte seinen Eindruck: Dem Kleinen ging es wirklich schlecht. Er stupste ihn versuchsweise in die Seite und provozierte prompt verärgerte Gegenwehr. Ein gutes Zeichen, da der Kleine noch nicht zu geschwächt war, um in Gefahr zu geraten, falls man den Ort in Eile verlassen musste. Dann versuchte er, ihn ein wenig zu lausen, aber er wusste sehr gut, dass dies nichts ändern würde. Dennoch konnte er bei dieser Gelegenheit prüfen, ob irgendwo eine klebrige Flüssigkeit aus dem kleinen Körper austrat, die normalerweise auch bei ihm selbst zusammen mit den Schmerzen auftrat. Nichts. Er wollte gerade zu seinem reichhaltigen Mahl zurückkehren, als dem Bauch des Kleinen ein dumpfer Ton entfuhr, wie er im Urwald erklang, wenn es heftig windete, gefolgt von einer dünnflüssigen Entleerung.

Das Mittagessen musste eindeutig warten.

Die Pflanze, die er suchte, wuchs genau hinter dem großen Stein, an dem er sich so gerne rieb, um das Ungeziefer abzustreifen. Es war kaum mehr als ein Gestrüpp, dessen grobe Blätter mit ihrer rauen Oberfläche als Nahrung vollkommen ungeeignet waren, jedoch äußerst nützlich, wenn er mal wieder an reißenden Bauchschmerzen litt. Er wusste nicht, warum, aber wenn er seinen Widerwillen überwand und von dieser Pflanze fraß, verschwanden die Schmerzen und mit ihnen die ständigen Entleerungen.

Er packte ein paar Blätter, probierte eines, um sicherzugehen, dass es die richtigen waren, und spuckte es wieder aus, so ekelhaft war der Geschmack. Anschließend kehrte er zu dem Kleinen zurück. Nun begann der schwierigere Teil.

Er versuchte es zunächst mit einem Blatt, doch der kleine Gorilla schluckte nur einen einzigen Bissen. Keine Reaktion. Entweder es ging ihm so schlecht, dass er nichts mehr schmeckte, oder er selbst mochte sie als Einziger nicht. Mit dem zweiten Blatt bekam er die Antwort: Der Kleine spuckte es sofort wieder aus und wirkte plötzlich ganz aufgeregt. Nostril wollte sich nicht so schnell geschlagen geben. Ein weiteres Blatt – erneutes Würgen. Zwei Blätter auf einmal – gleiche Reaktion. Ein Blatt mit gebleckten Zähnen – keine Wirkung. Ein Schrei – nichts. Schließlich griff er auf das letzte Mittel zurück. Er richtete sich zu seiner ganzen Größe von einem Meter neunzig auf, schlug sich wild auf die Brust und stieß ein eindrucksvolles Gebrüll aus, das weit über den Urwald schallte.

Unter Nostrils strengem Blick schluckte der Kleine nun alle Blätter unzerkaut hinunter.

In ein paar Tagen wäre er wieder genesen. Nostril nahm beruhigt sein unterbrochenes Mahl wieder auf.

Das Leben eines Arztes war doch überall gleich, bei Mensch wie Tier.

Teo Blasti und Martino Dosi trafen sich am nächsten Morgen in den Büroräumen der Pharmacon in Florenz. Die Nachricht von dem Mord an Luisa Mori war das einzige Gesprächsthema in der Firma, doch die Unterhaltungen erstarben, sobald der Leiter der Forschungsabteilung vorüberging. Ihre Affäre war offiziell ein Geheimnis gewesen, daher musste sie es auch jetzt bleiben.

»Gibt's was Neues von Luisa?«, begann Dosi. Er wusste, dass er sich auf unsicherem Terrain bewegte. Teo musste am Boden zerstört sein nach dem Tod der jungen Frau, auch wenn er sich nicht das Geringste anmerken ließ.

»Nichts, eine Tragödie. Nie hatten wir eine bessere Sekretärin.«

Verdammte Heuchelei.

»Die Polizei schließt jedenfalls einen Raubüberfall nicht aus«, fuhr er fort. »Der Schuss in den Nacken scheint dieser Theorie dabei nicht zu widersprechen. Ich habe mit dem Beamten gesprochen, der den Fall bearbeitet, und er sagte, es sei nicht das erste Mal, dass ein Einbrecher seinem fliehenden Opfer in den Rücken schießt. Eine Panikreaktion, um sich eines Zeugen zu entledigen.«

»Gibt es noch andere Fährten?«

»Wenn ja, dann haben sie sich jedenfalls nicht die Mühe gemacht, mich darüber aufzuklären. Dieser Beamte«, er blickte auf einen Zettel, »Molderi heißt er, scheint ein intelligenter Kerl zu sein, aber einer von denen, die – wie soll ich sagen? – immer zu misstrauisch sind.«

Martino musste die nächste Frage einfach stellen.

»Hatte Luisa einen Freund?«

»Ja, einen ehemaligen Kommilitonen von der Universität, soweit ich weiß.« Teo verzog keine Miene. »Ein gewisser Jimmy. Ich glaube, ich habe die beiden mal zusammen am Meer gesehen.«

»Den werden sie ordentlich in die Mangel nehmen. Wenn dieser Molderi ein misstrauischer Typ ist ...«

»Ich weiß es nicht. Lass uns lieber von etwas anderem reden, wenn es dir recht ist. Unsere Angelegenheit kommt endlich in die Gänge, wie mir scheint.«

Martino reckte seine Glieder und hakte mit dieser Bewegung den Tod der Mitarbeiterin endgültig ab. »Der erste Teil ist ganz nach Plan gelaufen, aber die Ausgangsbedingungen waren auch relativ einfach. Der Range Rover ist bereits bei den Flusspferden verschwunden, nur für den Fall, dass jemand dort unten herumschnüffeln sollte. Jetzt müssen wir noch die Sache mit dem Fernsehteam lösen. Hast du die Notiz gesehen, die ich dir hingelegt habe?«

»Diese Typen von der OBC, diese Engländer, meine ich, kennst du sie gut?«

»Für die lege ich die Hand ins Feuer.«

Die Nachricht war in der Nacht per E-Mail gekommen.

Datum: 17. Okt. 1998 04:33:48
Von: jimdeboe@aol.com
An: acheli@cmm.edu
Betreff: AW: Informationen

Sehr geehrte Signora,
Luisa Mori kann Ihnen nicht antworten, weder jetzt noch später. Sie wurde Opfer einer schrecklichen Tragödie. Luisa ist bei einem Raubüberfall ermordet worden, hier in Florenz. Ich weiß nicht, welche Informationen sie hatte, die Sie betreffen

```
könnten. Sie hatte mich nur gebeten, meine E-
Mail-Adresse benutzen zu dürfen. Sie war eine
Freundin von mir und eine ganz normale junge Frau.
Sprechen Sie ein Gebet für sie.
Jimmy
```

»Mist!« Anna schaltete den Computer ab und konnte ihre Wut kaum bezähmen. »Ich bekomme Post von einer Unbekannten, die angeblich Informationen für mich hat, und wenige Stunden später ist sie tot.«

Im selben Moment betrat Marco das Büro. »Was ist los, führst du Selbstgespräche?«

»Du erinnerst dich an diese Luisa Mori? Tja, die Frau, die mir geschrieben hat, ist tatsächlich identisch mit der Ermordeten in Florenz. Damit stehen wir wieder am Anfang, mit einem Rätsel mehr. Ich frage mich, was sie mir so Wichtiges mitzuteilen hatte.«

In dem langen Schweigen, das folgte, dachten sie beide dasselbe.

»Ich habe Angst, dass sie deswegen ermordet wurde«, sagte Anna schließlich.

»Wie kommst du darauf?«

»Ist nur so ein Gefühl. Aber es ist schon ein merkwürdiger Zufall.«

Marco wedelte mit einem Blatt Papier vor ihrer Nase herum. »Verflucht, Anna! Dabei hatte ich ausnahmsweise mal zwei wirklich gute Nachrichten.«

»Heraus damit, ich kann gute Nachrichten gebrauchen. Das Feuer?«

»Nein, davon habe ich noch nichts gehört. Es geht um etwas anderes. Die NASA hat geantwortet.«

»Wirklich?«

»Das verdanken wir alles unserem braven Treiber. Ich

weiß nicht, wie, doch es ist ihm tatsächlich gelungen, an die richtige Person zu geraten. An denjenigen nämlich, der auch den Archäologen zur Entdeckung von Ubar verholfen hat. Gioele hat ihm unser Problem in einem Brief dargelegt und um einige Aufnahmen während der nächsten Spaceshuttle-Mission gebeten. Es klingt verrückt, aber der Mann hat sofort geantwortet und gesagt, es sei kein Problem, sie könnten uns helfen. In einer Umlaufbahn überfliegt der Shuttle genau unsere Region und verfügt zudem über den entsprechenden Radar.«

»Dann hätten wir also ...«

»Beruhige dich, Anna, ganz so einfach ist es nicht. Zuerst müssen sie tatsächlich Zeit für uns finden. Und selbst wenn es ihnen gelingt, die richtigen Bilder zu machen, müssen sie noch entwickelt werden. Außerdem haben sie schon gesagt, dass das nicht von heute auf morgen geht. Alles andere hat absoluten Vorrang. Vielleicht werden wir bekommen, was wir brauchen, jedoch bestimmt nicht rechtzeitig, um den Brand unter Kontrolle zu bringen.«

»Besser als nichts. Und die zweite gute Nachricht?«

»Wir haben Geld für eine Expedition nach Uganda aufgetrieben.«

»Soll das ein Witz sein?« Anna konnte es kaum glauben. Eine Expedition nach Uganda kostete viele Millionen Lire und war zu diesem Zeitpunkt absolut undenkbar.

»Nein, das ist mein voller Ernst.«

»Sag schon, von wem kommt das Geld? Vom Weihnachtsmann?«

Marco reichte ihr das Schreiben, das er in der Hand hielt. »Lies und staune. Uns wurden zwei Posten als Berater für einen Dokumentarfilm angeboten. Wir müssen nur noch zusagen.«

»Hmmm – das englische Fernsehen. Overseas Broadcast

Company, OBC, noch nie gehört. Da sollten wir lieber zuerst ein paar Nachforschungen anstellen, ehe wir uns mit völlig Fremden einlassen.«

»Ich kümmere mich darum«, sagte Marco im Hinausgehen.

Wieder allein, wandte sich Anna der Sache zu, die sie im Moment am meisten beschäftigte. Wer war Luisa Mori? Die Nachricht dieses geheimnisvollen Jimmy hatte so endgültig geklungen, dass kein Raum für Rückfragen blieb, es sei denn, man schaffte es, an ihn persönlich heranzukommen. Vielleicht hatte die junge Frau ihm irgendetwas anvertraut, was wenigstens als Anhaltspunkt dienen konnte.

Sie überlegte, jemanden von der Polizei in Florenz zu kontaktieren. Obwohl die Vorsicht ihr riet, sich nicht unnötig einzumischen, befahl das angeborene Pflichtbewusstsein ihr das Gegenteil. Für die Polizei konnte jedes noch so kleine Detail von Bedeutung sein, das hatte sie in Dutzenden Büchern gelesen. Außerdem steckte sie schon mittendrin in der Geschichte, ob sie wollte oder nicht.

Sie erbat bei der Auskunft die Telefonnummer des Polizeipräsidiums und ließ sich mit dem zuständigen Beamten verbinden.

»Agente Molderi.«

»Guten Tag, Agente. Hier spricht Dottoressa Anna Cheli vom CMM in Varese. Sie sind mit dem Fall Mori betraut?«

»Ja, das bin ich. Und worum handelt es sich beim CMM?«

»Um ein Zentrum für das Monitoring bedrohter Tierarten.«

»Vom Aussterben bedroht?«

»Na ja, die Natur hält auch noch andere Bedrohungen bereit. Ich persönlich beschäftige mich mit den Primaten.«

»Primaten?«

»Affen.«

»Bitte entschuldigen Sie, ich war bloß neugierig. Was kann ich für Sie tun?«

»Ich muss noch vorausschicken, dass ich Luisa Mori nicht persönlich gekannt habe. Aber vor zwei Tagen bekam ich eine E-Mail von ihr, in der sie mir mitteilte, dass sie wichtige Informationen bezüglich meiner Arbeit habe. Genaueres sagte sie nicht.«

»Sind Sie sicher, dass es dieselbe Luisa Mori war, mit der wir es zu tun haben? Der Name ist nicht gerade ungewöhnlich.«

Schon wieder.

»Ja, Agente. Ich habe an die Adresse zurückgemailt, an einen gewissen Jimmy. Dieser Jimmy hat mir dann geantwortet, dass Luisa bei einem Überfall ums Leben kam.«

»Verstehe.« Der Mann schien nun aufzuhorchen.

»Hat dieser Jimmy auch einen Nachnamen?«, fragte Anna.

»Selbstverständlich«, erwiderte Molderi.

»Dürfte ich ihn erfahren?«

»Nein. Aber Sie können ihm ja schreiben. Schließlich haben Sie seine E-Mail-Adresse.«

Einen Augenblick herrschte peinliches Schweigen.

»Dottoressa Cheli, sind Sie noch dran?«

»Ja, ja, natürlich. Ich habe Ihnen, glaube ich, alles gesagt. Ich weiß, es war nicht viel. Doch auch kleinste Hinweise ...«

»... können der Polizei nützen.«

»Eben.«

»Ich danke Ihnen, Dottoressa De Boers – ’tschuldigung, Dottoressa Cheli, meinte ich.« Er legte auf.

Anna lächelte. Dem Schlaufuchs war es doch tatsächlich

gelungen, ihr Jimmys Nachnamen zu sagen, ohne sich selbst in Schwierigkeiten zu bringen. In ihrer Vorstellung waren alle Polizeibeamten Romanfiguren eines James Ellroy und dieser hier schien da keine Ausnahme zu sein. Immerhin hatte sie damit einen Anhaltspunkt, dem sie nachgehen konnte. Sie fragte sich, ob nun vielleicht eine Reise nach Florenz anstand.

An besseren Tagen wirkte der Sitz der Overseas Broadcast Company wie die Wartehalle eines Flughafens. In den Büros herrschte dieses typische Chaos, das allen Fernsehsendern gemeinsam ist und über das Außenstehende sich immer wieder wundern. Dabei war das Chaos nicht die Folge, sondern die Voraussetzung für diese Arbeit. Im Büro des Produzenten Mike Noah drängten sich die Mitarbeiter. Norman Yves war da, ein blonder, muskelbepackter Riese, der aussah, als sei er gerade einem kalifornischen Fitness-Magazin entsprungen, mit dem einzigen Unterschied, dass seine Haut fast so weiß wie Milch war. Er hatte den Ruf des gegenwärtig besten Dokumentarfilmers und war in der ganzen Welt herumgekommen, von den Gletschern der Antarktis bis zur chilenischen Wüste, vom afrikanischen Rift Valley bis zum schrecklichen Nullarbor Plain in Australien. Neben ihm stand sein Assistent, Bob Loneghy. Er war kaum größer als einen Meter fünfzig, aber als ehemaliger nationaler Boxchampion von außergewöhnlicher Körperkraft. Für die Pharmacon waren Martino Dosi und Teo Blasti anwesend. Marco Rizzo vertrat das CMM, das die notwendige fachliche Beratung zur Expedition beisteuern würde. Über allem thronte, auch was die Körpermaße anlangte, mit denen er Norman noch überragte, der Produzent Noah. In der Szene hatte er den Ruf, nicht immer ganz loyal zu sein, doch die Chefs hatten ihn engagiert und das war entscheidend. Er verwaltete Geld, nicht Professional Correctness. So lauteten die Regeln.

»Nun haben wir uns also alle vorgestellt«, begann Mike mit einem breiten Grinsen, »und ihr werdet jetzt für viele Wochen unter erschwerten Bedingungen miteinander auskommen müssen. Wenn irgendjemand Einwände gegen einen der anderen vorzubringen hat, so ist es besser, wenn er das jetzt gleich tut, denn«, er warf einen Blick auf seine Unterlagen, »das ist im Budget eigentlich nicht vorgesehen.«

Alle lachten und er fuhr fort: »Es tut mir Leid, dass Dottoressa Cheli nicht da ist. Sie hat heute anderweitig zu tun, aber Signor Rizzo hier vertritt sie. Also, die OBC möchte einen Dokumentarfilm über Tierpharmazie drehen, ein Begriff, den ich bis dahin zugegebenermaßen selbst noch nie gehört hatte. Dottor Blasti, möchten Sie ihn uns bitte erklären?«

Teo setzte sich in seinem Stuhl zurecht.

»Den Beginn dieser Forschung markierten vor fünfzehn Jahren Eloy Rodriguez von der Universität Irvine und Richard Wrangham von Harvard, die über einen langen Zeitraum den Gebrauch von Heilpflanzen durch Schimpansen in den Reservaten Gombe und Mahale untersuchten. Ihre Forschung konzentrierte sich speziell auf die Blätter der *Aspilia*-Pflanze, mit denen die Schimpansen die sehr häufigen Darminfektionen behandeln, die durch Parasiten hervorgerufen werden. Eine Zeit lang dachte man sogar, dass die fraglichen Blätter in größeren Mengen Thiarubrin A enthielten, ein hochwirksames Antibiotikum. Doch diese Hypothese erwies sich als unhaltbar. Die Blätter zeigten trotzdem Wirkung, und den Affen, die sie gefressen hatten, ging es danach deutlich besser. Später ergaben Studien von Huffman, dass die unzerkauten *Aspilia*-Blätter direkt in den Darm gelangen, wo sie alles Ungeziefer aufsammeln. Die geheimnisvollen Wege der Natur haben den Blättern einen extrem abstoßenden Geschmack gegeben, weil sie unzerkleinert verzehrt werden müssen, um ihre Funktion zu erfüllen und das Ungeziefer auszutreiben. Weitere Studien in den letzten fünfzehn Jahren an Affen, Gorillas und Bonobos haben bewiesen, dass diese Spezies durchaus ihre gängigen Krankheiten selbst zu heilen versteht. Das ist das Betätigungsfeld der Tierpharmazie.«

Marco unterbrach den Vortrag mit einer Frage. »Nur damit ich nichts falsch verstehe. Wir vom CMM werden für die fachliche Beratung bezahlt, klar. Die OBC kommt über die Ausstrahlung des Films und seinen Verkauf in andere Länder auf ihre Kosten, auch klar. Weniger klar ist mir allerdings, was die Pharmacon an dieser Unternehmung verdient.«

Damit waren sie beim wunden Punkt der ganzen Geschichte angelangt, doch der Einwand kam nicht unerwartet. Noah eilte zu Hilfe.

»Dottor Rizzo, ich verwalte ein durchaus ansehnliches Budget. Ich kann Ihnen sagen, dass die OBC alleine niemals die notwendigen finanziellen Mittel für dieses Unterfangen hätte aufbringen können. Deshalb hat sie auf dem Markt einen Partner gesucht und die Pharmacon gefunden. Und ganz offensichtlich wird auch sie auf ihre Kosten kommen.«

»Sehen Sie, Rizzo«, Martino Dosi beugte sich zu ihm, »die Pharmacon ist ein kerngesundes Unternehmen, doch die Konkurrenz schläft nicht und es wird zunehmend schwieriger, sich auf dem Markt zu behaupten. Da muss man schon einen großen Coup landen, denken Sie bloß an Lilly mit Prozac oder an Pfizer mit Viagra. Eines dieser Arzneimittel ist ausreichend, um die Bilanzen über Jahre hinaus in den schwarzen Bereich zu pushen. Aber dabei handelt es sich um Ausnahmen. Unser Ziel muss es sein, ständig neue Produkte zu entwickeln. Ich würde sagen, nichts anderes erwartet der Markt von uns.«

»Ich verstehe immer noch nicht, was das mit einem Dokumentarfilm über Gorillas zu tun hat.«

»Ganz einfach, der Film handelt nicht von Gorillas, sondern von den so genannten Doktorgorillas.«

Marco traute seinen Ohren nicht. »Wollen Sie damit sagen, wir drehen im Urwald einen Film, um den Gorillas ihre Geheimnisse wegzunehmen? Das kann ich einfach nicht glauben.«

Er merkte sofort, dass er sich zu weit vorgewagt hatte, und sah seine Chancen für eine Zusammenarbeit dahinschwinden. Anna hätte ihn sicher bei lebendigem Leib aufgefressen. Eilig versuchte er, die Scherben zu kitten.

»Entschuldigen Sie bitte, ich wollte nicht unhöflich sein. Es ist nur, wie soll ich sagen, ich war eben etwas erstaunt. Ich wusste nicht, dass die Arzneimittelforschung auch auf das Wissen von Tieren zurückgreift.«

Teo Blasti lächelte ihn an. »Ich verstehe ihre Verwunderung sehr gut, Rizzo, aber lassen Sie uns die Sache doch einmal realistisch betrachten. Es gibt heutzutage nur noch, und das sind optimistische Schätzungen, rund eintausend Gorillas, die geschützt und gesund sind. Eine kostbare Spezies, die man schon fast ausgestorben wähnte, konnte gerettet werden. Und wir alle wissen sehr gut, wodurch. Durch eine gigantische Werbekampagne, die zu ihren Gunsten gestartet wurde. Durch Shaller und Fossey wurde der Gorilla für die gesamte Menschheit zum Tabu erklärt. Ohne die Artikel im *National Geographic* und ohne die zahllosen Dokumentarfilme wäre er schon längst ausgelöscht. Die Pharmacon möchte den Gorillas nichts ›wegnehmen‹, zumal sie ja nebenbei bemerkt sowieso keinen kommerziellen Nutzen aus ihren Kenntnissen ziehen könnten. Im Gegenteil, sie möchte das Interesse an diesen Tieren neu beleben. Es ist also keineswegs verkehrt, zu behaupten, dass von dieser Unternehmung alle, wirklich alle, nur profitieren können. Wenn Sie einverstanden sind, möchte ich nun zu den Einzelheiten des Unternehmens übergehen.«

Was er wohlweislich unerwähnt ließ, war die Akte LARA und ihren todbringenden Inhalt.

Obwohl der Mann am Telefon auf die sechzig zuging, hatte er den Blick eines Kindes. Richard Allen hatte zu Zeiten der ersten Mercurys bei der NASA angefangen und alle Hochs und Tiefs der Raumfahrtbehörde miterlebt, von der Euphorie bei der Apollo bis zur Verzweiflung bei der Challenger. Dennoch hatte er niemals Karriere gemacht, aus dem einfachen Grund, dass er nicht gern mit Geld umging, eine unabdingbare Voraussetzung, um hier aufzusteigen. Seine Macht war subtiler. Sie gründete sich auf das feinmaschige Netz aus Freundschaften und Kontakten, das er in seinen vierzig Jahren im Unternehmen geknüpft hatte. Seit ihn niemand mehr fürchtete, half man ihm von allen Seiten gern.

»Ron, wie geht's? Hier ist Richard.«

»Ich glaube es nicht, Richard der Einzelgänger?«

»Genau der. Ich hoffe, ich störe dich nicht. Wahrscheinlich steht ihr ziemlich unter Druck mit der neuen Mission. Wird mal wieder ein schönes Stück amerikanischer Geschichte, das ihr da schreibt ...«

»Keine Sorge, Druck ist hier der Normalzustand. Wenn ich mich recht entsinne, haben wir zuletzt bei diesem Unfall der Mir zusammengearbeitet. Die ersten zwei Stunden nach der Kollision – da wusste man, was Druck ist. Dagegen ist das hier ein Kinderspiel.«

»Ron, hast du noch Platz im Flugplan?«

»Soll das ein Witz sein? Für dich so viel du willst. Schieß los. Sind wieder mal ein paar Ruinen zu fotografieren? Ich glaube allmählich, du bereitest deinen Ruhestand als Archäologe vor. Ich sehe dich schon in der Erde herumkratzen und Scherben von griechischen Amphoren zu Tage befördern.«

»Nein, diesmal nichts Archäologisches. Afrika. Gorillas.«

»Schon wieder? Das scheint ja eine rechte Manie zu werden! Die Endeavour hat schon vor Jahren jede Menge Aufnahmen von Afrika gemacht.«

»Ich weiß, aber jetzt geht es um eine Region etwas östlicher.«

Er teilte ihm die exakten Koordinaten mit, die Dick sich notierte. Wie durch ein Wunder würden sie nach der nächsten Aktualisierung im Flugplan auftauchen.

»Wie immer kann ich dir nichts versprechen, Richard. Außerdem wirst du die Auswertungen abwarten müssen. Sobald der Spaceshuttle am Boden aufsetzt, habe ich da nichts mehr zu sagen.«

»Danke, Ron.«

»Nichts zu danken. Weißt du, warum ich das mache? Nicht für dich, sondern weil die NASA an den Affen eine Menge wieder gutzumachen hat. Erinnerst du dich an den Schimpansen Ham? Warst du damals überhaupt schon dabei?«

»Na klar, was glaubst du, wer ihn vor dem Abflug getröstet hat, als er an den Sicherheitssitz in der Kapsel festgebunden war?«

»Scheiße, Richard, der Sicherheitssitz! Stell dir vor, dass der alte Yeager und seine Leute sich weigerten, am Astronautenkurs teilzunehmen, weil sie meinten, ehemalige Jagdflieger würden sich niemals dort hinsetzen, wo ein Affe hingepisst hat ...«

Dann verloren sie sich in Erinnerungen.

Jimmy De Boers empfing Anna auffallend kühl.

»Ich möchte eigentlich nicht über Luisa sprechen«, begann er.

»In der E-Mail haben Sie geschrieben, dass sie eine ganz normale junge Frau war. Und das muss sie auch gewesen sein, wenn sie sich die Mühe machte, eine Unbekannte zu kontaktieren, um ihr angeblich wichtige Informationen zukommen zu lassen. Glauben Sie nicht, dass wir ihr etwas schuldig sind? Erzählen Sie mir von ihr. Ich weiß überhaupt nichts über sie.«

Der junge Mann öffnete zwei Getränkedosen. »Luisa war eine frustrierte Idealistin. Ein derzeit ziemlich verbreiteter Menschentyp.« Er hielt einen Moment inne und sprach dann mit veränderter Stimme weiter. »Ich glaube nicht an die Geschichte mit dem Raubüberfall.«

»Warum nicht?«

»Ich weiß nicht genau, aber Luisa war – sie gehörte zu den Menschen, die überzeugt sind, einen Drachen be-kämpfen zu können, indem sie eine schillernde Rüstung anlegen. Sie lebte in einer Märchenwelt, verstehen Sie?«

»Haben Sie zusammengelebt?«

Ohne den Blick zu heben, wies Jimmy auf eines der Zimmer. »Haben Sie die Wohnung nicht gesehen? Nein, das war undenkbar, zumindest für sie. Doch wir sind beide nicht auf die Idee gekommen, unsere Beziehung zu ernst zu nehmen. Wir waren mal Freunde und mal Geliebte, je nach Tagesform.«

»Was sagt die Polizei?«

»Für die ist Luisa Mori nur eine Akte, die längst unter anderen Akten von anderen ermordeten Frauen verschwunden ist.«

»Wo hat sie gearbeitet?«

»Luisa war Chefsekretärin bei der Pharmacon, einem Arzneimittelkonzern. Sie mochte ihren Job.«

»Glauben Sie, dass sie bei der Arbeit auf die Informationen gestoßen sein könnte, von denen sie schrieb?«

»Sie hat mir nichts davon erzählt. Kann sein, sie war in den letzten Tagen irgendwie so aufgeregt. Ich habe sie damit aufgezogen und gefragt, ob sie mal wieder die schillernde Rüstung angelegt habe ...«

»Und sie hat Ihnen gar nichts gesagt?«

»Nein, aber so war sie halt. An jenem Abend fragte sie nur, ob sie meine E-Mail-Adresse benutzen dürfe. ›Ich muss jemandem schreiben, den ich nicht kenne, und möchte das nicht vom Büro aus machen.‹ Sonst nichts. Ach ja, sie sprach von Gorillas im Internet und einer Webcam im Urwald. Gehört die zu ihnen?«

»Ja, die Webcam gehört uns. Sonst hat sie Ihnen nichts gesagt?«

»Nein, daran würde ich mich erinnern.«

»Was wissen Sie über die Pharmacon?«

»Eine Arzneimittelfirma wie andere auch. Scheint sich besonders in der Forschung zu engagieren. Luisa war Sekretärin beim Leiter der Forschungsabteilung. Doch sie sprach nicht viel über die Arbeit.«

»Hat sie vielleicht irgendwelche Aufzeichnungen hinterlassen, ein Tagebuch oder so?«

»Nicht dass ich wüsste. Die Polizei hat jedenfalls nichts erwähnt. Allerdings stehe ich bei denen auch auf der Liste der Verdächtigen, glaube ich, vielleicht sogar an erster Stelle.«

»Wo wohnte sie?«

»Drei Blöcke von hier entfernt. Die Polizei hat ihre Wohnung komplett auf den Kopf gestellt, darüber kann Ihnen Agente Molderi Auskunft geben. Aber auf den würde ich nicht zählen.«

Anna war enttäuscht. Sie hatte sich mehr von dieser Begegnung erhofft.

»Dottoressa Cheli, ich habe Ihnen wirklich alles gesagt, was ich weiß. Ich würde Ihnen ja gerne helfen, das können Sie mir glauben. Noch lieber wäre es mir, wenn diese Informationen nicht so wichtig wären und Luisa wegen eines blöden Zufalls gestorben wäre, weil ein Betrunkener ihr die Tasche klauen wollte. Das fände ich ziemlich tröstlich, glauben Sie mir.«

Angesichts dieser Erklärung fühlte sie sich völlig entwaffnet. Der Schmerz kann sich hinter verschiedenen Gesichtern verstecken, auch hinter der Illusion, dass Dinge aus einem »blöden Zufall« heraus passieren.

Anna erhob sich, doch hatte sie noch eine letzte Frage, die ihr die ganze Zeit auf der Zunge gelegen hatte. Sie standen schon auf der Türschwelle, als sie sich noch einmal umdrehte.

»Sie sagten, Ihre Beziehung sei eher frei und je nach Tagesform sehr unterschiedlich gewesen. Glauben Sie, dass Luisa einen anderen hatte, vielleicht jemanden aus der Firma? Sie wissen ja, wie so was läuft.«

Seine Antwort ließ ihr das Blut in den Adern gefrieren.

»Ich weiß nicht. Vielleicht an den Tagen, an denen wir Freunde waren. Ganz sicher jedoch nicht an denen, an denen wir Geliebte waren.«

Ohne einen Gruß schloss er die Tür.

Varese, Ngoa, Florenz, London, Kilemi

Marco betrachtete Annas erschütterten Gesichtsausdruck.

»He, hab ich was Falsches gesagt? Ich wollte dich nicht beunruhigen. Ich finde es auch nicht besonders toll, dass sie den Gorillas ihr Wissen stehlen wollen, aber so schlimm ist es nun wiederum nicht.«

»Darum geht es gar nicht. Es ist wegen der Pharmacon.«

»Kennst du den Konzern?«

»Luisa Mori hat dort gearbeitet.«

»Ach!« Dieser Zufall war selbst für einen Skeptiker wie Marco zu viel.

»Fassen wir also noch mal zusammen: Von einem englischen Fernsehsender werden wir um Beratung beim x-ten Dokumentarfilm über Gorillas gebeten. Wir hätten abgelehnt, wäre da nicht dieser Buschbrand, wegen dem wir hinunterfahren und die Lage sichten wollen. Wir sagen also zu und erfahren, dass ein Großteil des Geldes von der florentinischen Pharmacon stammt, einem Arzneimittelkonzern, bei dem eine gewisse Luisa Mori angestellt ist, die ermordet aufgefunden wird, nachdem sie mich kontaktiert und mir wichtige Nachrichten versprochen hat. *Post hoc, non propter hoc*, lassen wir das einfach mal so stehen. Die Pharmacon interessiert sich komischerweise für das medizinische Wissen der Gorillas. Was schließt du daraus?«

»Dass wir nicht mehr zurückkönnen.«

»Jetzt weniger denn je.«

»Obwohl der Brand mittlerweile gelöscht ist.«

»Tatsächlich? Na, wenigstens eine gute Nachricht. Dann fällt also das ursprüngliche Motiv für unsere Beratertätigkeit weg, aber dafür ist inzwischen ein viel wichtigeres hinzugekommen.«

»Luisa Mori.«

»Genau, Luisa Mori. Weißt du, Marco, eigentlich müssten wir noch mehr über diesen Konzern in Erfahrung bringen. Uns bleiben noch sieben Tage bis zur Abreise.«

»Das wird reichen.«

»Noch ein Letztes.« Anna war etwas eingefallen. »Jimmy hat mir erzählt, dass die Frau für den Leiter der Abteilung Forschung und Entwicklung gearbeitet habe. Lass mich raten. Ich wette, der ist auch mit von der Partie.«

Marco deutete mit dem Zeigefinger auf sie. »Nicht schlecht, Frau Detektivin. Ich habe ihn sogar kennen gelernt. Es ist dieser Teo Blasti, der uns den klugen Vortrag über Tierpharmazie gehalten hat.«

»Schau mal einer an. Sieh zu, dass du so schnell wie möglich Näheres über ihn herausfindest.«

Während einiger Runden mit der Cessna im Tiefflug überzeugte sich Lazarus, dass seine alte Landebahn in der Nähe des Dorfes, die er gewöhnlich benutzte, frei und einsatzbereit war. Das Feuer war gelöscht und ganz langsam kehrten die Menschen zur Normalität zurück. Sie hatten begonnen, ihre Behausungen wieder aufzubauen, indem sie aus dem Wenigen, das vom Feuer verschont geblieben war, provisorische Hütten zusammenzimmerten. Von oben betrachtet wirkte der Schaden enorm. Lazarus hoffte, dass die Dinge sich am Boden als weniger gravierend herausstellen würden.

Sanft setzte er auf der Erde auf und wartete auf das gewohnte Willkommensritual durch die Kinder. Er nutzte die

Gelegenheit jedes Mal für eine eilige Generalvisite. Unter dem Vorwand der Begrüßung untersuchte er sie hier, betastete sie dort, kontrollierte dem einen schnell den Puls oder fühlte bei einem anderen die Temperatur. Seine Studienkollegen in London, die mittlerweile allesamt Praxen in bester Geschäftslage hatten, wären schockiert gewesen angesichts der Bedingungen, unter denen er den Arztberuf ausübte, und ihn schockierte im Gegenzug der Gedanke an die Gehälter, die sie bezogen. Er hatte das einmal durchgerechnet: Wenn alle seine Patienten aus den verschiedenen Dörfern ihm für eine Visite die in London üblichen Beträge zahlten, wäre er längst der reichste Mann im ganzen Land.

Nachdem er sich von dem guten Gesundheitszustand der Dorfjugend überzeugt hatte, machte Lazarus sich auf den Weg zu den Hütten. Der kleine Mwamba lief hustend neben ihm her, obwohl er garantiert keinen Husten hatte. Er tat dies nur in der Hoffnung, der Doktor möge aus seiner Zaubertasche dieses Instrument für die Ohren hervorholen, das Stethoskop, mit dem er ihm einmal die Brust abgehorcht hatte. Lazarus hatte die denkbar schlechte Idee gehabt, Mwamba seinen eigenen Herzschlag hören zu lassen, und seitdem erfand das Kind jede Art von Krankheit.

Aus der Cessna drangen Geräusche des Funkgeräts. Er wurde angefunkt, wahrscheinlich gab es irgendwo einen Notfall. Schnell lief er zurück und griff nach dem Mikrofon.

»Hier Lazarus, was ist los?«

»Du kannst dich freuen, es gibt Arbeit für dich.«

Warum hatte die Telefonistin nur diesen ironischen Unterton in der Stimme?

»Na, das wird aber auch Zeit. Ich sterbe fast vor Langeweile. Hier ist ja so selten was für mich zu tun.«

»Dir wird das Lachen noch vergehen, wenn du erfährst, wer auf dem Weg hierher ist ...«

Stille.

»Lazarus, bist du noch da?«

»Ich bin hier. Ich warte darauf, dass du dich verständlich machst.«

»Fang schon mal an, Rosen zu pflücken, vorausgesetzt du findest welche von diesen vollen roten.«

Er begriff sofort.

»Anna. Anna kommt zurück, stimmt's?«

»Genau. Und nun, mein lieber Romeo, nimm ein Bad. Du stinkst bis hierher.«

»Jetzt hör endlich auf! Kommt sie wirklich zurück? Weshalb?«

»Ich habe nur die Mitteilung bekommen, dass in dieser Woche ein paar Leute eintreffen werden, um mal wieder einen Film über diese Viecher zu drehen. Anna und Marco sind als Fachleute dabei.«

Lazarus beendete das Gespräch.

Er ging wieder zum Dorf zurück, diesmal beschwingteren Schrittes. Auf der Höhe der ersten Hütten fielen ihm merkwürdige Spuren auf. Die Hitze des Feuers hatte den Schlamm zu einer kleinen Erhebung aufgetürmt, auf der ganz eindeutig Abdrücke von den Reifen eines Geländewagens zu erkennen waren. Er fragte sich, wer sich an diesen abgelegenen Ort verirrte. Dann fiel ihm der kleine Junge ein, der bei seinem letzten Besuch die merkwürdigen Handbewegungen gemacht hatte. Jetzt verstand er ihre Bedeutung: ein Lenkrad. Im Dorf musste kürzlich ein Auto gewesen sein und das war mehr als ungewöhnlich hier.

Als er den Jungen wiedererkannte, nahm er ihn beiseite und versuchte, sich ihm mit Gesten und einzelnen Wortbrocken verständlich zu machen.

»Hast du ein Auto gesehen?«

Der Kleine nickte.

»Vor dem großen Feuer, stimmt's?«

Dieselbe Reaktion.

»Warum hat mir sonst niemand davon erzählt?«

»Es war Nacht.«

»Verstehe. Es war Nacht und alle schliefen, außer dir. Warum warst du wach?«

»Angst vor dem großen schwarzen Mann aus den Bergen.«

Die Gorillas.

»Der große schwarze Mann aus den Bergen ist ganz lieb. Er würde dir niemals wehtun. Ich bin doch auch ein großer schwarzer Mann, siehst du?«, und er ahmte einen Gorilla nach.

Das Kind lachte.

»Jetzt sag, du hast also in der Nacht ein Auto gesehen. Saßen Männer drin?«

»Wie Bloah, aber größer.«

Das verstand Lazarus nicht. Bloah war ein Schimpanse, der sich manchmal zum Stehlen ins Dorf schlich. Es war lächerlich anzusehen, wie die Frauen mit Stöcken hinter ihm herliefen, sehr darauf bedacht, ihn nicht zu verletzen. Mittlerweile war das Tier zu einer Art Volksbelustigung geworden. Was meinte das Kind nur?

»Hör zu, Kleiner. Hast du Bloah in dem Auto gesehen?«

»Nein, nicht Bloah. Männer. Wie er, nur größer.«

Vielleicht hatte das Kind auch alles nur erfunden. Vielleicht hatte es in der Nacht nicht gut gesehen. Die Geschichte klang einfach zu unwahrscheinlich. Männer, die einem Schimpansen ähnelten und sich nachts in ein Dorf schlichen, ohne etwas mitgehen zu lassen. Er versuchte es noch einmal.

»Sag, sahen sie aus wie ich?«

»Nein, wie Bloah.«

Schon wieder der Schimpanse.

Er wusste nicht, wie er weiterkommen sollte. Eilig erledigte er seine Visite im Dorf und kehrte ratlos zu seiner Cessna zurück.

Der Telefonanruf kam völlig unerwartet.

»Dottoressa Cheli? Hier ist Agente Molderi von der Polizei in Florenz. Ich glaube, es gibt da etwas, über das wir reden müssen.«

»Guten Tag, Agente. Ich weiß nicht, was Sie meinen. – Haben Sie Neuigkeiten im Fall Luisa Mori?«

»Sie vielleicht?« Der Mann war es gewohnt, Fragen zu stellen.

»Ich verstehe nicht, worauf Sie hinauswollen.«

»Jimmy De Boers. Vielleicht sollten Sie mir erzählen, was er Ihnen mitgeteilt hat.«

Der junge Mann wurde also überwacht und die Beamten hatten ihren Besuch beobachtet. Ehrlich gesagt wusste sie nicht, wie sie sich verhalten sollte, schließlich hatte Jimmy ihr nichts gesagt, was die Polizei nicht sowieso schon wusste. Sie schwieg, bis schließlich Molderi das Schweigen brach.

»Wenn es Ihnen recht ist, Dottoressa, würde ich gern auf einen Sprung nach Varese kommen. Nur um ein paar Kleinigkeiten zu klären, einverstanden?«

»Geht es der florentinischen Polizei denn finanziell so gut?« Am liebsten hätte sie sich auf die Zunge gebissen.

»Sie machen sich gar keine Vorstellung, wie gut«, erwiderte Molderi ohne die geringste Veränderung im Tonfall. »Also bis heute Nachmittag.«

Ihr kam eine Idee. »Nein, warten Sie, Agente. Ich muss sowieso morgen Vormittag wegen eines Termins nach Florenz. Da könnte ich Ihnen die Reise doch ersparen und bei Ihnen vorbeischauen.«

»Einverstanden«, meinte der Mann. »Verstehen Sie nun,

warum es der florentinischen Polizei so gut geht? Sie spart eben, wo sie kann.« Er legte auf.

Merkwürdiger Typ.

Treiber kam herein, der letzte Mensch, den sie jetzt sehen wollte.

»Hallo, schöne Frau. Uiuiui, dieser Minirock steht dir einfach fabelhaft ...«

»Kein Vergleich zu deinen Mädels im Internet, nehme ich an.«

»Kommt ganz drauf an. Willst du wissen, was ich entdeckt habe? Zwischen einem Mädel und dem nächsten, versteht sich?«

»Lass hören.«

»Ich habe mal aus Spaß die Zugriffe der letzten Tage auf unsere Homepage kontrolliert, reine Routine. Ein Computer der Pharmacon in Florenz hat sich mehrere Male auf die Webcam-Site geschaltet. Tagsüber natürlich. Aber einmal auch nachts, am 16. Oktober. Hier ist die History der aufgerufenen Seiten.«

Er reichte ihr einen Zettel, und Anna tat so, als würde sie die Daten aufmerksam studieren.

»Das sagt mir gar nichts, Treiber.«

»Pass auf! Um null Uhr einunddreißig befindet sich jemand in den Büroräumen der Pharmacon, der sich mit seinem Computer auf unsere Webcam zuschaltet. Von dort geht er eine Minute später auf unsere Homepage, liest sich ein bisschen fest und beginnt dann, etwas zu suchen. Er klickt von Seite zu Seite und beendet schließlich nach zehn Minuten die Verbindung.«

»Ja, und?«

Treiber schien ganz benommen. Einen Augenblick lang fürchtete Anna, in seinem merkwürdigen Gehirn seien ein paar Drähte durchgebrannt.

»Verstehst du denn nicht, Anna? In solchen Fällen muss man immer die zuletzt angeklickte Seite prüfen. Wenn jemand die Verbindung trennt, heißt das entweder, dass er keine Lust mehr hat, oder dass er gefunden hat, was er sucht. Weißt du, was er auf der letzten Seite gefunden hat?«

»Nein, was hat er denn gefunden, Treiber? Komm endlich zur Sache, bitte.«

»Dein schönes Antlitz. Samt deiner E-Mail-Adresse.«

»Ach!«

»Und jetzt überprüfe doch freundlicherweise mal, wann diese Mail von Luisa Mori dich erreicht hat.«

Anna entnahm einer Mappe die ausgedruckte Nachricht und sah nach der Eingangszeit.

»Um ein Uhr dreiunddreißig. Und jetzt?«

»Ganz einfach, mein lieber Watson im Minirock. Von der Pharmacon bis zu Jimmys Wohnung braucht man im Auto rund vierzig Minuten, unter Berücksichtigung des florentinischen Verkehrs bei Nacht. Alles passt zusammen, wenn wir wissen, dass um ein Uhr dreiunddreißig Luisa Mori dir von der Bude des Freundes aus eine E-Mail geschickt hat. Aus ihren Worten spricht eine gewisse Dringlichkeit, so als hätte sie gerade etwas herausgefunden. Warum sollte sie sonst nicht bis zum nächsten Morgen warten? Jetzt wissen wir, dass knapp eine Stunde zuvor jemand auf deine E-Mail-Adresse gestoßen ist. Nimm beide Informationen zusammen und ich kann dir mit an Sicherheit grenzender Wahrscheinlichkeit jeden einzelnen Schritt dieser Frau in jener Nacht beschreiben.«

Ein weiteres Teilchen fügte sich in das Puzzle. Luisa hatte es eilig gehabt, ihre Informationen weiterzugeben. Warum?

»Treiber, du bist ein Schatz.«

»Weshalb? Wegen der Sache mit Ubar, nicht wahr?«

»Nein – ach, vergiss es.«

In seinem Wahnsinn war er unersetzlich.

Mike Noah lehnte sich bequem im Stuhl zurück.

»Also, Leute, seid ihr bereit für das große Abenteuer?«

Der Kameramann Norman ergriff als Erster das Wort. »Mike, wir kennen uns nun schon seit vielen Jahren. Es stimmt doch, dass du mich nie wissentlich einer Gefahr aussetzen würdest, oder?«

Der Produzent zeigte die Unschuldsmiene eines Cockerspaniels. »Aber nein, wie kommst du denn darauf?«

Yves wusste, dass er sich auf unsicherem Gelände bewegte, da er diese Unternehmung nicht in allen Einzelheiten durchschaute.

»Ich bin nicht von gestern, Mike. Wir haben vor zwei Jahren einen Film über Gorillas gedreht, den wir nicht verkaufen konnten, weil die Leute von der Discovery gerade einen teureren und deshalb besseren produziert hatten. Ich kenne keine genauen Zahlen und sie interessieren mich auch nicht, doch es wird genug geredet und man weiß, wann ein Job erfolgreich war und wann nicht. Unser Dokumentarfilm über die Gorillas war es bestimmt nicht. Deshalb frage ich dich: Warum drehen wir noch einen?«

Noah versuchte, die Angelegenheit ins Lächerliche zu ziehen. »Weil wir dich das letzte Mal nicht hinter der Kamera hatten.«

»Bitte lenk nicht ab. Wir wissen alle, dass Bill seinen Job sehr gut gemacht hat. Er hat das Beste aus der Sache herausgeholt …«

»Außerdem«, unterbrach ihn Noah, »befasst sich dieser Film speziell mit den Doktorgorillas.«

Bob Loneghy wollte etwas einwenden, überlegte es sich

jedoch anders. Es war besser, den Mund zu halten, fand er. Norman hingegen schien noch lange nicht überzeugt.

»Komm schon, Mike. Ich bin zwar kein Produzent, aber lange genug beim Fernsehen, um zu wissen, dass letztendlich in diesen Filmen nur die Tiere zählen, ganz egal was sie tun. Ob sie jagen, Familienoberhäupter sind oder sich mit Doktorspielen die Zeit totschlagen ist nebensächlich. Die Leute wollen die Tiere sehen, möglichst nahe und gut ausgeleuchtet. Und Gorillas werden sich nach dem Erfolg des Discovery-Films viele Jahre lang nicht mehr verkaufen.«

Stille.

»Was steckt also dahinter?«

Nun war die Frage endlich heraus.

Mike Noah schwieg einen Moment und spielte im Innern eilig alle Möglichkeiten durch, die er hatte, bis hin zur sofortigen Kündigung dieser beiden neugierigen Nervensägen. Am Ende beschloss er, dass es am einfachsten war, die Wahrheit zu sagen.

»Verflucht, Norman. Ich weiß sehr gut, dass Gorillafilme sich nicht verkaufen. Doch unsere Koproduzenten von der Pharmacon haben uns eine solche Menge Geld geboten, dass es geradezu ein Verbrechen gewesen wäre, das Projekt abzulehnen. Auch ich habe keine Ahnung, wirklich nicht den blassesten Schimmer, was diese Typen vorhaben. Ich kann nur vermuten, dass sie, wenn sie durch die Gorillas einen neuen Wirkstoff entwickeln, Riesengewinne einfahren werden. Und über das Übrige habe ich mir auch meine Gedanken gemacht. Du weißt, dass ich euch niemals leichtfertig einer Gefahr aussetzen würde. Ich habe mit dem Berater gesprochen, diesem Marco Rizzo, und er hat mir versichert, dass es keine Risiken gebe außer denen, die mit jeder Expedition dieser Art verbunden sind.«

Nun schien Norman zufrieden. Er vertraute Mike Noah zwar prinzipiell nicht, aber immerhin war er sein Arbeitgeber und er musste ihm wenigstens ab und zu einen Kredit gewähren.

»Wir werden die Augen offen halten«, beendete er die Diskussion.

In seinem Haus in Kilemi gelang es Lazarus Boma nicht, sich auf die Lektüre der neuesten Ausgabe von *Nature* zu konzentrieren. Die Sache mit den »großen Schimpansen«, die das Kind von Ngoa gesehen haben wollte, ließ ihm einfach keine Ruhe. Er war überzeugt, dass es sich nicht um Affen handelte. Gorillas sind groß, okay, doch selbst im abstrusesten Abenteuerfilm würden sie kein Auto steuern. Schimpansen sind nicht ganz so groß, haben allerdings ebenfalls keinen Führerschein. Tiere einer unbekannten Art? Hirngespinste. Er griff zu einem alten Heft des *National Geographic*, in dem es einen Artikel von Jane Goodall mit wunderschönen Schimpansenfotos gab. Er betrachtete die Bilder und versuchte sich vorzustellen, wie sie auf ein Kind wirken mochten. Vielleicht hatten die geheimnisvollen Besucher in jener Nacht ja Affenmasken getragen. Aber wenn dem so war, mit welcher Absicht?

Jedenfalls musste schnellstens geklärt werden, was diese Männer an dem Ort zu suchen hatten, wo kurz darauf eine Feuersbrunst gewütet hatte. Wer konnte Interesse daran haben, das Dorf der Ärmsten der Armen zu zerstören?

Nach einer halben Stunde sinnlosen Grübelns gab er auf und wandte sich wieder seiner Zeitschrift zu.

Wenige hundert Meter weiter wechselte in einem Lagerhaus gerade ein Bündel Dollar den Besitzer. Ein hünenhafter Schwarzer bezahlte damit die Dienste zweier weißer Exsöldner, die schon in allen Winkeln Afrikas schmutzige Geschäfte erledigt hatten.

»Gut gemacht, Jungs«, sagte der Schwarze. »Wirklich sehr gut. Aber warum habt ihr euch wie für ein Militärkommando ausstaffiert? Schwarze, eng anliegende Anzüge, und dann diese Kopfschützer ... Im Mondlicht haben eure Gesichter fast geleuchtet. Mensch, Leute, ihr habt echt ausgesehen wie Affen!«

Florenz

Teo Blasti konnte zufrieden sein.

»Ich habe den Eindruck, dass alles exakt nach Plan verläuft. Wie weit sind wir mit der Ausrüstung?«

»Wir richten gerade das Labor in Kilemi ein. Wir haben eine verlassene Lagerhalle der Kentrax entdeckt, einer Firma, die vor Jahren im Elfenbeinhandel aktiv war. Ein echter Glückstreffer, das kannst du mir glauben. Von außen sieht alles total heruntergekommen aus, doch die Räume sind in sehr gutem Zustand. Wir haben viele Geräte vorgefunden, von denen wir bestimmt das eine oder andere noch gebrauchen können. Und wenn nicht, haben wir wenigstens eine exzellente Tarnung.«

»Martino, mich interessiert das Labor, nicht das Lagerhaus.«

»Wie gesagt, wir arbeiten dran. Es wird sich im Gebäudekern befinden, der schwer zugänglich ist, wenn man den Weg durch den Plunder nicht kennt. Ein paar Leute haben schon alles isoliert und die notwendigen Rohre und elektrischen Leitungen gelegt. Das Werkzeug trifft nach und nach ein, schön getarnt zwischen den anderen Sachen. Die heiklen Dinge transportieren wir dann selbst ganz zum Schluss.«

»Irgendwelche Probleme mit den Behörden vor Ort?«

»*This is Africa*, wiederholen sie immer wieder. Aber das dient nur dazu, den Preis ein wenig in die Höhe zu treiben. Offiziell sind wir der Tross für den Dokumentarfilm. Vom Labor weiß dort niemand etwas, das Kentrax-Lager ist lediglich unsere Operationsbasis vor dem letzten

Camp. Du kannst beruhigt sein, Teo, es läuft alles wie geschmiert.«

»Ich treffe heute diese mysteriöse Dottoressa Cheli. Sie hat um einen Termin gebeten. Hoffentlich macht sie uns keine Schwierigkeiten. Die Tarnung durch das CMM ist optimal, doch sie kann auch zum Klotz am Bein werden.«

Martino lächelte.

»Ich habe mich nach dem Ruf des Zentrums erkundigt. Aus wissenschaftlicher Sicht spielen sie eine ziemlich wichtige Rolle und pflegen gute Beziehungen zu ein paar Regierungsorganisationen, die üblichen internationalen Naturschutzverbände und Fachzeitschriften, die sie wissenschaftlich beraten. Finanziell sind sie dagegen ein Niemand. Außerdem hätten sie uns niemals begleitet, wenn wir sie nicht auf irgendeine Weise dazu animiert hätten.«

Anna Cheli kam auf die Minute pünktlich in Florenz an und begab sich eilig zum Ausgang des Bahnhofs Santa Maria Novella, als sie hinter sich eine Stimme hörte.

»Kann ich Sie einen Augenblick sprechen, Signora?«

Die Stimme gehörte zu einem braun gebrannten Mann um die dreißig.

»Dottoressa Cheli? Ich kenne Ihr Gesicht aus dem Internet. Ich bin Agente Molderi. Warum sehen Sie mich so an? Hier ist mein Dienstausweis.«

»Nein, nein, entschuldigen Sie, Agente. Es ist nur ... ich hatte nicht damit gerechnet, am Bahnhof empfangen zu werden.«

»Sagen wir mal, ich war gerade wegen eines Termins in der Gegend und bin einfach vorbeigekommen.«

Sie gingen zum Parkplatz.

»Wo ist denn der Wagen mit Blaulicht und Sirene?«

Molderi ging auf einen ganz gewöhnlichen, tabakbraunen Ford zu.

»Wir müssen uns ja nicht immer gleich zu erkennen geben. Aber wenn Sie Zeit haben, können Sie nachher gerne eine Runde in unserem Streifenwagen drehen – mit Festbeleuchtung.«

»Schon gut, Agente, das war ein Scherz. Wohin fahren wir?«

In einem Café am Piazzale Michelangelo fanden sie einen Tisch im Freien. Die Sonne schien warm auf sie herab und lockerte die förmliche Atmosphäre ein wenig auf.

Während sie auf ihren Kaffee warteten, zündete Anna sich eine Zigarette an.

»Müssen Sie unbedingt rauchen, Dottoressa?«

»Was werden Sie jetzt tun? Mich wegen Rauchens einsperren?«

Molderi sah sie einen Moment überrascht an, dann brach er in Gelächter aus. Er hatte das Zitat aus *Basic Instinct* wiedererkannt.

»Wir sind hier nicht in Chicago, Dottoressa Cheli, ich sehe nicht aus wie Michael Douglas und zudem haben Sie Hosen an. Ich wollte Ihnen nur einen guten Rat geben.«

»Die Stadt der Gesundheit«, stimmte sie zu und drückte die Zigarette aus. »Doch nun zu uns. Wenn dies hier auch kein offizielles Verhör ist, nehme ich doch an, dass Sie ein paar Dinge von mir wissen wollen.«

»Korrekt. Könnte ja sein, dass De Boers sich Ihnen anvertraut hat.«

»Verdächtigen Sie ihn?«

»Bitte keine Fragen.«

»Entschuldigung. Ja, ich war bei ihm, weil ich herausfinden wollte, was Luisa Mori mir Wichtiges mitzuteilen hatte. Aber De Boers weiß nichts. Eine Information habe ich dann immerhin doch bekommen: Luisa Mori hat bei der Pharmacon gearbeitet.«

»Das wussten wir bereits.«

»Ich jedoch nicht. Und zufälligerweise hat genau dieser Tage die Pharmacon bei uns angefragt, ob wir sie bei einem Dokumentarfilm über Gorillas in Afrika beraten wollen. Als ich mit Jimmy sprach, wusste ich noch nicht, dass sie unsere Auftraggeber sind. Das habe ich erst in Varese erfahren, sonst hätte ich sicher versucht, mehr aus ihm herauszubekommen.«

»Verstehe. Sonst noch was?«

»Im Büro hat unser Computertechniker beim Prüfen der Zugriffe auf unsere Website rekonstruiert, was in der Nacht geschah, als Luisa mir schrieb.«

»Respekt, Dottoressa. Sie würden eine gute Polizistin abgeben. Natürlich können wir nicht ganz sicher sein, dass es wirklich Luisa war, die in jener Nacht am Computer der Pharmacon saß, aber in Anbetracht der späteren Ereignisse ist es anzunehmen. Sehr interessant. Haben Sie sonst noch was?«

»Nur einen Verdacht, mehr nicht. In der Pharmacon war Luisa Sekretärin des Leiters der Abteilung Forschung und Entwicklung. Nun ist ausgerechnet dieser Blasti einer der beiden Männer, die mit uns an dem Dokumentarfilm arbeiten werden. Zufall? Übrigens werde ich ihn nachher treffen, wegen ihm bin ich nach Florenz gekommen.«

Molderi dachte nach. »Und das war alles, nehme ich an.«

»Ich glaube schon.«

»Was für einen Eindruck hatten Sie von diesem Jimmy?«

»Ich weiß nicht, er verhielt sich irgendwie ausweichend, verzweifelt. Ich nenne solche Typen immer ›Menschen in der Grauzone‹, weil ich sie nicht richtig einordnen kann. Darf ich Ihnen nun auch eine Frage stellen, Agente?«

Molderi lehnte sich zurück. »Natürlich.«

»Ist es Ihnen gelungen, den genauen Zeitpunkt von Luisa Moris Tod zu bestimmen?«

In den Augen des Mannes blitzte es auf. »Die vernünftigste Frage an dieser Stelle. Jemanden wie Sie könnten wir wirklich bei der Polizei gebrauchen, wissen Sie das? Hier meine Antwort: Luisa wurde auf dem Heimweg von Jimmys Wohnung zu ihrer eigenen ermordet, ungefähr um zwei Uhr nachts. Was schließen Sie daraus, Agente Cheli?«

»Dass sie mit dieser E-Mail ihr Todesurteil unterschrieben hat. Dass Jimmy De Boers entweder selbst der Täter ist oder in großer Gefahr schwebt. Dass es aufschlussreich wäre, sowohl den Pharmacon-Computer als auch den von Jimmy zu überprüfen. Ach so, und dass ich vielleicht selbst in Gefahr schwebe, ohne es zu wissen.«

»Sehr gut. Ich antworte Ihnen der Reihe nach: wahrscheinlich, das wissen wir, schon erledigt, vielleicht.«

Anna schwieg.

Zwei Blondinen spazierten an ihnen vorüber.

»In dieser ganzen Geschichte, Dottoressa Cheli ...«

»Bin ich denn nicht mehr Agente?«

»Nein, Sie wurden gerade zurückgestuft, weil Sie ein Detail übersehen haben und nicht auf die nahe liegendste Frage gekommen sind.«

Zur selben Zeit beugte sich auf der anderen Seite der Stadt Jimmy De Boers über ein altes, kaputtes Radio, als das Telefon klingelte.

»Hallo?«

»Die Frau ist wieder in der Stadt. Versuch dieses Mal, den Mund zu halten.«

Jimmy legte auf. Schon wieder so ein Anruf. Von welcher Frau sprach der Verrückte am anderen Ende der Leitung nur? Und wozu sollte er den Mund halten? Allmählich hatte er die Nase voll von diesen Anrufen. Wenn jetzt auf der Straße ein Polizeibeamter zu sehen wäre, würde er hinuntergehen und ihm davon erzählen, um zu erfahren, ob man diesen Belästigungen nicht ein für alle Mal ein Ende bereiten konnte. Aber er entdeckte keine Polizisten vor dem Haus.

Dabei waren sie da – und nicht zu knapp. Doch hatten sie offensichtlich nicht die Absicht, sich zu zeigen.

Sie war enttäuscht.

»Könnten wir vielleicht auf das formelle Sie verzichten? Ich heiße Anna.«

»Federico.«

»Also gut, Federico, wo liegt mein Denkfehler?«

»Ich sagte bereits, dass wir den Pharmacon-Computer, über den Luisa sich einwählte, ebenso wie Jimmys Rechner überprüft haben ...«

»Und was habt ihr gefunden?«

»Frag lieber, was wir nicht gefunden haben. Wir haben keine Spur von jener Nacht und den Internetzugriffen seitens der Pharmacon entdeckt. Aber du versicherst mir, dass es sie gegeben hat, und ich glaube dir. Ich weiß auch, wie leicht es ist, die Spuren einer Verbindung aus dem Computerspeicher und die Verbindungsdaten in den anderen Programmen zu löschen. Warum hat Luisa das getan? Das ist die Frage, die wir beantworten müssen.«

»Hat sie vielleicht jemand in der Nacht die Pharmacon verlassen sehen? Es wird doch einen Nachtportier geben oder so.«

»Den habe ich befragt, allerdings noch ohne besonderen Nachdruck, da ich bis vor einer Minute ja nicht wusste, dass die junge Frau in der Nacht in der Firma war. Er behauptet jedenfalls, niemanden gesehen zu haben.«

»Das ist unmöglich.«

»Eben! Jetzt wissen wir, dass er lügt, Agente.«

»Danke für die Beförderung, Federico, du bist ein Schatz.«

»Bitte.«

Sie trank ihren Kaffee aus. »Na ja, du bist nicht wie Jack Vincennes in *L. A. Confidential.*«

»Und du bist nicht wie Catherine Tramell in *Basic Instinct.*«

»Das hier ist ja auch nicht Hollywood.«

»Hast du Lust, heute Abend mit mir essen zu gehen?«

»Schade, Federico, ich muss heute noch nach Varese zurück. Aber wir können uns trotzdem wiedersehen, oder? Die Ermittlungen werden ja noch eine Weile andauern ...«

»Ja, das werden sie bestimmt.«

Zwei Stunden später bewunderte Anna Cheli bei der Pharmacon die großen Glas- und Betonkonstruktionen der Büroräume. Marco hatte sämtliche Informationen über den Konzern zusammengetragen, an die in der Kürze der Zeit heranzukommen war, und gemeinsam hatten sie pedantisch das Material gesichtet, ohne jedoch auf etwas Verdächtiges zu stoßen. Wie alle Firmen dieser Branche litt auch die Pharmacon unter den starken Marktschwankungen. Neben der Mode gibt es wohl kaum ein so unberechenbares Produkt wie Arzneimittel. Ein Höhenflug der Antidepressiva? Wer Glück hat, kann mit einem guten Produkt aufwarten und verdient sich eine goldene Nase, die Übrigen hinken hinterher. Wenn ihr Mittel endlich in den Apotheken ankommt, ist es meist schon zu spät. Das Paradoxe liegt darin, dass absolut identische Medikamente mit unterschiedlichen Namen sich unterschiedlich gut verkaufen und sich darin nicht anders verhalten wie Waschmittel oder Treibstoffe. Zwei völlig identische Produkte, aber verschieden in den Augen der Käufer. Auf diesem Markt war jeder Schlag unter die Gürtellinie erlaubt. Anna hatte vor einiger Zeit gelesen, dass es Pharmaunternehmen gibt, die ihre Forschungen über die erfolgreiche Behandlung von Magengeschwüren durch Antibiotika nicht veröffentlichen, um den breiten und blühenden Markt der Säurehemmstoffe nicht zu gefährden.

Abgesehen von solchen generellen Überlegungen wirkte die Pharmacon sauber. Sicher, sie hatten gerade keinen Topseller unter ihren Pharmazeutika, aber viele der konkurrierenden Unternehmen befanden sich in derselben Situation.

Der Mann, der auf sie zukam, sah aus wie einer der Hochglanzzeitschriften entstiegen, die auf dem Tisch im Empfangszimmer lagen. Anna bemerkte sofort den Anzug von Armani und den Duft von Lacoste. Dennoch hatte der Mann, der ihr jetzt die Hand reichte, nichts Affektiertes an sich und ein außergewöhnlich sympathisches Lächeln.

»Dottoressa Cheli? Endlich lernen wir uns kennen. Mein Name ist Teo Blasti. Wenn Sie mir bitte in mein Büro folgen möchten.«

Es war freundlich von ihm, sie persönlich zu empfangen. Innerhalb von zwanzig Sekunden hatte es das Armani-Lacoste-Charme-Trio geschafft, einen Großteil ihres natürlichen Misstrauens außer Gefecht zu setzen. Sie ermahnte sich selbst zur Vorsicht.

Im Vorzimmer hämmerte eine Sekretärin mit kupferrotem Bubikopf wie wild geworden auf die Computertastatur ein. Das musste die Nachfolgerin von Luisa Mori sein. Anna ließ sich nichts anmerken. Erst wenn Teo Blasti das Thema anschneiden würde, wollte sie die Fragen stellen, die ihr unter den Nägeln brannten.

»Kaffee, Dottoressa Cheli?«

Die junge Frau am Computer wollte eilfertig aufspringen.

»Nein, Berta, lassen Sie nur. Ich mache das schon. In dieser Abteilung gehört es nicht zu den Aufgaben einer Sekretärin, Kaffee zu kochen.«

Berta war also neu. Und dieser Blasti ein echter Gentleman. Sie verabscheute es, wenn wichtigtuerische Abteilungsleiter sich von ihren Sekretärinnen bedienen ließen. Langsam fragte sie sich, wie lange ihr Verteidigungswall noch standhalten würde.

Schließlich saßen sie in seinem Büro.

»Dottoressa Cheli. Ich möchte mit einem Vorschlag beginnen. Wir werden in den nächsten Wochen viel Zeit miteinander verbringen. Ich weiß, dass es ungewöhnlich erscheinen mag, aber könnten wir nicht einfach sofort die starren Mauern der Konvention niederreißen und zum Du übergehen, obwohl wir uns erst seit drei Minuten kennen? Ich bin Teo.«

»Gerne, Teo.«

»Gut, Anna. Damit hätten wir das Schwierigste schon einmal hinter uns.«

Sie lachte.

»Marco hat dir wahrscheinlich bereits von unserem Treffen in London berichtet. Es gibt jetzt eine aktuelle Neuigkeit. Wir werden einen weiteren Chef bei unserer Unternehmung dabeihaben. Er ist Produzent der OBC, und zwar ein anderer als der, den wir schon kennen gelernt haben, heißt Ken Travis und war schon bei zahlreichen Drehs auf der ganzen Welt beteiligt. In allen praktischen Belangen können wir uns voll und ganz auf ihn verlassen. Ich glaube, dass er sich bereits mit Marco in Verbindung gesetzt hat. Wenn du nach Varese zurückkehrst, wirst du also mehr darüber erfahren.«

»Seid ihr über den Brand informiert, den es in unserer Gegend gegeben hat?«

»Ja, wir haben davon gehört. Aber ich meine, dass er bereits gelöscht ist. War unser Projekt dadurch gefährdet?«

»Ich glaube nicht. Ich kenne die Beschaffenheit des Geländes ganz gut. Das Gebiet mit den Gorillas liegt höher und ist durch einen großen Steilhang von der Zone getrennt, wo das Feuer gewütet hat. Nach meinen Informationen sind alle außer Gefahr.«

Sie sagte ihm nichts über die Aufnahmen, die sie sich von der Spaceshuttle-Mission erhofften.

»Außer uns beiden«, fuhr Teo fort, »werden der Kameramann und sein Assistent mitfahren. Dann Marco und Martino Dosi, den ich dir gleich vorstellen werde. Doch ich vermute, du bist hergekommen, weil du über etwas anderes reden möchtest.«

»Stimmt. Mich hat diese Geschichte mit den Doktorgorillas neugierig gemacht.«

»Dann bitte ich dich um einen Moment Geduld, damit ich Martino hinzurufe.« Er tippte ein paar Worte in den Computer.

»Berta da draußen wird sich völlig überflüssig vorkommen«, kommentierte Anna.

Teo zog sein Jackett aus. »Intranet. Geht eindeutig schneller.«

Tatsächlich trat Martino Dosi wenige Augenblicke später ein.

Teo stellte sie einander vor. Die beiden Männer sahen sich auf Anhieb sehr ähnlich, aber Annas aufmerksamer Blick bemerkte nach und nach große Unterschiede zwischen ihnen. Während Blasti eine magische Anziehungskraft ausstrahlte, schien Dosi sein Gegenüber allein durch die Körperhaltung zurückzustoßen. Obwohl er gut aussah, besser als Teo, benahm er sich wie manche Tiere, die sich fürchten, obwohl sie wissen, dass sie überlegen sind. Sie tun einem allein deshalb nichts, weil sie nicht wollen. Und auf ihre Art lassen sie es einen wissen.

Blasti hatte die Initiative schon wieder an sich gerissen.

»Also, Anna, dann lass uns über die Doktorgorillas sprechen. Ich hoffe, dass Marco nicht zu schlecht davon geredet hat. In London wirkte er ziemlich skeptisch.«

»Alter Fuchs«, dachte sie, »übermittelt in einem einzigen Satz einen Berg an Informationen.«

»Tja, ich muss gestehen, anfangs war auch ich ziemlich erstaunt.«

»Der weltweit größte Arzneimittelhersteller, Anna, ist nicht ein Unternehmen mit Vorsitzenden, Abteilungsleitern, Angestellten, Sekretärinnen, Laboranten und Marketingstrategen. Nein, er befindet sich da draußen, im Primärwald. Lass es mich anhand einiger Zahlen erklären. Von dort draußen stammen etwa fünfundzwanzig Prozent aller in der westlichen Welt eingenommenen Medikamente. Das National Cancer Institute hat bis heute dreitausend Pflanzen identifiziert, die auf irgendeine Art karzinogenen Zellen entgegenwirken, und siebzig Prozent dieser Pflanzen kommen direkt aus dem Urwald. Man schätzt, dass dort unten rund dreihunderttausend verschiedene Pflanzenarten mit medizinischer Wirkungskraft wachsen, von denen wir nur einen Bruchteil kennen und noch viel weniger erforscht haben.«

»Vor einiger Zeit«, mischte sich nun Anna ein, »habe ich einen Artikel über einen Forscher gelesen, der lange mit einem fast hundertjährigen Medizinmann der Mayas zusammengearbeitet hat. Er erzielte so bemerkenswerte Erfolge, dass ihm das National Cancer Institute von sich aus weitere fünf Jahre Forschung finanzierte.«

»Ich kenne den Fall. Du verstehst also. Dieser ganze unerforschte Reichtum, zum Greifen nah ... Leider fehlt es uns an Mitteln, um diese Substanzen in wirksame Medikamente umzuwandeln, wir leben nun mal nicht im Urwald. Du bist doch Evolutionsbiologin, nicht wahr?«

»Ja.«

»Dann glaubst du wahrscheinlich auch nicht, dass derjenige, der die gegebenen Möglichkeiten am besten ausschöpfen kann, nach den Gesetzen der Evolution unbedingt immer derjenige sein muss, der in der entsprechenden Region lebt? Dass wir intelligenter sind, Anna, bilden wir uns bloß ein. Wir sind geschickte Verwandler, auch wenn wir uns großspurig Forscher nennen ... Nein, als Forscher sind wir eher mäßig, denn unser Entwicklungsstand erfordert dies nicht mehr von uns. Deshalb sind wir dem Urwald hilflos ausgeliefert, wenn wir ihn betreten. Wir haben ihn vor Jahrmillionen verlassen, um uns dem Abenteuer unseres Erfolges zu stellen. Zum Jagen mussten wir laufen. Zum Laufen brauchten wir Proteine und mussten jagen. Andere Lebewesen hingegen schlugen eine andere Richtung ein, sie blieben im Urwald und ernährten sich von Blättern. Sie mussten sich weniger anstrengen, denn sie hatten alles, was sie zum Leben brauchten. Deshalb wurden sie weitgehend friedfertig, weise und erfahren. Was die Evolution sie gelehrt hat, ist, die Blätter zu kennen, ihren Nährwert, ihren Nutzen – und ihre Heilkraft.«

Teo verstand es, wirklich zu überzeugen. Marco hatte nicht solche Worte gefunden. Vielleicht war der Leiter der Forschungsabteilung der Pharmacon eine Art intellektueller Zelig, der sich problemlos mit seinen Reden und Verhaltensweisen der Eigenart des Gesprächspartners anpassen konnte. Das würde zumindest seinen Erfolg und seine unleugbare Faszination erklären.

»Ich sehe, dass wir uns verstehen, Anna. Wir wollen den Gorillas nichts wegnehmen. Wir wollen von ihnen lernen, weil sie die einzigen Experten für Heilpflanzen in ihrem Wald sind. Das ist kein Vorwand und auch keine wissenschaftliche Versöhnungstaktik oder so etwas. Rein rational. Schau nur mal zum Beispiel, was in der Bionik geschieht.«

Anna hörte ihm schweigend zu.

»Ich vermute, dass auch bei dir zu Hause in der Toilettenschüssel in einer Plastikhalterung ein Duftstein hängt, der bei jeder Spülung seinen Duft abgibt. Was glaubst du, bei wem wir uns das System für dieses scheinbar so einfache Ding abgeschaut haben? Bei den Kiemen der Fische, meine Liebe. Die Evolution hat sie so geformt, dass sie ganz leicht Wasser aufnehmen können und es nach Gebrauch wieder abgeben. Der intelligenteste Ingenieur kann sich nicht messen mit den Milliarden Jahren an Forschung durch Mutter Natur. Von ihr können wir uns alles abschauen. Es gibt Leute, die sich für den Entwurf eines Autositzes von den schlängelnden Bewegungen einer Kobra inspirieren lassen. Oder an den Saugnäpfen eines Kopffüßers, um einen rutschfesten Bodenbelag zu entwickeln. Und solche, die sich für die Heilmittel aus dem Urwald an den besten Forschern orientieren, die es in unserem Fall geben kann, eben die Gorillas. Ganz einfach, findest du nicht?«

Teo holte zufrieden Luft. Anna hingegen spürte, wie ihre Defensive bröckelte und in sich zusammenfiel. Dieser Mann hatte sie verhext. Und zwar indem er ihre eigene Sprache benutzte und an ein paar der empfindlichsten Stellen ihrer wissenschaftlichen Überzeugungen rührte. Sie hätte seine Argumentation an verschiedenen Punkten angreifen können, aber sie fühlte sich wie unter Drogen.

Ihr war gar nicht aufgefallen, wie lange sie geschwiegen hatte.

Sie wusste genau, dass vor ihr ein Mensch mit vielen Schattenseiten saß. Es fiel ihr nicht schwer, zu glauben, dass Luisa Mori sich in so einen Typen verliebt haben könnte, und dieselbe Luisa Mori war durch einen Schuss in den Nacken getötet worden, vor wenigen Nächten in Florenz. Sie durfte sich nichts vormachen. Teo Blasti war womöglich ein Mörder, und sie selbst war gerade dabei, sich in ihn zu verlieben. Wahrscheinlich verheimlichte er ihr den wahren Grund der Expedition, und trotzdem fühlte sie sich unwiderstehlich zu ihm hingezogen. Vielleicht log Teo Blasti, doch sie hatte eine verdammte Lust, mit ihm zu schlafen.

Wie ein Blitz schossen ihr die Worte ihres alten Professors an der Universität durch den Kopf, der Mann, der ihr den Weg zur Evolutionsbiologie gewiesen hatte. »Denk immer daran, Anna: Die natürliche Auswahl zielt nicht auf den Besten, sondern auf die beste Möglichkeit, die Gene zu reproduzieren.«

Genau das passierte ihr gerade. Sie wünschte sich Sex mit dem falschen Mann.

Florenz, Kilemi, London, Singapur

Bis zur Abfahrt des Nachtzuges nach Mailand hatte Anna noch Zeit und gern wäre sie zur Ablenkung in ein Lokal gegangen. Doch unwillkürlich zog es sie in eine andere Richtung, als sei sie der jungen Frau etwas schuldig, die ihre geheimnisvolle E-Mail, dessen war sie sich inzwischen sicher, mit dem Leben bezahlt hatte.

Das Taxi setzte Anna genau dort ab, wo Luisa Mori erschossen worden war. Zwei junge Männer spazierten Hand in Hand an ihr vorüber, ein älterer Herr führte seinen Hund Gassi, während ein Betrunkener an einem Laternenpfahl lehnte und ins Nichts starrte. Nur wenig entfernt entdeckte sie die Lichter einer Schwulen-Bar, in der das Pärchen verschwand. Zwanzig Meter völlig anonymes Florenz, die mit nichts an das Drama erinnerten, das sich wenige Abende zuvor hier abgespielt hatte. Die Kreidespuren, welche die Spurensicherung hinterlassen hatte, waren weggewaschen. Die Stadt verleibt sich im Nu alles ein, Moden ebenso wie Verbrechen. Nicht einmal eine Blume kennzeichnete die Stelle, die nach dem Schrecken einer Nacht wieder absolut gesichtslos geworden war.

Enttäuscht schlug sie den Weg zu Luisas Wohnung ein, denn sie hätte sich als Verräterin gefühlt, wenn sie der Frau nicht diese letzte Ehre erwiesen hätte. Wenige Häuserblocks trennten sie von dem Wohnhaus aus Stein, das noch aus der Zeit vor dem Zweiten Weltkrieg stammte. Auf der Fassade sah man zwei Buchstaben, ein I und ein B oder P, die verblassten Konturen waren kaum mehr zu erkennen.

Die Fenster in den ersten drei Stockwerken waren verschlossen. Anna war so gut wie sicher, dass dort Blastis Sekretärin gewohnt hatte.

Sie wollte nur herausfinden, ob sie mit dieser Intuition richtig lag. Deshalb stieg sie die Treppenstufen hinauf und blieb vor dem Namensschild an der Tür stehen. Die Polizei hatte die Versiegelung schon entfernt. Anna ließ sich von ihrem Instinkt leiten, drückte gegen die Tür und stellte fest, dass die nur eingeschnappt, nicht abgeschlossen war. Es stimmt, dachte sie sich, während sie die Magnetkarte des CMM hervorzog, es ist eine Straftat, die Wohnung eines anderen zu betreten, ohne eingeladen zu sein. Und es stimmt, dass da noch ein Dutzend weiterer Straftaten hinzukommen, wenn dieser andere ein Mordopfer ist. Es stimmte auch, dass sie sich nicht mit der Entschuldigung herausreden konnte, besondere Sympathie für Agente Molderi zu hegen. »Alles absolut richtig«, dachte sie, während die Tür leise hinter ihr ins Schloss fiel.

Sie machte Licht an. Die Fensterläden waren verschlossen, so dass von außen niemand hereinschauen konnte.

Luisa Mori musste eine ordnungsliebende Person gewesen sein, zu Hause ebenso effizient wie im Büro. Die Polizei hatte das Appartement durchsucht und unübersehbar ihre Spuren hinterlassen, doch stach die Grundordnung immer noch hervor. Luisa hatte offenbar eine Vorliebe für moderne Möbel aus Glas und Stahl gehabt. Ziemlich teurer Geschmack. In der Mitte des Raumes, von dem eine Tür zum Bad abging und man durch eine andere, angelehnte Tür ins Schlafzimmer sehen konnte, thronte protzig ein kompakter Turm aus Fernseher, Videorekorder und Hi-Fi-Anlage. Vor dem Fenster stand ein Tisch mit dem Computer. Davor sah man durch eine Schiebetür aus Glas auf die Kochnische.

Anna wusste nicht, was sie eigentlich suchte. Ein Tagebuch? Wenn es eins gab, hatte die Polizei es sicherlich mitgenommen. Irgendwelche Papiere, die für die Ermittlungen irrelevant schienen, für sie jedoch von großer Bedeutung waren? So etwas passierte nur im Kino.

Gerade als sie beschloss, lieber wieder zu gehen, fiel ihr etwas Merkwürdiges auf. Ein Duft. In dem Raum lag ein Duft, der kaum einige Tage alt sein konnte. Es musste kurz zuvor jemand hier gewesen sein. Sie warf einen Blick ins Schlafzimmer und dann ins Bad, aber da war keine Menschenseele. Der geheimnisvolle Besucher war offenbar wieder gegangen.

Ein kalter Schauer lief ihr über den Rücken und ließ sie erstarren. Wieso hätte die Polizei die Wohnung nicht abschließen sollen? Wie dumm sie gewesen war, spätestens die Tür hätte sie misstrauisch machen müssen. Sie war in die Falle getappt wie eine blutige Anfängerin. Sie musste unbedingt fliehen, doch ihre Angst vor der Wohnungstür war zu groß. Wer auch immer hier gewesen war, er konnte jeden Augenblick zurückkommen. Oder er beobachtete die Wohnung von der Straße aus. Sie entschloss sich, ein paar Minuten abzuwarten. Bald darauf glaubte sie, Schritte auf der Treppe zu hören, hatte sich aber wohl geirrt.

Sie blieb vor dem Computer stehen. Wenn Luisa selbst einen hatte, warum war sie dann zu Jimmy gegangen, um die Mail zu schreiben? Wäre es nicht logischer gewesen, die Nachricht von zu Hause zu senden? Sie sah sich den Rechner genauer an und entdeckte auch das kleine schwarze Modem, das korrekt angeschlossen war. Die Neugierde siegte über ihre Vorsicht. Bemüht darum, nur die Fingernägel zu benutzen und keine Abdrücke zu hinterlassen, schaltete sie den Computer an, um zu prüfen, ob Luisa eine Internetverbindung hatte, wie es das Modem vermuten ließ. Und tatsächlich bestätigte sich die Vermutung. Sie hatte also keinen vernünftigen Grund gehabt, an jenem Abend zu Jimmy zu gehen.

Gerade als sie den Rechner wieder ausschalten wollte, bemerkte sie einen Schatten, der sich auf dem Bildschirm widerspiegelte – zu spät.

Plötzlich war alles um sie herum dunkel. Ihr Gehirn brauchte eine Weile, um zu begreifen, dass nicht der Computer sich ausgeschaltet hatte, sondern ihr Bewusstsein. Sie hatte das Gefühl, in einem abstürzenden Aufzug nach unten zu rasen.

Den durchdringenden Geruch nach schlecht gewordenem Kaffee nahmen die Männer, die seit Tagen in dem ehemaligen Warenlager der Kentrax in der Peripherie von Kilemi arbeiteten, kaum mehr wahr. In dem Durcheinander standen Jutesäcke und achtlos übereinander gestapelte Holzkisten, von denen einige noch den Schriftzug der alten Firma trugen, neben modernsten, luftdicht verschließbaren Aluminiumbehältern.

Torbis »Fairplay« Groom, der die Arbeiten leitete, sah aus wie ein Verkehrspolizist während der Stoßzeiten. Der Schwarze mit den ungeheuren Körpermaßen war vor Jahren einem schrecklichen Massaker entronnen, bei dem in einer einzigen Nacht alle Mitarbeiter der Kentrax ausgelöscht wurden, um auf diese Weise dem einträglichen Elfenbeinhandel mit Dubai und Japan ein Ende zu setzen. Schon damals war er mit dem Lager vertraut wie kein anderer und entdeckte einen Ort, der für niemanden zugänglich war, es sei denn man kannte den Mechanismus der doppelten Türen. Als ihm in jener Nacht klar wurde, dass nichts die Angreifer würde aufhalten können, versteckte er sich dort und lauschte dem schrecklichen Gemetzel. Er konnte nur ahnen, was seine Gefährten gerade erlitten. Drei Tage blieb er in den zwei Quadratmetern Raum, ohne Essen und Trinken, bis er ganz sicher war, dass alles vorbei war. Er hörte die Polizeibeamten kommen, entsetzte Rufe ausstoßen und dann bald zum Alltagsgeschäft übergehen, hörte, wie die Leichen hinausgetragen wurden und Plünderer kamen, wahrscheinlich dieselben Beamten. Endlich trat tiefe Stille ein. Drei Tage lang hatte er einen Grauen erregenden Film vor seinem inneren Auge ablaufen sehen, dessen Hintergrundmusik er niemals vergessen würde.

Als er aus dem Versteck aufgetaucht war, hatte er sich einige Male übergeben müssen. Der Geruch nach Tod schien sich in die Mauern eingebrannt zu haben. Er hatte jegliches Zeitgefühl verloren. Wo er sich aufgehalten hatte, gab es keine Fenster, und die Türen ließen kein Licht hindurch. Er glaubte, es sei Vormittag, aber durch ein zerbrochenes Fenster konnte er klar und rein das Licht des Mondes sehen, das auf die äußersten Häuser Kilemis fiel.

In jener Nacht wurde aus Torbis Groom Torbis »Fairplay« Groom. Er schwor Rache für seine Männer und er machte sich auf die Suche nach den ansässigen Verrätern. Diese hatten nämlich Profis angeheuert und den Befehl zu dieser Aktion gegeben, die mit dem Massaker im Lagerhaus geendet hatte. Einen nach dem anderen spürte er sie in ihren Hütten auf und metzelte sie mit Schlägen seiner *Panga* nieder. Dann machte er sich einen Spaß daraus, Köpfe, Arme und Beine so weit wie möglich von sich zu schleudern – durchaus ein makabres Spiel. Die Polizei hatte in jenen Tagen reichlich Mühe, die Leichen wieder zusammenzusetzen, aber keiner konnte ihm jemals die Morde nachweisen. Torbis Groom war wie der Geist der Kentrax gewesen: Nicht einmal seine engsten Freunde hatten gewusst, dass er dort arbeitete. Offiziell gab es keine Verbindungen zwischen ihm und den Elfenbeinschmugglern. Schließlich wurden die Verbrechen als Werk eines Psychopathen zu den Akten gelegt.

Nun war er unter neuen Bossen in das Lager zurückgekehrt. Wo er auch hinsah, erblickte er den Tod. Das Stimmengewirr der Arbeiter wurde von der Erinnerung an die Schreie der Gefährten überlagert.

Dennoch hatte er eine freundliche Umgangsart und niemand hätte in ihm jemals den psychopathischen Mörder gesehen.

Er durchschritt die halb verborgene, massive Tür hinter den Kaffeesäcken und hatte das Gefühl, sich in einer unsichtbaren Zeitmaschine zu befinden, in der er mit wenigen Metern über ein Jahrhundert zurückgelegt hatte. Der Raum, in dem er nun stand, war ein modern eingerichtetes Labor mit glänzenden Metalltischen und großen, in Plastikplanen gehüllten Geräten. Überall lagen Kabel herum, und einige Techniker waren dabei, Computer anzuschließen.

In diesen Räumen hatten einmal Tonnen von Elfenbein gelagert. Doch das war eine andere Geschichte.

Interessiert verfolgte Bob Loneghy die komplizierten Verrenkungen einer Rothaarigen, die mit drei überdurchschnittlich ausgestatteten Kerlen zugange war. Er kannte dieses Pornovideo auswendig, aber auf das normale Fernsehprogramm hatte er keine Lust. Er musste seine Koffer für die Afrikaexpedition packen und schob es noch vor sich her, um das vage Gefühl der Angst fern zu halten, das seit dem Gespräch mit dem Produzenten in ihm schwelte. Er vertraute seinem Chef. Norman war nicht nur ein fähiger Kameramann, sondern hatte auch Grips. Mehr als einmal hatten sie bei ihren Drehs in den finstersten Winkeln der Welt allein dank des perfekten Zusammenspiels von Normans Verstand und seiner Körperkraft überlebt. Im Nullarbor Plain waren sie bei einer kleineren Eisenbahnstation von einer Gruppe betrunkener Arbeiter angegriffen worden, die an diesem gottverlassenen Ort im Bier ihren einzigen Trost fanden. Zwei gegen zehn. Doch Normans Kopf und Bobs Arme hatten bestens funktioniert und in der Morgendämmerung waren sie nach einem ehrwürdigen Kampf allesamt Freunde geworden.

Abgelenkt von der in Großaufnahme keuchenden Roten, hörte er nicht, wie sich hinter ihm langsam die Tür öffnete.

Zwei Männer in schwarzen Overalls schlichen lautlos herein. Einer hatte einen kleinen Arztkoffer dabei, seine Hände steckten in Latexhandschuhen. Die zwei postierten sich zu beiden Seiten der Wohnzimmertür. Ihr Mann lag in einem tiefen Sessel und verfolgte das Geschehen auf dem Bildschirm. Die Rothaarige war in diesem Moment ihre beste Verbündete: Bobs Aufmerksamkeit war ganz auf den Bildschirm gerichtet. Sie würden ihn völlig entspannt an den Schultern packen und ruhig stellen können, ohne dass er Gelegenheit hätte, zu reagieren.

Der Mann mit dem Koffer legte den Revolver weg, kniete sich nieder und zog einen dicken Mullverband hervor. Er klappte ihn auf und holte ein Reagenzglas mit einer rosafarbenen Flüssigkeit hervor. Dann reichte er seinem Begleiter einen mit dem Betäubungsmittel getränkten Wattebausch. Sie mussten sich beeilen; das Mädchen konnte jeden Moment den Höhepunkt erreichen und ihnen einen Strich durch die Rechnung machen.

Sie hatten die Szene ein Dutzend Mal geprobt und waren perfekt aufeinander eingespielt.

Bob Loneghy merkte nichts. Innerhalb weniger Sekunden versank er in tiefem Schlaf. In aller Ruhe legte der »Arzt« ihm den Kopf zurück und träufelte die Flüssigkeit in sein Nasenloch. Der Mann würde mit heftigen Kopfschmerzen aufwachen und sich fragen, was eigentlich geschehen war. Er würde das gesamte Haus überprüfen und feststellen, dass nichts fehlte. Sein Körper würde keine Spuren des Geschehenen aufweisen.

Bevor sie hinausgingen, spulte der »Doktor« das Videoband um einige Minuten zurück.

Die Rothaarige stöhnte zum Abschied hinter ihnen her. Sie hatten die ganze Zeit kein einziges Wort gewechselt.

Die untergehende Sonne tauchte den Innengarten vom Raffles in Singapur in rotes Licht. Wie ein alternder indischer Offizier bewahrte das Hotel als letztes Gebäude die Erinnerungen an die Insel, wie sie vor dem Ansturm der Wolkenkratzer ausgesehen hatte. Man durfte nur den Blick nicht heben, und schon reichte das kleine Fleckchen Grün des Rasens über die weißen Mauern bis hinunter zum Hafen, wo man in der Ferne die weißen Segel erahnte, die Molen, die vor Chinesen wimmelten, wo Spezereien ein- und Luxusgüter ausgeschifft wurden, wo im diskreten Schatten der Säulengänge Klingen aufblitzten und die Abwasserkanäle in den Himmel stanken.

Song Ho zelebrierte gerade sein abendliches Teeritual in einem Winkel des Gartens, weit weg vom Getümmel der Touristen, die nur kamen, um auf die Schnelle in der Long Bar einen Singapore Sling zu schlürfen. Selbst die kleinen Vögel schienen über den vorabendlichen Trubel verärgert und verließen die Tische des Lokals, um sich auf der Suche nach Ruhe in die Nähe des Chinesen zurückzuziehen.

Ein weiß gekleideter Mann kam heran.

»Sie haben mich gerufen, Herr?«

»Setz dich zu mir, wir müssen reden.«

Schwierigkeiten, dachte der Mann in Weiß, der Sekretär und Mädchen für alles war. Song Ho pflegte zu befehlen, nicht zu reden. Tat er es doch, so nur, weil ihm etwas oder jemand nicht passte. Wenn es dann noch zur heiligen Teestunde geschah, verhieß das absolut nichts Gutes.

Song Ho war der oberste Chef der Timber East Company, kurz TEC, einer Gesellschaft, die auf allen Kontinenten Geschäfte machte und ihren Hauptsitz in einem modernen Gebäude in Peking hatte. In Wirklichkeit wurden ihre Geschicke jedoch über den Computer in Zimmer 127 gelenkt, das auf den Garten des Hotel Raffles hinausging. Song Ho hatte als Erster begriffen, welch enormes Potenzial an Reichtum in Edelhölzern steckte: Mahagoni, Teak, Palisander waren seine Tiger, die den Weltmarkt beherrschten. Die riesigen Stämme aus dem Regenwald verwandelten sich in Möbel und Schiffe, in Wände und Särge, die wieder vergraben oder eingeäschert wurden, den Kreislauf verließen und so einen unendlichen Markt ernährten. Allein nach Japan hatten sie im vergangenen Jahr über fünf Millionen Kubikmeter Tropenholz verkauft. Aber auch jede andere Holzart lief gut. In den Urwäldern von Afrika, Südamerika und Asien stieß man überall auf die Ho-Maschinen, fünfzehntausend Kilo Stahl mit acht Kreissägen von je zwei Metern Durchmesser und acht Schlagmessern mit dreihundertzwanzig Umdrehungen in der Minute, die einen massiven Baum problemlos in kleine Stückchen von der Größe einer Streichholzschachtel zerlegen konnten. In Papua-Neuguinea zersägten Hos Maschinen jahrhundertealte Bäume zu gebrauchsfertigen Ess-Stäbchen für die Tafeln des Fernen Ostens. Gut fünfundvierzig Millionen Stäbchen gingen jeden Monat allein nach Japan.

Der Mann in Weiß deutete eine Verbeugung an und setzte sich.

»Wir müssen über Uganda reden. Wie steht es mit unserem Abkommen?«

»Alles geklärt. Sie selbst, Herr Ho, haben die letzten Details ausgehandelt.«

»Das weiß ich, du Idiot. Ich frage dich, weil ich den Eindruck habe, dass nicht alles nach Plan läuft.«

»Ich weiß nicht, was Sie meinen.«

»Sieh mal, wir haben viele tausend Dollar in die lokalen Behörden im Süden des Landes investiert. Alles, um uns bei unserer Arbeit frei bewegen zu können und nicht ständig überwacht zu werden. Und was muss ich erfahren? Dass ein Feuer gewütet hat. Was kannst du mir dazu berichten?«

»Die Flammen sind bei dem Dorf Ngoa ausgebrochen.«

»›Sind ausgebrochen‹ klingt ein wenig unspezifisch.«

»Ich war gerade dabei, das herauszufinden. Es gibt keine offizielle Version des Geschehens, aber glaubt man den Gerüchten, die dort unten kursieren, handelt es sich wohl um Brandstiftung.«

»Ach!«

»Das Feuer hat ein paar Tage gebrannt, dann ist es praktisch von selbst ausgegangen. Ich habe das überprüft. Die Gegend, die für uns interessant ist, war so gut wie nicht betroffen.«

»Das wusste ich bereits. Wer von unseren Konkurrenten kann das gewesen sein?«

»Die TEC ist die Einzige, die sich in der Gegend engagiert, und unsere Kontaktleute in Uganda versichern uns, dass bisher keine andere Gesellschaft Interesse angemeldet hat.«

»Die Franzosen vielleicht?«

»Unwahrscheinlich, Mister Ho, ihr Gebiet liegt traditionell in Westafrika. Sie sind nie so weit in den Osten vorgedrungen.«

Der Alte schwieg und dachte eine Weile nach.

»Brandstiftung in der Gegend, in der wir gerade mit den Arbeiten beginnen, das ist äußerst besorgniserregend. Wenn es sich nicht um Konkurrenz handelt, muss es jemand anderes sein, der uns, warum auch immer, dort unten vertreiben will. Wir müssen verhindern, dass er unseren Interessen schadet.«

Nun wusste der Mann in Weiß, worauf die Unterhaltung hinauslief.

»Nein, so etwas können wir nicht auf sich beruhen lassen«, schloss Song Ho. »Beauftrage den Sicherheitschef vor Ort, die Männer zu finden, die den Brand verursacht haben, sie zum Reden zu bringen und sie dann zu eliminieren.«

Früher hatte man die Opfer durch eine Ho-Maschine gejagt, doch aufgrund einiger Schäden im Getriebe hatte man eine neue Direktive ausgegeben, die nur noch den Einsatz von Schusswaffen erlaubte.

Das Ergebnis war aber immer dasselbe.

Lazarus Boma war in seiner Cessna auf dem Heimweg von einer Visite im Gebiet westlich der Gorillaberge. Die noch hoch stehende Sonne in seinem Rücken ließ die Landschaft, die sich wie ein großer Teppich vor ihm ausbreitete, in den kräftigsten Farben erstrahlen. Auf längeren Flügen vertrieb er sich die Zeit damit, die verschiedenen Farbschattierungen der Baumwipfel zu zählen, die von Silber über Ocker bis in sämtliche Varianten von Grün changierten. Am Boden war schon alles dunkel und die Sonnenstrahlen fanden kaum mehr ihren Weg durch das Laub, während der Wald von dort oben der Leinwand eines Malers ähnelte.

Plötzlich traf sein Blick auf eine neue Lichtung, die er nie zuvor gesehen hatte, und einen Augenblick lang fürchtete er, von der Flugbahn abgekommen zu sein. Er kontrollierte die Instrumente der Cessna, konnte jedoch nichts Ungewöhnliches feststellen. Offenbar war diese Lücke erst in den letzten Wochen entstanden.

Neugierig drehte er eine weite Schleife und versuchte, das Gelände noch einmal etwas tiefer zu überfliegen.

Bei genauerem Hinsehen entdeckte er eine Straße, die von der Lichtung einige hundert Meter in den Wald hineinführte.

Abholzung. Nur so erklärte sich diese Neuerung.

Dann waren sie also doch bis hierher gelangt, obwohl die Regierung versprochen hatte, die grünen Ressourcen des Landes um jeden Preis zu verteidigen. Natürlich war nur ein winziger Teil des Primärwaldes verschwunden, doch Lazarus Boma hatte gelernt, die Symptome der Natur ebenso zu beachten und zu deuten wie die seiner Patienten, bevor er die Diagnose stellte. Diese Lichtung war eindeutig ein Tumor im Anfangsstadium, der schnell auf den ganzen Organismus übergreifen und ihn zugrunde richten würde.

Er griff zum Funkgerät.

»Hier spricht Lazarus, hört ihr mich?«

»Sehr gut, Doktor.«

»Ich befinde mich etwa zwanzig Meilen von euch entfernt, Richtung Nordwest. Hier im Wald gehen merkwürdige Dinge vor sich.«

»Was für Dinge?«

»Es gibt eine kleine Lichtung, die kürzlich erst gerodet wurde. Ich kann niemanden sehen, aber ich vermute, dass hier Maschinen versteckt sind.«

»Holzfäller?«

»Was sonst? Wissen wir etwas darüber?«

»Nur gerüchteweise. Es scheint einen Vertrag mit der Timber East Company zu geben, ein Gigant auf dem Sektor.«

Lazarus erinnerte sich an Lastwagen mit der Aufschrift

TEC, die er auch schon in anderen Ländern Afrikas gesehen hatte.

»Was für ein Vertrag?«

»Das Übliche. Kontrollierter Schnitt unter Aufsicht der staatlichen Forstverwaltung. Das kursierte zumindest vergangene Woche. Scheint eine saubere Sache zu sein.«

»Sauber?«

»Ja, ohne illegale Nacht-und-Nebel-Aktionen.«

»Und wie viel haben die von der TEC für die Konzession bezahlt?«

»He, Lazarus, hat die Höhenluft dir das Hirn benebelt? Das werden wir niemals erfahren.«

»Aber es gab keinerlei Einwände dagegen?«

»Doch, den ein oder anderen Protest gab es schon, allerdings braucht die Regierung dringend Geld und die TEC hielt schon ein ausgearbeitetes Projekt bereit und dazu ein dickes Dollarbündel.«

»Das ist die offizielle Version ...«

»Denk dran, dass du über Funk sprichst, Lazarus.«

Ein wenig ärgerlich beendete Lazarus das Gespräch.

Um sich abzulenken, flog er eine Runde über dem Gebiet der Elefanten und achtete dabei auf ausreichende Höhe, um sie nicht zu erschrecken. Er beobachtete die Tiere gerne aus der Luft und versuchte, sie zu zählen, ein Spiel, das er schon als Junge geliebt hatte. Vom Boden aus – denn damals hatte er natürlich noch kein Flugzeug – war das schwierig gewesen. Trotz ihrer riesigen Ausmaße bewegten sich die Tiere flink, und die Kleinen tummelten sich stets zwischen den Beinen der Mütter, so dass er die Größe des Rudels nie genau feststellen konnte. Heute bemerkte er, dass die Zahl der Tiere gewachsen sein musste. Früher oder später, dachte er, wird auch hier die natürliche Selektion einsetzen. Afrika kam niemals zur Ruhe.

Die Holzfäller hatten gerade noch gefehlt. Diese Art von Arbeit war noch nie »sauber« gewesen, nirgendwo auf der Welt, trotz aller guten Worte und Versprechungen.

Wenige Minuten später flog er die Landebahn an. Er stellte die Instrumente ein, wartete auf die üblichen Durchsagen und ging nach einem letzten Blick auf seine Umgebung herunter. Die Cessna setzte unsanft hüpfend auf und rollte dann ruhig bis zum Parkplatz.

Seine Entdeckung machte ihn nervös.

Reiche und mächtige Männer waren in dieses kleine Stückchen Afrika gekommen, um es auszurauben. Sicherlich hatten sie luxuriöse Büros in irgendwelchen Wolkenkratzern, trugen elegante Kleider und wussten sich gewählt auszudrücken. Dennoch gab es nur eine Bezeichnung, die auf sie zutraf: Biopiraten.

Florenz, Kilemi, Varese

Wer hatte ihr noch versprochen – war es vor einem Moment, vor ein paar Stunden oder vor einem Jahr gewesen? –, dass sie in einem Wagen mit Festbeleuchtung fahren dürfe? Er hatte Wort gehalten. Blau, rot, blau, rot. Bunte Lichter explodierten in ihrem Kopf. Durch die halb geschlossenen Augenlider sah sie ein riesiges Auto, das über sie hinwegrollte ...

»Dottoressa Cheli ... Anna ... hörst du mich, Anna?«

Aus weiter Ferne drang eine Stimme zu ihr.

Sie wollte schlafen, aber die Lichter und die Stimme verfolgten sie bis in den Schlaf.

»Sie wacht auf«, hörte sie nun, diesmal nur wenige Zentimeter von sich entfernt.

Wo zum Teufel war sie bloß? Nach und nach kehrte ihr Gedächtnis zurück. Sie hatte den Computer ausgeschaltet, doch warum lag sie jetzt mitten auf der Straße, mit den vielen Leuten um sich herum?

Sie erkannte einen Krankenwagen und konzentrierte sich kurz auf das regelmäßige Aufleuchten des Blaulichts.

Eine Hand drückte ihre und schickte einen warmen Schauer durch ihren Körper.

»Wir müssen sie unbedingt ins Krankenhaus bringen. Beeilen Sie sich, Agente Molderi.«

Dann wieder diese Stimme. Endlich erkannte Anna das vertraute Gesicht.

»Gütiger Himmel, Anna, was ist bloß passiert?«

Das war wirklich eine gute Frage. Sie wusste ja noch nicht einmal, was gerade mit ihr geschah.

Sie erholte sich schnell. Nun konnte sie schon die leuchtende Werbetafel des Lokals ausmachen, in dem die beiden jungen Männer verschwunden waren. Sie befand sich also auf der Straße, wo Luisa erschossen worden war.

Der Polizist war nervös. »Wartet noch eine Minute, nur eine Minute.«

»He, Agente, wie schön, dich zu sehen. Vielleicht kannst du mir ja erklären, was hier los ist?«

»Ein Passant hat bei der Polizei angerufen und gesagt, eine Frau liege bewusstlos auf der Straße. Ich habe die Durchsage über Funk mitgehört, der Name der Straße hat bei mir alle Alarmglocken schrillen lassen und ich bin sofort hergekommen. Ich hatte allerdings nicht damit gerechnet, dich hier anzutreffen. Wolltest du nicht längst in Varese sein? Du hast einen schweren Schlag auf den Kopf bekommen, aber mehr wohl nicht. Sie werden dich ein paar Tage im Krankenhaus behalten und eine CT machen.«

»Ich war in Luisas Wohnung. Da wurde ich niedergeschlagen.«

»Wo warst du?« Der Beamte wurde von Sekunde zu Sekunde nervöser. Er schickte die Sanitäter ein Stück weg.

»Ich war in der Wohnung und dort hat mich jemand hinterrücks niedergeschlagen. Ich habe nichts gefunden, außer einem kleinen Indiz, das euch vielleicht entgangen ist.«

»Verdammt, Anna, warum überlässt du die Arbeit nicht uns?«

»Ich habe nichts angefasst. Ich war ganz vorsichtig.«

»Du darfst niemandem erzählen, dass du da drin warst, verstanden? – Was für ein Indiz?«

»Luisa hatte einen Computer mit Internetanschluss.«

Von hinten erklang eine vorwurfsvolle Stimme: »Agente, lassen Sie das jetzt, bitte, Sie können die Signora später vernehmen. Wir müssen sie unbedingt ins Krankenhaus bringen.«

Anna fand die Kraft, zu lächeln. »Ich verlasse diesen Ort nicht, bevor du mir nicht gesagt hast, was du daraus schließt, Agente. Und zwar ein bisschen dalli.«

Diese Frau war wirklich hartnäckig. Da ließ man ihr besser ihren Willen, um sie dann endlich wegbringen zu können.

»Zwei Folgerungen, Anna, nicht eine. Erstens gibt es nur ein vernünftiges Motiv für Luisa, warum sie in jener Nacht die Mail von Jimmys Computer aus sendet, anstatt gleich nach Hause zu gehen. Sie weiß, dass jemand auf sie wartet, und dieser Jemand darf nichts davon erfahren. Das ist schon eine gute Fährte. Zweitens: Derjenige, der dich angegriffen hat, muss besonders an dir hängen, sonst hätte er sich nicht damit zufrieden gegeben, dich niederzuschlagen. Vor allem wollte er jedoch, dass man dich so schnell wie möglich findet, und hat dich deshalb mühsam bis hierher auf die Straße geschleppt.«

Vier Arme hoben sie nun hoch und legten sie vorsichtig auf eine Bahre.

»Daran hab ich noch gar nicht gedacht«, sagte sie, während sie in den Krankenwagen geschoben wurde.

»Deswegen bin ich ja auch der Chef und du nur eine leichtsinnige Rekrutin.« Molderis letzte Worte gingen im dumpfen Zuschlagen der Autotüren unter.

Anna wollte nur noch schlafen. Doch eine junge Frau neben ihr sorgte dafür, dass sie wach blieb, während der Wagen durch die Straßen von Florenz raste.

Beim vierten Bier beäugten die beiden ehemaligen Söldner eine Schwarzhaarige mit perlendurchflochtenem Haar, die am Tresen auf Kundschaft wartete und deren äußerst knappes, pinkfarbenes Miniröckchen einen schönen Blick auf ihre Beine erlaubte.

»Schlechte Stimmung hier. Besser, wir verschwinden.«

»Was geht ab?«

»Ein paar Leute stellen neugierige Fragen über das Feuer.«

»Was für Leute?«

»Ich weiß nicht, aber die Sache stinkt mir.«

Ein hünenhafter Mann erschien auf der Türschwelle.

»He, guck mal, da ist Fairplay. Ihn können wir fragen.«

Sie winkten den Schwarzen heran, der sich zu ihnen an den Tisch setzte. Sie bestellten eine weitere Runde Bier.

»Mein Freund hier sagt, dass sich jemand nach dem Feuer erkundigt.«

Torbis Groove wirkte überrascht. »Wer, jemand?«

»Das wissen wir nicht. Vielleicht die örtliche Polizei.«

Fairplay schüttelte den Kopf. »Unmöglich.«

»Hör zu, Fairplay, wir hatten klare Abmachungen. Es sollte ein unauffälliger Job sein, ohne Folgen.«

»Ja, und ihr habt euer Geld bekommen.«

»Vielleicht brauchen wir ein paar Tage Luftveränderung.«

»Gute Idee. In der Zwischenzeit werde ich mich mal umhören.«

»Hast du heute schon Zeitung gelesen, Teo?« Martino Dosi betrat am nächsten Morgen mit der Tagesausgabe der *Nazione* das Büro.

»Nein, steht was Interessantes drin?«

»Dottoressa Cheli wurde gestern Abend auf der Straße niedergeschlagen und liegt jetzt im Krankenhaus.«

Teo griff nach der Zeitung. In dem Artikel wurde nicht erwähnt, dass die Frau in Wirklichkeit in einem Haus niedergeschlagen und dann erst auf die Straße geschleift worden war.

»Ein Raubüberfall?«

»Sieht nicht so aus. Hast du gelesen, wo es passiert ist?«

Blastis Gesicht nahm einen besorgten Ausdruck an. »Ja, das habe ich gelesen. In der Nähe der Stelle, wo die arme Luisa ermordet wurde. Zumindest in derselben Straße.«

»Findest du das nicht merkwürdig?«

»Sehr merkwürdig. Anna Cheli und Luisa Mori kannten sich doch gar nicht. Zumindest soweit ich weiß. Ich verstehe das nicht.«

»Das ist wirklich komisch. Vielleicht ist diese Frau aber auch eine begeisterte Leserin der Verbrechensmeldungen und wollte sich ein bisschen gruseln, indem sie den Ort des Geschehens aufsucht. Und diese Gegend ist, wie du weißt, nicht die sicherste. Vielleicht gibt es für alles eine einfache Erklärung.«

»Tja«, schloss Teo, »ich denke, ich werde sie heute mal im Krankenhaus besuchen.«

Er hatte auf dem Weg noch einen Strauß gelber Rosen gekauft, mit dem er jetzt in der Tür zu Annas Krankenzimmer stand.

»Teo! Wie schön.«

»Hallo, Anna. Sag mir zuerst, wie es um dich steht.«

»Die CT hat keine inneren Verletzungen nachweisen können. Mit mir ist alles in Ordnung, glaube mir. Wenn es nach mir ginge, würde ich das Krankenhaus sofort verlassen, aber die Ärzte wollen mich noch mindestens bis morgen zur Beobachtung hier behalten. Ich werde mich also ein bisschen ausruhen. Ich tue einfach so, als sei ich in einem großen Hotel.«

Sie hätte es niemals zugegeben, doch eigentlich hatte sie im Moment ganz andere Sorgen. Wie sah sie aus, so ganz ungeschminkt? Brachte das Nachthemd ihre Brüste ausreichend zur Geltung? Überhaupt, konnten die Augen eines Mannes in einem solchen Zustand etwas Attraktives an ihr finden?

Teo hielt ihre Hand und diese einfache Geste weckte eine unendliche Zärtlichkeit in ihr.

»Und so gelang es der furchtlosen Dottoressa, die den Gorillas und den Gefahren des Dschungels trotzt, leider nicht, einen Tag unbeschadet in Florenz zu überstehen. Was ist denn bloß passiert?«

»Ich weiß es auch nicht. Ich war auf der Straße, dann wurde ich niedergeschlagen. Das war's. Es hätte viel schlimmer kommen können. Noch nicht mal meine Handtasche ist weg.«

»Was hast du in dieser abgelegenen Straße gesucht?« Die Frage war mehr als nahe liegend und er stellte sie wie beiläufig.

»Na ja, es ist mir etwas peinlich, dir das zu sagen ... Schau mal, Teo, ich habe erfahren, was vor ein paar Tagen mit deiner Sekretärin passiert ist, diese Laura oder Luisa oder wie sie hieß. Ich habe gelesen, dass sie genau dort ermordet wurde. Du musst wissen, dass ich eine leidenschaftliche Krimileserin bin und ... na ja, ich wollte eben mal den Ort eines realen Verbrechens sehen, nicht eines fiktiven. Das war wohl keine sehr gute Idee.«

Teo schüttelte den Kopf. »Nein, wirklich nicht. Weißt du eigentlich, was da alles hätte passieren können?«

Anna breitete die Arme aus und lächelte ihn an.

Die restliche Besuchszeit verplauderten sie wie zwei frisch verliebte Teenager.

Der Subaru holperte mühsam über die Schotterpiste, in welche die heftigen Regenfälle der vergangenen Tage große Schlaglöcher geschwemmt hatten. Laute Musik dröhnte durch die heruntergekurbelten Fenster nach draußen, wurde aber auf beiden Seiten schnell vom Pflanzendickicht des Regenwaldes erstickt. Als sie erfahren hatten, dass die Brandstifter von Ngoa nicht nur gesucht wurden, sondern ihre »Jäger« auch gar keine guten Absichten hegten, waren sie sofort abgehauen. Fairplay hatte ihnen als Entschädigung zweihundert Dollar gezahlt mit der Aufforderung, schnellstens zu verschwinden. Zwei Tage vor der Ankunft der Italiener wollte er alle unnötigen Komplikationen vermeiden.

In der Ferne tauchte auf der schmalen Straße ein gelber Punkt auf. Der Subaru bremste ab und die beiden Männer griffen nach ihren Pistolen.

»Was ist das?«

»Sieht aus wie ein quer stehender Lastwagen, der die Straße blockiert.«

Sie hielten wenige Meter vor dem Hindernis an. Der Lkw trug die Aufschrift *TEC, Timber East Company*, die sie wie alle Menschen in Afrika kannten.

Ein Asiate kam wild gestikulierend auf sie zu. »Hier geht's nicht weiter.«

»Was ist passiert?«

»Ein ungeübter Fahrer hat sich im Schlamm festgefahren.«

Die beiden Söldner hatten gelernt, Gefahr aus vielen hundert Metern Entfernung zu riechen. Doch hier war offensichtlich alles in Ordnung. Ein normaler Unfall. Sie stiegen aus, um sich die Beine zu vertreten.

»Einverstanden, aber früher oder später müssen wir weiter ...«

Plötzlich standen vier Männer hinter ihnen und packten sie. Sie waren wie Mäuse in die Falle gelaufen.

»He, was soll das?«

Sie wurden ein Stück in den Wald geschleift, wo zahlreiche bis an die Zähne bewaffnete Männer sie erwarteten. Ein älterer Mann im Khakihemd kam aus dem Unterholz. Während er sich den Reißverschluss seiner Hose zuzog, musterte er sie neugierig.

»Ihr? Ihr zwei?«

Die Söldner trauten ihren Augen nicht.

»Oberleutnant Joffe! Afrika ist wirklich klein, verflucht noch mal! Was ist das denn für ein Empfang hier?«

»Schau mal einer an, die Holländer.« Er wandte sich seinen Leuten zu. »Sind das die beiden? Ich meine, die mit dem Feuer?«

»Ja, Capo, das sind sie.«

Joffe brach in lautes Gelächter aus. »Das glaube ich einfach nicht. Die kleinen Holländer. Das letzte Mal sind wir uns im Tschad begegnet, stimmt's?«

»Jaha«, nickten die beiden unisono.

»Gott, Jungs«, fuhr der Franzose fort. »Was haben wir damals nicht alles angestellt, wie? Hatten aber auch fette Beute, kann man nicht anders sagen. Und jetzt verdingt ihr euch also als Brandstifter?«

»Arbeit ist Arbeit, Oberleutnant Joffe, und richtige Arbeit gibt es schon lange nicht mehr«, erwiderte einer der Holländer. »Sie selbst haben uns doch nach diesem gigantischen Besäufnis entlassen, wissen Sie nicht mehr? Und Sie arbeiten jetzt für die TEC?«

»Sicherheitsdienst. Der wird immer gebraucht, egal wo. Wenn etwas schief läuft, wird der alte Joffe gerufen, der kennt Afrika und die Afrikaner wie seine Westentasche und löst alle Probleme im Nu. Was steht ihr hier rum wie angewachsen? Männer, lasst die Jungs los, das sind doch die Holländer, wenn ich's euch sage!«

Die vier entfernten sich.

»Also, was hat es mit diesem Brand auf sich?«

»Leicht verdientes Geld. Wir hatten den Auftrag, ein Dorf niederzufackeln, und haben ein schönes Feuerwerk veranstaltet. Wir wollten damit niemandem auf die Füße treten, doch es waren eh nur ein paar Bruchbuden ...«

Joffe zündete sich in alle Ruhe seine Pfeife an.

»›Den Auftrag‹ – geht das nicht etwas genauer, Jungs? Wer hat ihn euch gegeben?«

»Ein gewisser Torbis Groom, unten aus Kilemi, ein riesiger Kerl, der in der Vergangenheit angeblich rund zwanzig Leuten den Hals umgedreht hat und deshalb Fairplay genannt wird. Er arbeitet im ehemaligen Kentrax-Lager.«

Sie waren keine Verräter, sie waren einfach nur Söldner und Söldner kannten keine Moral. Schon gar nicht, wenn ihr Leben auf dem Spiel stand.

Joffe horchte auf. »Menschenskinder! Muss ich euch denn jedes Wort einzeln aus der Nase ziehen? Für wen arbeitet dieser Fairplay?«

»Das wissen wir auch nicht genau. Bei dem Kentrax-Lager ist zurzeit einiges los, doch uns hat man da rausgehalten. Wir sollten nur diesen Job mit dem Feuer machen, sonst nichts. Immerhin herrscht dort ein großes Kommen und Gehen von allen möglichen Apparaturen, ganz schön empfindliche Dinger. Sah aus wie Ausrüstung für ein Labor oder so etwas. Ich weiß nicht, was die Lagerhalle damit zu tun hat, aber Groom steht mit einigen Italienern in Kontakt, die in ein paar Tagen ankommen sollen, ich glaube, um einen Dokumentarfilm zu drehen.«

Die beiden waren ja eine echte Fundgrube an Informationen.

»Damit wir uns nicht falsch verstehen: Dieser Groom arbeitet also im Kentrax-Lager und dort werden gerade Gerätschaften für ein Labor angeliefert. Außerdem erwartet er

Italiener, die hier in der Gegend einen Film drehen wollen, und euch beauftragt er, ein kleines Dorf oben im Norden niederzubrennen. Das ergibt doch alles keinen Sinn. Was für einen Film überhaupt?«

»Über Gorillas, hieß es, glaube ich.«

»Gorillas?« Für den Bruchteil einer Sekunde verdunkelte sich der Blick des Franzosen, doch dann war es auch schon wieder vorbei.

»Eine Gruppe lebt wohl in den Bergen oberhalb von Ngoa.«

»Und das Lager der Kentrax, was hat das damit zu tun?«

»Keine Ahnung, Oberleutnant. Wir haben Ihnen alles gesagt, was wir wissen. Wenn wir der TEC irgendwie geschadet haben, tut es uns Leid, wir haben nur unsere Befehle ausgeführt. Außerdem ist dieser Groom ein komischer Typ, der hat seine Finger überall drin. Vielleicht haben das Labor in dem Lager und der Gorillafilm ja gar nichts miteinander zu tun. Wenn Sie wollen, können wir das herausfinden.«

Joffe lächelte. »In zehn Minuten seid ihr tot und findet gar nichts mehr heraus.«

Die Holländer wurden bleich. Einer machte sich vor Schreck in die Hose.

Dann schlug Joffe ihnen kräftig auf die Schultern. »Jungs, glaubt ihr wirklich, dass ich so was tun würde? Die kleinen Holländer erschießen? Für Joffe zählt ein Kriegskamerad aus Afrika mehr als der Chef irgendeiner Holzfirma. Diese Betrüger von der TEC können mich mal kreuzweise. Sie zahlen einen Hungerlohn und bekommen dafür Holz allererster Güte.« Er dachte kurz nach, bevor er weitersprach. »Wir machen es so. Von jetzt an arbeitet ihr für mich. Aber offiziell seid ihr tot und Ameisenfutter. Meine

Männer werden den Mund halten, darauf könnt ihr euch verlassen. Ich wiederhole: Ihr arbeitet nicht für die TEC, sondern für mich. Ich möchte mehr über das Labor wissen und darüber, was diese italienischen Filmleute vorhaben. Es würde mir gar nicht passen, wenn sie ihre Nasen in Angelegenheiten der Firma steckten. Was euch betrifft, bleibt ihr bei mir und bewegt euch nur noch im Geheimen. Ihr dürft euch auf keinen Fall bei dem Kentrax-Lager sehen lassen. Für die seid ihr ja tot.«

»Das verstehe ich nicht.«

»Holländer – einmal doof, immer doof. Was glaubst du denn, wer uns über eure Flucht unterrichtet hat, he?«

Als Anna am nächsten Morgen aus der Klinik trat, stand Agente Molderi mit einem Blumenstrauß in den Händen bereit, um sie zum Bahnhof zu bringen.

»He, das hat aber nicht mehr viel Ähnlichkeit mit *L. A. Confidential*!«, lachte sie und hakte sich bei ihm unter.

»Du siehst gut aus, Anna. Tja, ich habe beschlossen, dich zu entlassen.«

»Nein, Agente Molderi. Ich habe mich selbst aus den Ermittlungen zurückgezogen. Ich gebe Dienstwaffe und Ausweis ab, die ich nie besessen habe, und will nichts mehr mit der ganzen Sache zu tun haben. Was Luisa Mori mir sagen wollte, wird ein Geheimnis bleiben, da kann man leider nichts machen. Ich wünsche euch, dass ihr sobald wie möglich den Mörder findet, allerdings ohne mich. In drei Tagen breche ich nach Afrika auf und ich möchte diese Angelegenheit so schnell wie möglich vergessen.«

Der Polizeibeamte sah enttäuscht aus. »Dann trennen sich unsere Wege also?«

»Puh, welch große Worte. Sagen wir mal, sie trennen

sich gezwungenermaßen, da ich einige Zeit auf einem anderen Kontinent leben werde. Aber ich kann ja jederzeit nach Florenz zurückkehren. Doch lieber erst, wenn der Fall abgeschlossen ist.«

Molderi war beunruhigt. Die Ermittlungen hatten ergeben, dass sich Luisa seit einiger Zeit auch privat mit Teo Blasti getroffen hatte. Das hatte die Nachforschungen in eine andere Richtung gelenkt. Und nun fuhr Anna mit diesem Frauenhelden auch noch ins tiefste Afrika.

»Pass auf dich auf, versprich mir das.«

»Die Gorillas werden mir schon nichts tun.«

Wenn es nur die Gorillas wären, dachte Molderi, als der Zug langsam aus dem Bahnhof fuhr.

Anna kam am frühen Nachmittag ins CMM und wurde festlich empfangen. Alle erkundigten sie sich nach ihrem Wohlbefinden, sogar der verrückte Treiber küsste sie auf die Wange und ersparte ihr seine neusten Entdeckungen. Über eine Stunde gab sie Marco einen detaillierten Bericht ihrer Florenzmission, wobei sie nur ein paar Kleinigkeiten hinsichtlich ihrer Gefühlswelt ausließ. Die restliche Zeit widmeten sie den letzten Reisevorbereitungen. Während sie in der Toskana Kommissarin gespielt hatte, hatte Marco eine Menge Arbeit weggeschafft, genauer gesagt, er hatte alles erledigt, was noch zu erledigen gewesen war. Der Gedanke verursachte ihr nicht wenig Gewissensbisse.

Gerade übertrug das Fernsehen den Start des Spaceshuttles.

»He, Marco, schau mal. Ein ganz klein wenig fliegen auch wir mit.«

»Tja«, meinte er, »vielleicht waren wir da etwas voreilig. Jetzt, wo das Feuer gelöscht ist und wir selbst hinunterfahren, nutzen uns diese Bilder nicht mehr viel.«

Die beiden seitlichen Booster lösten sich, die Kapsel verschwand im Himmel.

»Weißt du, wer uns dort unten erwartet, Anna?«

»Ein Bekannter?«

»Der schöne Doktor.«

Lazarus. Den hatte sie fast vergessen. »Lazarus Boma wird uns begleiten?«

»Nein, aber er hat sich mittlerweile in Kilemi niedergelassen und fliegt von dort aus mit seiner Maschine zu den Kranken im Dschungel. Ich habe nicht persönlich mit ihm gesprochen, doch soweit ich verstanden habe, kann er es kaum erwarten, uns zu treffen.«

»Weißt du, Marco, wo wir doch diesen Film über die Doktorgorillas drehen, könnte er uns vielleicht hilfreich zur Seite stehen. Lazarus ist wirklich in Ordnung.«

»Schon eingeplant«, antwortete er im Hinausgehen. »Wir werden unseren eigenen Verdienst etwas beschneiden, um ihn zu bezahlen. Sagen wir, er kann die Berater beraten. Zwischen all diesen sich selbst heilenden Tieren kann ein echter Arzt uns nur nützen. Außerdem glaube ich, dass er in dich verliebt ist.«

Als sie endlich allein war, dachte sie an die Abenteuer der letzten Tage – und an Teo. Sie würden jetzt viele Wochen gemeinsam verbringen, noch dazu in Afrika, dem ungeeignetsten Ort der Welt, um seine Gefühle im Zaum zu halten. Welche Rolle würden die sternenklaren Nächte, die kurzen und schnellen Dämmerungen, die drängenden Düfte der Erde bei dieser Partie spielen, die ihnen bevorstand?

Mit Blick auf den friedlich daliegenden See am Horizont träumte sie eine Weile vor sich hin. Dort, wo sie hingingen, war die Natur entschieden rauer.

Dann entschloss sie sich, endlich das zu tun, was sie in

den vergangenen Tagen am meisten vermisst hatte. Sie setzte sich vor den Computer und wählte sich unter der Adresse 231.765.456.32 ein.

Nach und nach baute sich das Bild auf. Nostril starrte bewegungslos in die Videokamera.

Zum ersten Mal verspürte Anna Angst.

Sie fühlte, dass der Gorilla in tödlicher Gefahr schwebte.

LARAS TAG

Flug AZ543, Kilemi

Teo Blasti und Martino Dosi saßen in den komfortablen Sitzen der ersten Klasse und besprachen die Einzelheiten ihres Plans. Vor ihnen lag eines der drei kostbaren Exemplare der Akte LARA mit den Aktualisierungen der letzten, ereignisreichen Tage. Wieder und wieder waren sie das vierzigseitige Dokument durchgegangen mit seinen wissenschaftlichen Erläuterungen, Materiallisten für die Expedition, mathematischen Formeln, Sachinformationen, 3-D-Modellzeichnungen, Landkarten und Artikeln aus medizinischen Fachzeitschriften, so oft, dass sie den Inhalt mittlerweile beinah auswendig kannten.

»Wie geht es diesem Loneghy?«, erkundigte sich Martino.

»Gut – beziehungsweise schlecht, kommt auf den Standpunkt an. Er hat nichts gemerkt, zumindest hat er kein Wort darüber verloren.«

»Und du glaubst, dass seine physische Konstitution das mitmacht?«

»Wenn man mal von seiner Größe absieht«, lachte Teo, »die ja wirklich nicht viel hergibt, ist der Junge kräftig und bei bester Gesundheit. Vor vierzehn Tagen haben wir ihn mit einer Ausrede von Kopf bis Fuß durchchecken lassen. Er ist gesund wie ein Fisch im Wasser.«

»Warum hat man nicht Norman ausgewählt?«

»Der Kameramann ist bei einem Dokumentarfilm am wichtigsten. Außerdem darfst du nicht vergessen, dass er mit einem guten Zoom die Bilder an sich heranziehen kann, während man für den Ton meist so nah wie möglich an das gefilmte Objekt heranmuss. Loneghy ist der ideale Träger, der perfekte Wirt für das Virus.«

Eine Stewardess kam, um ihnen Getränke zu servieren.

Sie schwiegen eine Weile, dann fuhr Martino mit seinem Fragenkatalog fort. Er schien seine gesamte Selbstsicherheit in Florenz zurückgelassen zu haben. Je unmittelbarer die Durchführung des Plans bevorstand, desto deutlicher führte seine Vernunft ihm all die Risiken und Fallen vor Augen, die auf sie lauerten. Er beneidete Teo, der lange in Laboratorien gearbeitet hatte und sich in diesem Bereich wie zu Hause fühlte.

»Wird es denn wirken?«

»Bei wem?«

»Bei Loneghy, meine ich. Wird er krank werden?«

»Ganz sicher. Es handelt sich um einen hoch ansteckenden Virenstamm. Das Problem sind vielmehr wir, weil wir uns in seiner Nähe aufhalten. Immerhin wird die massive Dosis an Vitamin C in unserer Nahrung uns weitgehend schützen. Mehr können wir nicht tun, keine Arznei und kein Impfstoff vermag uns gegen dieses Virus zu immunisieren, das ist offensichtlich. Sonst säßen wir ja wohl kaum hier im Flieger. Und sonst gäbe es auch LARA nicht.«

Wieder eine Pause.

»Schau her.« Teo zog ein Röhrchen mit Tabletten aus der Tasche. »Ein Mineralstoffpräparat aus dem Hause Pharmacon eigens für diese Mission. Ich habe es aus unserem Labor, wo noch eine ordentliche Portion Vitamin C hinzugefügt wurde. Unter dem Vorwand, es sei ein Stärkungsmittel gegen die Hitze im Regenwald, werde ich dafür sorgen, dass alle es einnehmen, bis auf Loneghy natürlich.«

»Du hast wirklich an alles gedacht.«

»Die Akte LARA hat an alles gedacht. Wir sind nur die

Ausführenden. Und überhaupt – um auf vorhin zurückzukommen: Selbst wenn wir ein bisschen krank werden, ist das nur zu unserem Vorteil.«

Als schließlich das Abendessen serviert wurde, waren sie eine Weile beschäftigt. Doch bald schon nahm Dosi die Unterhaltung wieder auf.

»Kommen wir zum entscheidenden Punkt. Die Gorillas.«

»Was ist mit den Gorillas?«

»Werden sie erkranken?«

»Na, das will ich doch meinen.« Teo war sich nicht sicher, ob sein Kollege ihn auf den Arm nehmen wollte. Dieser plötzliche Anfall von Besorgnis erstaunte ihn. »Sie müssen einfach krank werden, Martino. Wer gesund ist, geht schließlich nicht zum Apotheker, meinst du nicht?«

»Sie könnten sterben. Diesen Aspekt haben wir meiner Meinung nach nicht ausreichend bedacht.«

Teo schenkte ihm ein breites Grinsen. »An diesem Virus? An so einer Banalität, die ihnen höchstens ein wenig lästig werden kann? Nein, sei ganz beruhigt. Tote Gorillas können wir nicht gebrauchen, nur geschwächte Gorillas. Ein bisschen benommen und angeschlagen vielleicht, aber noch vollends in der Lage, sich durch den Wald zu bewegen. Wäre der Vergleich nicht so blöd, würde ich sagen, dass die Gorillas die klassischen Hühner mit den goldenen Eiern sind. Man muss sie wohl behüten. Seite vierzig der Akte LARA.«

»Ich habe gehört, dass vor dem Krieg nur kerngesunde Touristen zu diesen organisierten Ausflügen zu den Gorillas zugelassen waren. Eben um die Affen vor einer eventuellen Infektion zu schützen.«

»Ja, das habe ich auch gehört. Aber denk doch mal nach! Das war eine reine Vorsichtsmaßnahme, eine Formalität. Die Touristen mussten erklären, dass sie gesund waren, doch niemand machte sich die Mühe, sie zu untersuchen. Wer wusste schon, ob sie nicht unwissentlich den einen oder anderen Krankheitserreger mit sich herumtrugen, ohne Symptome zu zeigen? Wie groß ist die Wahrscheinlichkeit, dass ein paar von ihnen trotz allem krank waren? Und nie ist etwas passiert. Also beruhige dich.«

»Ich möchte nur nicht, dass plötzlich die ganze Welt hinter mir her ist, allen voran der WWF.«

»Das wird nicht passieren, Martino.«

»Gesetzt den Fall, es passiert doch?«

Teo fragte sich, warum sein Freund sich plötzlich solche Sorgen machte. Dafür war es jetzt sowieso zu spät.

»Bei den Gorillas handelt es sich um eine einzelne, isolierte Gruppe, die zu niemandem Kontakt hat. Wenn es eine tatsächlich tödliche Epidemie gibt, was soll's? Wir würden fünfzehn, zwanzig Exemplare einer Spezies verlieren, die in anderen Gegenden groß genug und bestens geschützt ist. Das Risiko müssen wir eingehen. Aber dieser Fall tritt nicht ein, du wirst schon sehen. Denk lieber an den entgegengesetzten Fall.«

»Nämlich?«

»Der wahrscheinlichste. Der einfachste. Der einleuchtendste. Der Dreh- und Angelpunkt der Akte LARA. Die Gorillas werden krank und wir verfolgen aus nächster Nähe, womit sie sich kurieren. Wir nehmen von allem Proben, von Blättern, Wurzeln, Beeren und so weiter, wir analysieren sie und isolieren den Wirkstoff. Anschließend schaffen wir im Labor ein Modell, das sich beliebig oft reproduzieren lässt. Wir stellen eine für den Menschen geeignete Arznei her, wir verkaufen sie und im Falle eines Übergriffs der Krankheit auf die ganze Menschheit kassieren wir Millionen über Milliarden. Und der Name unseres Medikaments wird Lara sein.«

Er hob sein Glas mit Champagner. »Wir werden die Amerikaner schlagen, Martino.«

»Wir werden die Amerikaner schlagen, Teo.« Doch als auch er sein Glas hob, zitterte seine Hand leicht.

Während die beiden Abteilungsleiter der Pharmacon im Flugzeug saßen, luden Anna Cheli und Marco Rizzo ihr Gepäck vor dem Elephant Hotel in Kilemi aus. Die beiden wussten, was sie erwartete, deshalb zeigten sie keine Verwunderung angesichts des Hotels, das seinem Namen zum Trotz so gar nichts Großartiges an sich hatte. Genauer gesagt hatte es, wie Anna schon vor einigen Monaten aufgefallen war, nicht nur nichts von einem Elefanten, sondern fast noch weniger von einem Hotel.

Die Tische auf der Terrasse standen unter einem Zeltdach, das seine Blütezeit in der Kolonialzeit erlebt hatte. Das Zelt gab bei Regen höchst beunruhigende Töne von sich, die jeden vor Schreck erstarren ließen, der sie zum ersten Mal hörte und ihr Geheimnis nicht kannte. Darüber hing ein Stück Wellblech, das all die Jahre den unaufhaltsamen Verfall hinausgezögert hatte. Die Markise des Elephant Hotels symbolisierte in Annas Augen ganz Afrika und seine Angewohnheit, sich immer und überall unter den Schutz von etwas oder jemandem zu stellen, um noch ein bisschen zu überleben, sei es ein europäisches Land, sei es ein internationaler Konzern oder ein Lokaltyrann.

An den Tischen saßen wie immer nur Weiße, fast ausschließlich Touristen auf der Durchreise, die ein wenig Erholung oder ein sonniges Plätzchen suchten. Die Männer versuchten einen Blick auf die Prostituierten zu erhaschen, die spärlich bekleidet drinnen an der Bar lehnten, während die Frauen mehr oder weniger offensichtlich die Stattlichkeit der einheimischen Männlichkeit begutachteten. Wie in allen Hotels nahe des Äquators, gleich welchen Längengrades, in Ecuador ebenso wie in Singapur oder eben Kilemi, strahlte das Gebäude eine Atmosphäre der Erwartung aus, das Gefühl angespannter Ruhe, das sich in lässigen Körperhaltungen, aber umso flinkeren Augenpaaren widerspiegelte, denen kein Anzeichen von Gefahr entging.

Die Eingangshalle war dunkel und feucht, und nur der große Empfangstresen mit dem stolz in die uniformierte Brust geworfenen Concierge dahinter (eine Uniform des belgischen Militärs ohne Rangabzeichen – wer weiß, woher er sie hatte) erinnerte daran, dass man sich in einem Hotel befand. An einer Wand hing ein Paar Stoßzähne von bescheidenen Ausmaßen, die der Rechtfertigung des Hotelnamens dienten. Zu diesen Stoßzähnen kursierte eine Geschichte, die so gut wie sicher frei erfunden war und dennoch jedem neuen Gast aufgetischt wurde. Es hieß, sie seien die Trophäen des legendären Nicobar Jones, die er bei einer denkwürdigen Partie Poker verloren hatte. Jedes Jahr wurde die Geschichte mit neuen Details ausgeschmückt. Nicobar Jones war sturzbetrunken gewesen. Eine Frau hatte ihn verraten, indem sie seinen Gegnern heimlich Zeichen gegeben hatte. Jones hatte ein Fullhouse mit Assen, aber der andere einen Straightflush. Die Karten waren gezinkt. Die junge Frau kroch später zu ihm ins Bett, um ihn zu trösten. Und so weiter. Die Geschichte durfte nie zu Ende gehen, und wenn sie langweilig zu werden drohte, gab es immer jemanden, der eine ebenso spannende wie unwahrscheinliche Einzelheit hinzudichtete.

Aber das Herz des Elephant Hotels lag jenseits der ewig schummerigen Eingangshalle. Ein kleiner Garten ging nach hinten hinaus und stellte das Musterbeispiel für ein geschlossenes Ökosystem dar. Selbstverständlich kümmerte sich niemand um dieses Fleckchen Grün, denn die afrikanische Natur sorgt weitgehend für sich selbst. Das Außergewöhnliche an dem Garten war seine Fähigkeit, äußere Einflüsse aufzugreifen und sie in seinen natürlichen Zyklus einfließen zu lassen. So versprach der dichte Pflanzenwuchs beispielsweise demjenigen völlige Ungestörtheit, der gerade in der Nähe war und kurz einem körperlichen Grundbedürfnis nachkommen wollte. Letztlich handelte es sich ja auch dabei nur um organische Materie, die geduldig zersetzt und wieder gebildet wurde nach den Gesetzen von Erdreich und Vegetation. »Man wusste«, was in dem Garten geschah, doch »man hörte und sah« nichts, weil die Natur alles aufsog, Geräusche und Gerüche inklusive.

Der Garten war wunderschön, wenn auch sehr speziell, und alle Zimmer der beiden Stockwerke gingen auf ihn hinaus. Obwohl die Räume äußerlich absolut gleich waren, unterschieden sie sich jenseits der Türen doch stark voneinander. Einige von ihnen konnte man geradezu luxuriös nennen, zumindest nach afrikanischem Standard, mit eigenem Bad, funktionalen Möbeln und passablen Betten. Die Fauna an den Wänden gedieh zwar prächtig, war aber völlig unschädlich, zumal ihre Quantität jede Form der Jagd von vornherein zum Scheitern verurteilte. Daneben gab es Zimmer von mittlerem Komfort, deren Einrichtung sich auf ein Bett, einen Nachttisch und einen Stuhl beschränkte. Da das Mobiliar von überall her zusammengesammelt war, konnte man auf recht wertvolle Stücke stoßen, derer ein reicher Farmer überdrüssig geworden war. Die übrigen Räume waren Mehrbettzimmer mit jeweils sechs oder acht Liegen, in die sich kein Europäer hineinwagte. Tatsächlich sorgte die schützende Hand der göttlichen Vorsehung dafür, dass Weiße immer nur in den Zimmern des ersten und zweiten Typs unterkamen. In den Mehrbettzimmern hingegen konnte sich das Schicksal eines Menschen von einem auf den anderen Tag ins Gegenteil wenden und die Geschichten über Diebstähle, Schlägereien und nächtliche Morde waren weit verbreitet. Dann gab es noch jene Zimmer für besondere Zwecke, die nichts mit Ausruhen zu tun hatten. Das waren natürlich die gefragtesten und sie garantierten neben absoluter Diskretion auch eine gewisse Sauberkeit.

Das Außergewöhnlichste aber war, dass all diese Zimmer untereinander gemischt waren. Darum gab es keine reiche und keine arme Etage. Die grundlegende Demokratie des absolut uniformen Äußeren wiederholte sich in der gesamten Anlage, die es ermöglichte, dass man in einem Luxuszimmer wohnte und durch die dünnen Wände von nebenan das Klirren von Messern oder das Stöhnen eines Beischlafs vernahm. Oder dass man sich gerade in seine ärmlichen Lumpen hüllte und dabei das einlullende Geräusch einer nahen Dusche hörte und sich vorstellte, wie sich jenseits der Wand eine nackte Frau lustvoll einseifte.

Der Einzige, der alle Besonderheiten des komplizierten Verteilungsschlüssels kannte und nach nur einem Blick jedem Neuankömmling das ihm in Wesen und Geldbeutel angemessene Zimmermodell zuweisen konnte, war der uniformierte Portier unten in der Eingangshalle, der wahre Herr aller Geheimnisse des Elephant Hotels.

Dieser Mann verfügte über große Macht. Er konnte töten, indem er das falsche Zimmer auswählte.

Auf der einen Seite des Gartens gab es, abgetrennt durch eine Glasscheibe, ein Restaurant – der einzige Ort, der außerhalb seines Einflussbereiches lag. Hier herrschte uneingeschränkt ein alter chinesischer Koch, klein und gemein, der vor vielen Jahren im Gefolge einer reichen Kaufmannsfamilie nach Uganda gekommen war. Keiner wagte ihm zu widersprechen, die Kellner gehorchten aufs Wort und die

Küchenjungen schufteten pausenlos. Das Ergebnis war ein perfekt funktionierendes Restaurant. Was die Küchenräume anbetraf, trauten sich nur ganz wenige nicht autorisierte Personen dort hinein, und wer es tat, konnte nicht sicher sein, sie lebend wieder zu verlassen.

Schließlich gab es das legendäre Zimmer 42, in dem sich angeblich die berühmte Pokerpartie von Nicobar Jones zugetragen hatte. Nur der Concierge selbst durfte es betreten und seit Menschengedenken hatte niemand anders den Fuß über die Schwelle gesetzt. Um diesen geheimnisvollen Ort rankten sich die blumigsten Märchen. Die einen behaupteten, der Portier halte dort seinen unehelichen Sohn versteckt, die anderen vermuteten, in Gewitternächten würden hier Voodoo-Riten zelebriert, während Dritte ihn für den Treffpunkt einer Gruppe gemeingefährlicher Revolutionäre hielten. Dabei drang nie ein Laut aus Zimmer 42. Und zwar aus dem einfachen Grund, dass es sich um einen Abstellraum handelte, in dem der Portier verschiedene Dinge aufbewahrte, die ihm regelmäßig von Stammgästen oder Durchreisenden anvertraut wurden. Denn letztlich war dieser Mann in der Uniform des belgischen Heeres, der den ganzen Tag unter den berühmten Stoßzähnen verbrachte, ein höchst ehrenwerter Mann, dem man voll und ganz vertrauen konnte. Mit größter Sorgfalt wachte er über all die Sachen, und die Schauergeschichten um das Zimmer 42 hatte er nur in die Welt gesetzt, um niemanden in Versuchung zu führen. Er war der gute König dieses absurden Königreiches mit Terrasse und lärmender Markise, mit der Bar und ihren Prostituierten, mit der dunklen Halle, dem Kompostgarten und den vier verschiedenen Zimmerkategorien. Das Restaurant mit seiner Küche hingegen war eine ganz andere Sache.

Hier also luden Anna Cheli und Marco Rizzo gerade ihr Gepäck aus, glücklich, endlich wieder in diesem Winkel Afrikas zu sein. Der Portier erkannte sie sofort wieder und entschied augenblicklich, dass sie in Zimmern des ersten Typs wohnen würden. Zwei getrennte Zimmer, aber nah beieinander, wie beim letzten Mal. Er erinnerte sich noch gut an diese außerordentlich höflichen Italiener.

Mit eng verschnürten hundertzwanzig Kilo Ausrüstung im Kofferraum des Rovers rasten drei Männer mit Höchstgeschwindigkeit über die Straße in Richtung Kilemi. Ken Travis, ein Vierzigjähriger, der sein halbes Leben beim Fernsehen verbracht hatte, dachte über die merkwürdige Aneinanderreihung von Zufällen nach, die ihn nun doch wieder nach Afrika verschlagen hatte. Er war der festen Überzeugung gewesen, dass sein Leben eine andere Wendung genommen hatte. Er wollte Schluss machen mit den Reisen durch die ganze Welt, mit den endlosen einsamen Hotelstunden in fremden Städten, mit aufreibenden Verhandlungen und verbohrten Vertragspartnern, mit Kameras, die aus heiterem Himmel den Dienst versagten und für die absolut keine Ersatzteile aufzutreiben waren, mit den Launen der Journalisten, mit den ewigen Schutzimpfungen, die seine Leber ruinierten, mit Leitungswasser, das man auf keinen Fall trinken durfte, mit Telefonverbindungen nach London, die im entscheidenden Augenblick zusammenbrachen. Schluss mit alldem, hatte er sich geschworen. Er liebte die englische Landschaft, ihr sattes Grün und den Regen. Dutzende Male hatte er sich beim Anblick eines großartigen Sonnenuntergangs in der Wüste oder einer Morgendämmerung im ewigen Eis leicht beschämt nach einer Partie Cricket mit Freunden auf einem gepflegten englischen Rasen gesehnt. Und dann endlich war sein Traum wahr geworden. Die Chefs des Senders teilten ihm mit, dass sie ihn auf einen höheren Posten versetzen wollten, der zwar mehr Verantwortung, aber auch das Ende der faszinierenden Reisen bedeutete. Ein Bürojob mit dem einzigartigen, immer gleichen Ausblick auf die Themse. Sie hatten gesagt, es tue ihnen Leid, doch seine hoch geschätzte Zusammenarbeit werde von nun an in der englischen Zentrale gebraucht. Er hatte sich förmlich bedankt, ohne durchblicken zu lassen, was in ihm vorging.

Endlich war er ein freier Mensch.

Plötzlich hatte sich Mike Noah eingemischt, den er herzlich wenig schätzte, der bei den Chefs allerdings gerade ganz hoch im Kurs stand. Mike hatte sich ordentlich ins Zeug gelegt, um Ken als Crewleiter für den Gorillafilm zu bekommen, und so hatten sie ihn in dem Glauben, ihm einen Gefallen zu tun, wieder zu sich bestellt und ihm mitgeteilt: »Wir haben eine gute Nachricht für Sie, Travis, wir bieten Ihnen die Möglichkeit, nach Afrika zurückzukehren. Wahrscheinlich sind Sie überglücklich, wieder reisen zu können ...«

Nun war er also in Afrika. Vom freien Menschen zum Gefangenen der erdrückenden Abenteuerroutine mutiert.

»Warst du schon mal hier, Ken?«, fragte Norman.

»Nein, nicht in dieser Gegend. Ich habe vor einigen Jahren mal einen Film über Gorillas geleitet, das war in Ruanda.«

»Warst du im Team der Fossey?«

»Nein. Die war exklusiv für den *National Geographic* unterwegs, der ihre Forschungen komplett finanziert hat.«

»Muss eine toughe Frau gewesen sein.«

»Ach, damals gingen die Meinungen darüber ziemlich auseinander. Sehr gut im Recherchieren, sehr intelligent, jedoch unerträglich im Umgang und unfähig, eine Beziehung zu den Einheimischen aufzubauen.«

»Sie hatte den Wilderern den Krieg erklärt.«

»Schon, aber für sie war jeder ein Wilderer. Sie hat sich nicht auf die Menschen dort eingelassen. Und das hat ihre Arbeit enorm erschwert, weil niemand ihr freiwillig helfen wollte. Ihre Nachfolger haben dann versucht, die Beziehungen wieder zu reparieren. Afrika gehört den Afrikanern, verdammt, es ist ihre Heimat. Du kannst nicht einfach herkommen und dich als Herr und Meister aufspielen.«

Norman wechselte das Thema. »Wird es gefährlich für uns werden?«

Travis musterte ihn verständnislos. »Warum sollte es? Ja, genauso gefährlich wie alle Jobs dieser Art ...«

»Mike Noah scheint ein komischer Typ zu sein, irgendwie schwer zu greifen.«

Ken Travis hatte denselben Eindruck. Doch wollte er unnötige Missstimmungen im Vorfeld vermeiden. »So? Nein, das finde ich nicht. Wir drehen diesen Film nur, weil die Italiener so viel Geld dazuschießen. Du machst dir doch nicht ernsthaft Sorgen, oder, Norman?«

»Na ja ...«

»Und du, Bob? Du hast schon seit Stunden nichts mehr gesagt.«

»Ich fühl mich nicht ganz wohl. Mir ist so heiß.«

»Afrika, mein Lieber. Tröste dich damit, dass der Zoll uns keinen Stress mit der Ausrüstung gemacht hat. Glaub mir, das ist ein gutes Omen.«

Die Straße verlief schnurgerade. Es waren nur noch wenige Kilometer bis Kilemi.

»Habt ihr die anderen schon kennen gelernt?«, fragte Ken.

Norman antwortete: »Die beiden Italiener sind die klassischen Karrieretypen. Jung, intelligent und sehr gut vorbereitet. Fast hatte ich das Gefühl, sie verbergen etwas, doch vielleicht habe ich mir das auch nur eingebildet. Dann haben wir diesen Marco Rizzo getroffen, der uns fachlich beraten wird. Ein gewissenhafter Typ, ein bisschen pedantisch, wollte alles ganz genau wissen. Aber er könnte dir gefallen. Seine Kollegin haben wir allerdings noch nicht gesehen, die italienische Dottoressa. Sie soll sehr hübsch sein.«

»Sie ist Expertin für Gorillas.«

»Stell dir vor, diese Verrückte hat in den Bergen eine Videokamera aufgestellt und mit dem Internet verbunden, um ihre Affen immer unter Kontrolle zu haben.«

»Eine Frau unter all den Männern, wenn das mal gut geht. Ihr wisst, dass ich nichts davon halte, bei solchen Jobs Frauen zwischen den Füßen herumlaufen zu haben.«

»Dein Ruf als Menschenfeind, Ken, ist im ganzen Sender legendär, stimmt's Bob?«

»Ja.«

»Was ist denn nur los mit dir, Bob? Seit Ewigkeiten träumst du davon, mal wieder nach Afrika zu fahren, und nun kriegst du kein Wort heraus?«

»Lass mich, Norman, ich hab doch gesagt, dass ich mich schlecht fühle. Ich hätte Lust auf ein Bier.«

»Wir sind fast da. Hältst du es noch so lange aus?«

Als Antwort erklang nur ein Niesen.

Kilemi

Am nächsten Morgen trafen sie sich alle unter der Überdachung der Elephant Bar. Wer sich noch nicht kannte, wurde einander vorgestellt. Anna spürte wieder dieses Ziehen im Bauch, als sie Teo sah. Er begrüßte sie mit einer langen Umarmung und erkundigte sich nach ihrem Befinden. Marco unterhielt sich eine Weile mit Ken Travis, dem er zum ersten Mal begegnete, und zwei anderen aus dem Fernsehteam. Sie bestellten Getränke und gingen nach ein paar einleitenden Worten zu den Planungen für die nächsten Tage über. Ken ergriff als Leiter des Unternehmens das Wort.

»Morgen früh brechen wir auf.«

Er breitete eine Landkarte auf dem Tisch aus und alle beugten sich darüber.

»Wir werden diesem Pfad hier Richtung Nordwest folgen. Anna und Marco kennen ihn gut, weil sie ihn bei ihrer letzten Mission schon mehrmals genommen haben. Falls dort irgendwelche Schwierigkeiten auf uns zukommen, sollten wir das sofort klären. Anna?«

»Der Pfad ist anspruchsvoll, aber immer noch gut passierbar, ich habe mich schon informiert. Zuerst geht es lange schnurgerade bergauf, dann, wenn wir den Fuß des Hügels erreicht haben, müssen wir einen Schwenk nach links machen und den ›Busen‹ umrunden. Der Name stammt von mir, weil der Hügel, wie ihr sehen könnt, das Profil einer weiblichen Brust hat. Der Weg um ihn herum ist fast immer eben. Hier ist der Wald schon ziemlich dicht, doch unsere Führer versichern, dass man gut durchkommt.« Sie deutete mit dem Stift auf einen Punkt. »Hier, auf der anderen Seite des Hügels, folgen wir dem Pfad dann weiter nach Nordwest. Er steigt dort leicht an und irgendwann müssen wir eine kleine Schlammsenke durchqueren. Etwa sieben Stunden nach Aufbruch von Kilemi erreichen wir den Fuß des Gorillahügels, wo wir unser Lager aufschlagen werden. Dort gibt es eine große Lichtung. Zu unserer Rechten haben wir freie Aussicht auf den Vulkan Kalembi, der, das kann ich euch sagen, nachts ein tolles Schauspiel bietet. Vom Basiscamp bis zu den Gorillas führt ein zweistündiger Fußweg steil bergauf. Insgesamt werden wir denselben Weg gehen, den ich beim letzten Mal genommen habe, mit einem kleinen Unterschied. – Darf ich, Ken?«

»Ja, sprich nur weiter.«

»Ich würde auf halber Strecke ein Zwischencamp einrichten, um dort einige Träger zurückzulassen, hier, also praktisch auf halbem Weg um den Busen. Die Stelle ist auch deshalb gut, weil sie uns Funkkontakt sowohl mit unserem Basislager als auch mit Kilemi ermöglicht.«

»Einverstanden«, meinte Ken. »Dasselbe hätte ich dir auch vorgeschlagen. Außerdem liegt auf der anderen Seite des Hügels das Dorf Ngoa. Könnte uns das nicht nützen?«

»Wenn du die Höhenlinien genau studierst, Ken, merkst du, dass der Steilhang nicht begehbar ist, schon gar nicht mit der ganzen Ausrüstung. Von dem Gorillagebiet aus nach Ngoa abzusteigen ist extrem gefährlich.«

»Gibt es noch andere Straßen, eventuelle Fluchtwege?«

»Nein, soweit ich weiß, nicht, aber der Pfad, den wir nehmen, ist absolut sicher.«

»Offiziell befinden wir uns im Bwindi-Nationalpark?«

Anna schüttelte den Kopf.

»Sagen wir so, geografisch ja, offiziell nicht. In Wirklichkeit befinden wir uns an seinem äußersten Rand, und die

Gorillakolonie, zu der wir Kontakt aufgenommen haben, ist relativ klein, so klein, dass man sie quasi übersehen hat. Außerdem ist die Gegend nur schwer zugänglich und deshalb als Touristenattraktion uninteressant. In anderen Gebieten des Parks, sehr weit entfernt von hier, werden Rundfahrten für Touristen angeboten und die Ugander verdienen einen schönen Batzen Geld damit. Dort werfen die Gorillas sich sogar in Positur, wenn sie einen Fotoapparat sehen. Ich bin jedoch sicher, dass wir bei unserer Arbeit alle Freiheiten haben und von niemandem gestört werden.«

Teo mischte sich ein. »Wie sicher ist es, dass wir die Tiere gleich am ersten Tag zu sehen bekommen?«

»So gut wie sicher. Gestern zeigten die Bilder der Webcam, dass sie noch da sind. Und irgendwie habe ich den Eindruck, als erwarten sie uns.«

»Ich muss noch weiter nachhaken«, fuhr Teo fort. »Die Frage mag dumm klingen, doch wie wahrscheinlich ist es, dass wir auf kranke Gorillas treffen?«

Ein allgemeines Gemurmel hob an. Nur Anna nahm die Frage ernst. Es war zwecklos, das eigentliche Ziel der Pharmacon länger verschleiern zu wollen.

»Gute Frage, Teo. Ich kann sie dir beantworten. Es ist sehr wahrscheinlich, denn die Regenzeit steht bevor, und ich habe in der Vergangenheit beobachtet, dass in dieser Zeit die meisten Darminfektionen auftreten. Ihr Pharmazeuten werdet euch also nach Herzenslust austoben können.«

In ihren Worten schwang nicht die mindeste Ironie mit, was den kurzen Aufruhr wieder besänftigte.

»Ich kann dir noch mehr sagen, Teo«, sie drückte wie beiläufig seinen Arm, »du wirst hören, wie es den Gorillas geht, bevor du sie siehst.«

Ken, der schon in den Bergen von Ruanda gewesen war, wusste, worauf Anna anspielte.

»Du musst wissen«, erklärte sie, »dass Gorillas ziemlich laute Tiere sind. Sagen wir so, sie waren eben nicht in Oxford und der Vegetarismus tut ein Übriges. Der Urwald ist sowieso kein stiller Ort, richtig, aber wenn sie ihre Gase ablassen, ist das selbst in einiger Entfernung nicht zu überhören. Denkt daran, und das sage ich allen: Gorillas hört man, bevor man sie sieht.«

»Wie sollen wir uns verhalten, wenn wir die Tiere sehen?«, fragte Norman.

»Folgendes ist Standard und wird allgemein empfohlen: Keine schnellen Bewegungen, sie nicht herausfordern, indem man ihnen in die Augen schaut, sie schon gar nicht wegschubsen oder Ähnliches. Eine untergebene Haltung einnehmen. So tun, als würde man essen. Habt ihr *Gorillas im Nebel* gesehen?«

Ein vielstimmiges Ja ertönte.

»Der Film ist eine gute Lektion in Sachen Verhalten. Wenn ihr Sigourney Weaver imitiert, kann euch nichts passieren.«

»Aber wenn sie angreifen?«, fragte Bob.

»Gorillas greifen nicht an. Ich erinnere mich noch an eine Episode, die italienische Kollegen von euch in der Karisoke-Station erlebt haben. Sie drehten gerade, als sie, wahrscheinlich ohne es selbst zu merken, ein Gorillamännchen einkreisten, das schon nervös war, weil ein Junges ihn seit Minuten nervte. Alle warfen sich auf den Boden, auch die Wächter des Nationalparks. Nur der Kameramann blieb unbeweglich stehen und filmte. Der Gorilla zeigte rund dreißig Sekunden lang Zeichen der Unruhe, dann erhob er sich plötzlich und rannte unter gewaltigem Brustgetrommel direkt auf den Mann zu. Einen halben Meter vor dem Aufprall bog er rechts in das Blätterdickicht ein und verschwand. Zum Glück, denn zweihundert Kilo in voller

Fahrt sind keine spaßige Begegnung. Ich weiß das, weil mein Exmann Quarterback bei den Atlanta Falcons war, doch der war immerhin daran gewöhnt.«

Allgemeines Gelächter.

»Für alle Fälle werden wir ein paar Parkwächter dabeihaben. Ich kenne die Männer. Sie sind tolerant und machen ihren Job gut. Tut einfach immer das, was sie tun. Und noch etwas: Wenn wir uns annähern, macht viel Lärm und vor allem schmatzt laut, als würdet ihr essen. Vergesst ruhig eure gute Kinderstube. Regel Nummer eins im Urwald lautet: Wer lärmend kommt, kommt ohne böse Absichten. Das gilt für Menschen ebenso wie für Tiere. Wir brauchen sie nicht unnötig zu erschrecken.«

»Wie weit können wir uns den Gorillas nähern?«, fragte Teo.

»Überlass das ihnen. Sie sind neugierig. Sie werden schon von selbst herankommen.«

»Werden wir auf dem Weg anderen Tieren begegnen?« Diesmal kam die Frage von Martino.

»Auf unserem Pfad wohl kaum. Dafür bringen wir zu viel Unruhe, was unser bester Schutz ist. Aber seid euch bewusst, dass wir uns mitten in einem großen Zoo befinden. Wir sind von allen Seiten eingekreist, von oben, von unten und von der Seite. Gefahren? Ein paar Schlangen, klar. Belästigung? Stechmücken und Ameisen, in Massen. Ihr müsst euch mit Insektenschutzmittel einreiben und vor allem Kleider mit langen Ärmeln und Handschuhe tragen, in eurem eigenen Interesse. Und noch etwas, der häufigste Fall von grober Dummheit: Wenn ihr eure natürlichen Bedürfnisse gar nicht mehr zurückhalten könnt, entfernt euch auf keinen Fall vom Weg, ohne Bescheid zu sagen. Fünf Meter in den Urwald hinein und ihr seid verloren. Ihr findet den Pfad garantiert nicht mehr wieder und Wegweiser gibt's hier nicht.«

»Besteht die Möglichkeit, dass wir von irgendwelchen Eingeborenenstämmen überrascht werden?«

»Nein. Ich habe hier noch nie welche gesehen. Wir sind zu weit von den Dörfern entfernt. Ich kann natürlich nicht ausschließen, dass der ein oder andere einsame Pygmäe bis an unseren Bergpfad herankommt, doch es ist sehr unwahrscheinlich. Im Übrigen habe ich ein Geschenk für euch dabei, eine kleine Aufmerksamkeit.«

Sie zog einige Gläschen Honig aus ihrem Rucksack.

»Ich weiß, dass es ungewöhnlich klingt und ziemlich unorthodox ist. Aber wenn ihr im Urwald auf ein menschliches Wesen trefft, gebt ihm kein Geld, ihr macht euch nur lächerlich. Versucht es lieber hiermit. Damit macht ihr ihn euch sofort zum Freund. Er täte alles für ein wenig Honig.«

Ken hob resigniert die Arme. »Daran hatte ich natürlich nicht gedacht.«

Teo sah seine Chance. »Auch ich habe ein kleines Geschenk für die Gruppe. Ein Nährstoffpräparat aus dem Spezialvorrat der Pharmacon, extra für diese Gelegenheit hergestellt.« Er stellte die Döschen auf den Tisch. Alle bedienten sich. Keiner merkte, dass Teo eines der Döschen persönlich überreichte, das einzige ohne Vitamin C – an Bob Loneghy.

Die Diskussion dauerte noch eine Stunde, dann löste sich die Versammlung auf.

Alle hatten etwas Dringendes zu erledigen.

Ken Travis traf sich mit den Parkwächtern, die schon mit Anna und Marco gearbeitet hatten, und mit den Trägern, die sie für die Expedition benötigten. Für ihn war das reine Routine.

Norman und Bob, Letzterer immer noch angeschlagen und mit dem unguten Gefühl, eine Erkältung auszubrüten, zogen sich zurück, um die technischen Gerätschaften zu überprüfen.

Marco und Anna hatten eine Verabredung bei der kleinen Landebahn von Kilemi.

Teo und Martino schlichen heimlich zum Kentrax-Lager, dessen Existenz sie den anderen noch verheimlichen wollten.

Lazarus Boma bereitete ihnen einen herzlichen Empfang und brachte sie schnell auf den neusten Stand. Am ausführlichsten erzählte er von dem Feuer und berichtete, dass es sich um Brandstiftung handeln müsse, ein Detail, das Anna neu war, sich aber problemlos in die lange Reihe der kleinen und großen Geheimnisse rund um diese Expedition einordnete.

Den Arzt hingegen beschäftigte etwas ganz anderes. »Was genau hat es mit diesen Doktorgorillas auf sich?«

»Das ist die Schattenseite der Angelegenheit, Lazarus«, antwortete Anna. »Wir haben zwei Italiener von der Pharmacon dabei, einem Arzneimittelhersteller aus Florenz, der so gut wie alle Kosten des Dokumentarfilms trägt. Die beiden machen keinen Hehl aus ihrer Absicht, die Gorillas zu beobachten, wie sie sich behandeln, und ihnen hoffentlich das ein oder andere Geheimnis abzuschauen, das sie in ein Erfolgsmedikament verwandeln können.«

»Verstehe ...«

»Anfangs waren Marco und ich strikt dagegen, aber wir wissen beide nur zu gut, dass heutzutage sämtliche großen Pharmafirmen ihre Bioprospektoren in allen möglichen und unmöglichen Teilen der Erde haben, um ebensolche Forschungen zu betreiben. Die einen laufen hinter den Tieren her, die anderen spionieren die Arbeitsweisen der Schamanen und Heiler aus, wieder andere suchen Hinweise in den

Traditionen kleinster Ethnien. Eine Forschungsmethode, die entschieden weniger kostet als in den Laboratorien.«

Lazarus war erstaunt. »Ich bin mit der afrikanischen Medizin groß geworden, ich kenne sie gut und weiß, wie nützlich sie oft sein kann. Ich verstehe auch, dass die Tierpharmazie eine neue und faszinierende Wissenschaft ist, doch man sollte sie nicht überbewerten. Als kleiner Junge bin ich immer hinter den Affen hergerannt. Mehr als einmal habe ich die Beeren probiert, die sie aßen, und damit gehörige Bauchschmerzen geheilt. Es steht außer Frage, dass in den Tropenwäldern sehr wirkungsvolle Substanzen für Pharmazeutika gefunden werden können, das ist alles andere als neu. Seit Anbeginn der Zeiten war das so. Wie sonst würden vier Fünftel der Weltbevölkerung geheilt werden, wenn nicht mit Naturprodukten?«

»Ich stehe der Tierpharmazie weniger skeptisch gegenüber«, wandte Anna ein. »Aber ich finde es gut, dass du so denkst. Wir wollten nämlich fragen, ob du uns bei unserer Arbeit beraten möchtest. Wir brauchen einen vorurteilsfreien Arzt, der sich gleichzeitig keine Illusionen macht.«

Sie kamen schnell zu einer Einigung. Lazarus arbeitete gern mit den beiden Italienern zusammen. Vor allem mit Anna.

Fairplay erwartete sie am Eingang des Kentrax-Lagers, in dem die Arbeiten mittlerweile beendet waren. Die Labortechniker versuchten gerade, den besten Standort für die Geräte im Innenraum auszuloten.

Teo und Martino brauchten ein paar Sekunden, bis sich ihre Augen an die Dunkelheit gewöhnt hatten. Sie sahen nichts, nahmen allerdings umso deutlicher den Geruch nach Schimmel, Dreck und Feuchtigkeit wahr, der sie umgab. Endlich konnten sie die große Halle erkennen, an deren rechter Wand sich bis fast unter die Decke Kaffeesäcke stapelten. Davor standen Kisten, an der linken Wand lagen verstreut weitere Säcke. Sie schauten sich aufmerksam um, dann wandten sie sich an Torbis, der hochzufrieden über diesen Test war.

»Perfekt, Fairplay, aber jetzt zeig uns den Durchgang. Wir können ihn nicht entdecken.«

Der Schwarze führte sie zu einer Wand und deutete auf einen Spalt zwischen zwei Kaffeesäcken.

»Den Durchgang kann man schnell so weit öffnen, wie man will. Das System ist das gleiche wie bei verschiebbaren Wänden: Einige Säcke sind mit Styropor gefüllt und ganz leicht.«

Sie traten durch die Öffnung und folgten einem langen Gang, der wie eine Sackgasse aussah. Doch an seinem Ende bog man unerwartet rechts ab und kam an eine Tür, die in einen Vorraum führte. Neben einer Abstellkammer und einem Zimmer für die Wachmannschaft gab es hier auch ein Büro. Davon ging wiederum ein kurzer Flur ab, der zu einem geräumigen, völlig leeren Zimmer führte. Dieses musste man durchqueren, um auf einen weiteren Durchgang zu stoßen und nach der langen Irrfahrt endlich in dem winzigen Kämmerlein zu landen, in dem Torbis sich in den Tagen des Massakers versteckt gehalten hatte. Dahinter gab es nur noch die Waffenkammer und dann ging es nicht mehr weiter. Hinter der Mauer lag wiederum die Halle des Lagers.

Der gesamte Weg umkreiste das Herz des Gebäudes: das Labor. Kurz bevor man den großen, leeren Raum betrat, gab es rechts eine verschlossene Tür. Hier hinein gelangte man nur mit einem Zahlencode, doch der Apparat, in den man ihn eingeben musste, war seinerseits versteckt. Es handelte sich um ein neues Modell mit Spezialtasten, die erfühlt werden mussten, zudem war es in einem der aufgestapelten Säcke versteckt. In ihn musste man eine Hand stecken und den Code eingeben. Dabei konnte man sich nur auf seinen Tastsinn verlassen, was jedoch mit ein bisschen Übung ganz einfach war.

Teo schaffte es beim dritten Versuch. Er fühlte sich wie ein Blinder beim Entziffern der Blindenschrift, doch immerhin schien das System wirklich sicher zu sein.

Jenseits der Tür betrat man eine andere Welt.

Die Wände waren komplett grün gekachelt und verliehen dem Raum die Atmosphäre eines Operationssaales. Alles glänzte, kein Stäubchen war zu sehen. Es herrschte eine angenehme Kühle – der einzige Raum, in dem die Klimaanlage funktionierte. Ein paar Männer in Chirurgenoutfit richteten die Maschinen ein und schenkten den Besuchern nur einige uninteressierte Blicke. Die Umgebung war zwar nicht vollkommen steril, aber sehr sauber.

»Ich vermute mal, dies ist die heiße Zone«, sagte Teo und zeigte auf ein Sichtfenster, das den Blick auf ein weiteres Räumchen ermöglichte.

»Folgen Sie mir.«

Torbis führte sie durch eine schwere Stahltür, die sie bei Nacht unter großen Anstrengungen montiert hatten.

Sie betraten eine kleine Kammer von drei mal drei Metern, die komplett isoliert war. Hier herrschte Sicherheitsstufe drei, demnach war das Lüftungssystem durch Filter geschützt. Die Akte LARA schrieb eine solche Vorkehrung ausdrücklich vor, und Teo hatte sie einbauen lassen, obwohl er von ihrer Notwendigkeit nicht überzeugt war. Ihre Analysen würden solche Vorkehrungen nicht erforderlich machen. Letztlich hatten sie es mit Viren zu tun, die zwar ansteckend, aber gewiss nicht tödlich waren.

»Hervorragende Arbeit, Fairplay. Ein echtes Labyrinth.

Ich glaube, sogar ich habe Schwierigkeiten, wieder hinauszufinden.«

Zufrieden mit seinem Erfolg, führte der Schwarze sie wieder ins Freie, wo die Sonne sie blendete.

»Wann brechen Sie auf?«

»Morgen früh, doch wir bleiben in Funkkontakt. Keiner unserer Begleiter weiß etwas von diesem Lager und für ein paar Tage soll das auch so bleiben. Dann sehen wir weiter.«

Sie wollten sich schon verabschieden, da hielt Torbis sie zurück.

»Noch etwas, Signor Blasti. Wir sind zurzeit nicht die Einzigen in der Gegend. Ein Unternehmen der Holzindustrie, die Timber East Company, muss hier in der Nähe eine Abholzungslizenz bekommen haben. Haben die was mit Ihnen zu tun?«

Blasti und Dosi sahen sich fragend an.

»Davon wissen wir nichts. Die arbeiten in unserer Gegend? Ich meine, werden wir uns über den Weg laufen?«

»Nein, das glaube ich nicht«, erwiderte Fairplay. »Ihr benutzt wahrscheinlich einen anderen Pfad, der links um den Hügel herumführt.«

Teo warf einen Blick auf die Karte und erkannte die Umrisse des Busens wieder. »Genau.«

»Gut, die TEC hält sich auf der entgegengesetzten Seite des Hügels auf. Ich glaube, Sie werden sich nicht in die Quere kommen. Afrika ist groß, es gibt genug Platz für alle.«

»Timber East Company, hast du gesagt? Martino, kommt dir das bekannt vor?«

»Die TEC? Von der habe ich schon gehört. Riesiges Unternehmen, einer der Marktführer auf dem Sektor. Ich habe vor einiger Zeit in *Fortune* einen Artikel darüber gelesen.«

Fairplay mischte sich ein. »Ein paar Männer von der

Timber sind herumgegangen und haben sich nach dem Feuer von Ngoa erkundigt.«

»Nach dem Feuer? Der Brand war doch weit genug von ihrer Arbeitsstelle entfernt.«

»Stimmt. Sie haben sich trotzdem dafür interessiert.«

»Mmmmh«, Teo kratzte sich am Kopf. »Die Einzigen, die etwas darüber wissen, sind die beiden Söldner. Was ist mit denen? Sind sie noch in Kilemi?«

Ein breites Lächeln erschien auf Fairplays Gesicht. »Die Söldner? Ich glaube, die hatten einen Unfall auf der Straße zur Mission.« Er fuhr sich in einer langsamen Bewegung mit dem Daumen horizontal über den Hals.

»Umso besser«, meinte Teo abschließend. »Dann können sie nicht mehr reden.«

Im selben Moment genossen die Holländer in einer Hütte am Rande der TEC-Lichtung ein Bier. Durch die Fensterluken beobachteten sie die Arbeiten, die auf der gegenüberliegenden Seite auf Hochtouren liefen. Ein riesiger Palisanderbaum war gefällt worden und die Männer scharten sich jetzt um ihn wie die Ameisen um die Beute.

Polternd kam Joffe herein. »Hier seid ihr zwei also. Angenehmes Leben, was? Kühles Bier und alles, was das Herz begehrt.«

Sie sprangen eilig auf.

»Rührt euch, Jungs, rührt euch! Wir sind hier nicht im Tschad, außerdem braucht euch nicht jeder sofort zu erkennen. Ich habe erfahren, dass die Italiener mit dieser englischen Fernsehcrew eingetroffen sind.«

Die Holländer wussten nicht, was sie darauf antworten sollten, und schwiegen vorsichtshalber.

»Die Lagerhalle der Kentrax wird streng bewacht, aber vielleicht ändert sich das ja in der Nacht. Ihr werdet euch dort mal umschauen und beim geringsten Anzeichen von Gefahr Fersengeld geben, ist ja eure Spezialität. Haltet euch fern, ich wiederhole: Haltet euch um jeden Preis fern. Wir haben genug Zeit, um herauszufinden, was sie dort unten anstellen.«

»Verstanden, Oberleutnant.«

»Morgen früh das Gleiche. Wenn sie in die Gegend mit den Gorillas wollen, müssen sie zwangsläufig den Hügel umrunden, und dafür werden sie wahrscheinlich den bequemeren Weg wählen, der auf der entgegengesetzten Seite zu unserem Lager verläuft. Ich will alle verfügbaren Informationen über sie. Unser Pfad und der ihre kreuzen sich an einem bestimmten Punkt, etwa auf halbem Weg zwischen Kilemi und dem Fuß des Hügels. Ihr versteckt euch dort, beobachtet alles und berichtet mir dann. Auch dort dürft ihr euch auf keinen Fall sehen lassen. Ich will wissen, wie viele sie sind, wie viele Träger sie dabeihaben, ob sie bewaffnet sind, all diese Sachen. Reine Spionagetätigkeit, ich wiederhole: Kommt bloß nicht auf die Idee, euch einzumischen.«

Als Joffe ging, standen die beiden unwillkürlich stramm, ein jahrelang konditionierter Reflex.

In jener Nacht waren die Gorillas auf dem Hügel merkwürdig unruhig. Sie schienen eine unmittelbare Gefahr zu wittern. Nostril hatte wie üblich zu viel gegessen und die Folgen dröhnten über zehn Meter weit in alle Richtungen. Der Kleine kuschelte sich Trost suchend an seine Mutter. Wenn sie nur ein kleines Stück die Bäume hinaufgeklettert wären, hätten sie das außergewöhnliche Schauspiel des Vulkans Kalembi bewundern können.

Urwald

Seit einer Stunde waren sie unterwegs und schon jetzt spürten sie die Müdigkeit stärker als befürchtet. In Kilemi waren sie beschwingt wie zu einem Sonntagsausflug aufgebrochen, aber bereits nach ein paar hundert Metern hatte der Urwald sie fest im Griff. An der Spitze lief Bic, der Anführer der Bwindi-Parkwächter. Er wurde so genannt, weil er sich niemals von einer Reihe bunter Kugelschreiber trennte, die sich deutlich in seiner Brusttasche abzeichneten. Er ging mit einigen Männern voran und befreite den Weg von rankendem Gestrüpp und Ästen. Anna hatte sofort gemerkt, dass der Pfad im Vergleich zum letzten Mal stark zugewachsen war und ihr Weg recht beschwerlich werden würde.

Hinter den Anführern kam die Gruppe der Weißen. Allen voran Anna und Marco, gefolgt von Ken Travis, dem Kameramann, dem Tontechniker und den beiden anderen Italienern. Schlusslicht bildete eine Gruppe farbiger Träger mit der Ausrüstung, von denen einige im Zwischenlager zurückbleiben würden.

Die ersten fünf Minuten hatten sie sich noch unterhalten, dann jedoch schnell gemerkt, dass sie ihren Atem nicht mit unnötigen Plaudereien vergeuden durften. Die Luft war warm und drückend, so dass die Weißen schnell aus allen Poren schwitzten und ein gefundenes Fressen für Insekten darstellten, die nach einfachen Wasser- und Salzquellen suchten. Vor allem Martino wurde sofort von einem durstigen Schwarm Fliegen attackiert, die seinen Hals umschwirrten. Jede kleinste Bewegung, jedes Zurechtrücken des Rucksacks zehrte unheimlich an den Kräften.

Um sie herum erklang das ohrenbetäubende Konzert des Dschungels, instrumentiert weniger durch die gelegentlichen Schreie der Affen in der Höhe der Baumwipfel, sondern vielmehr durch das rege Treiben zu ihren Füßen, das durchdringende Quaken der Baumfrösche, das penetrante Brummen der Insekten. Der Urwald empfing sie nicht besonders freundlich, doch waren sie auch kaum mehr als einige der unzähligen Pünktchen im wimmelnden Chaos, zerbrechliche Boote, die mühsam auf dem unendlichen grünen Ozean schipperten.

Anna schloss zu Bic auf. »Wir sollten lieber einen Moment Pause machen. Wir sind alle untrainiert und ich möchte nicht am ersten Tag die Hälfte meiner Truppe verlieren.«

Der Wächter stimmte ihr zu. Er kannte diese Frau schon lange und verließ sich auf ihr Urteil.

Die Expeditionsteilnehemer machten es sich neben einem gigantischen Baumstamm so bequem wie möglich.

»Wir würden wahrscheinlich sogar als Pfadfinder kläglich versagen«, witzelte sie. »Aber das ist völlig normal für den ersten Tag. Dabei ist diese Gegend des Urwalds noch nicht mal die schlimmste. Der Untergrund ist ziemlich fest und die Sümpfe sind Gott sei Dank noch weit weg.«

Sie setzte sich neben Teo. Sein Armani-Anzug und der Lacoste-Duft waren nur mehr eine ferne Erinnerung. Wie beiläufig lehnte sie sich leicht an seine Schulter.

»Wie geht's?«

Teo konnte kaum sprechen, doch die Berührung mit der jungen Frau gab ihm ein wenig Kraft zurück. »Ich hätte nicht gedacht, dass es so anstrengend wird.«

»Der einzige Vorteil ist, dass wir keine Eile haben. Zeit bedeutet hier nichts. Wir haben den ganzen Tag vor uns.«

Ein Colobus-Affe kam an einer Liane hurtig den Baum herabgeklettert, starrte sie kurz an und verschwand dann mit einem Schrei im Grünen.

»Bob scheint nicht gut dran zu sein«, meinte Anna und wies mit dem Kinn auf den Tontechniker, der zusammengekauert nach Atem rang.

»Ihm ging's schon schlecht, als wir in Kilemi ankamen. Ken Travis scheint das allerdings nicht zu beunruhigen. Er kennt wohl solche Reaktionen.«

Das plötzliche Auftauchen eines Mückenschwarms zwang sie, überstürzt aufzubrechen. Trotz der großen körperlichen Anstrengung war die Stimmung gut, auch wenn der Urwald immer dichter wurde. Ein paar der Wanderer sahen nur noch zu Boden, um ihre Gesichter vor den Dornen zu schützen, die pfeilschnell aus dem düsteren Dickicht hervorschossen. Die Männer an der Spitze hatten Mühe, den Pfad passierbar zu machen.

»Stopp!« Bics Stimme knallte wie ein Peitschenhieb durch die Luft. Anna trat zu ihm. »Was ist los?«

Der Parkwächter kniete nieder und hob einen kleinen, zerbrochenen Zweig auf. Ihr war schleierhaft, wie er ihn in dem Pflanzenchaos überhaupt bemerkt hatte. Er stand wieder auf, betrachtete die Vegetation um sich herum und machte dann ein paar Schritte auf einige Büsche zu, deren Zweige eindeutig von Machetenhieben abgetrennt waren.

»Irgendjemand ist hier vor noch nicht allzu langer Zeit vorbeigekommen.«

»Pygmäen?«

Es war eine dumme Frage, aber Anna hatte zu spät den scharfen Schnitt der Klingen entdeckt.

Bic schüttelte den Kopf. Er befahl allen, zu warten und sich unter keinen Umständen auf den Boden zu setzen, weil es dort vor Ameisen wimmelte. Er ging ein Stück weiter und entschwand ihren Blicken. Als er kurz darauf zurückkam, wirkte er beruhigt.

»Also, hier ist zwar jemand vorbeigekommen, doch die Spuren weisen auf einen anderen Pfad hin, der unseren nur kreuzt. Ich weiß nicht, wer das sein könnte, aber sie müssen sich recht gut im Urwald auskennen. Es hat keinen Sinn, länger hier zu bleiben – gehen wir.«

Er wechselte eilig über Funk ein paar Worte, dann befahl er den Aufbruch.

Der stechende Geruch, der vom Erdboden aufstieg, machte es selbst den erfahrensten unter den Trägern unmöglich, die beiden Männer wahrzunehmen, die sie beobachteten. Getreu der Anordnung ihres Chefs hatten die Holländer sich an der Wegkreuzung auf die Lauer gelegt. Der Pfad war kurz zuvor von Männern der TEC angelegt worden, um eine schnelle Verbindung mit der Straße zur Mission herzustellen. Außerdem führte er von der Lichtung aus geradewegs zwischen Hügel und Stadt hindurch und stieß erst hinter Kilemi auf die Straße. Die Holländer sahen sich die Gruppe genau an, und als sie sicher waren, dass auch der letzte Träger vorüber war, warteten sie noch zehn Minuten, bevor sie zur Lichtung zurückkehrten.

Die Luft war so stickig, als wateten sie durch eine Dampfwolke verkochenden Wassers. Dafür wurden ihre Anstrengungen durch beständig wechselnde Naturschauspiele belohnt. Wo der Urwald weniger dicht war und sie leichter vorankamen, stießen sie hin und wieder auf riesige Schwärme bunter Schmetterlinge, mit deren Auftauchen sich die Umgebung mit jedem Wimpernschlag magisch veränderte. Es war, als betrachte man das Gemälde eines Pointillisten, nur dass es lebte und sich in ständigem Fluss befand.

Teo schloss zu Anna auf. Er wirkte wieder gefasster. »Wie weit sind wir?«

»Der Pfad wird schon etwas ebener. Wir werden also bald den Fuß des Hügels erreichen und dann den Busen umrunden. Du wirst es daran erkennen, dass der Weg horizontal verläuft. – Kannst du noch?«

»Ich sag einfach mal ja.«

»Und dein Freund Martino?«

»Er hat ein paar böse Stiche am Hals, aber er kommt gut voran.«

Über ihren Köpfen brach plötzlich eine lautstarke Auseinandersetzung los, deren Schreie jedes andere Geräusch überdeckten. Sie standen unter einem riesenhaften *Angylocalyx* mit großen, orangefarbenen Früchten, auf dem ein heftiger Streit zwischen einigen Colobus-Affen, einem Mandrille-Pärchen und einem dicken Nashornvogel ausgetragen wurde, der sich mit aller Gewalt dort niederlassen wollte. Der Kampf dauerte ein paar Sekunden, ohne dass man sah, was genau passierte. Trotz seiner gewaltigen Größe konnte der Urwald nicht allen Lebewesen seine Gastfreundschaft gewähren, vor allem nicht in den höher gelegenen, fruchtbareren Regionen.

»Ein Streit wie viele«, meinte Anna. »Hoffentlich bleibt uns das erspart.«

Ihre Gedanken gingen allerdings noch weiter. Sie wollte eine Beziehung mit Teo, die über das einfache »nicht streiten« weit hinausging. Immer noch fühlte sie sich von diesem Mann magisch angezogen, weniger durch seine Persönlichkeit, die ihr ein Rätsel war, als vielmehr durch sein Äußeres. Je mehr sie an seinen ehrlichen Absichten zweifelte, umso größer wurde ihre Lust auf ihn, als träten seine negativen Seiten angesichts dieser überwältigenden Physis augenblicklich in den Hintergrund. Zum Zeitvertreib malte sie sich erotische Abenteuer im Urwald aus, inmitten von Schlangen und Skorpionen.

Wie angekündigt wurde der Pfad bald leichter begehbar. Sie schlugen nun eine andere Richtung ein und umrundeten den großen Hügel. Bald würden sie anhalten, um das Zwischencamp aufzuschlagen.

Auf der gegenüberliegenden Seite des Berges hatten die Holländer die Lichtung erreicht und erstatteten Oberleutnant Joffe gerade Bericht.

»Insgesamt sind es einundzwanzig, vor allem schwarze Träger. Sie scheinen gut ausgerüstet zu sein und tatsächlich einen Dokumentarfilm drehen zu wollen. Außer der Pistole des Parkwächters, der sie anführt, konnten wir keine Waffen entdecken, vielleicht sind sie jedoch auch zusammen mit der Ausrüstung verstaut.«

Joffe war erstaunt. »Es ist unwahrscheinlich, dass sie einen längeren Aufenthalt planen, ohne ein paar Gewehre mitzunehmen. Zu riskant. Aber weiter, wie viele Weiße sind es?«

»Wir haben sieben gezählt. Darunter eine Frau, die wir allerdings nur kurz zu Gesicht bekamen. Bei ihrem Marschtempo war sie bestimmt nicht die Schwächste von ihnen. Die anderen sind Schreibtischtypen. Drei von ihnen sehen eher nordisch aus, Engländer oder Deutsche. Insgesamt wirken sie ungefährlich.«

Joffe schwieg gedankenvoll. Die Sache entwickelte sich allmählich in ungeahnte Richtungen.

Ein wunderbarer, blau fluoreszierender Turako, leicht an seinem kurzen, gelb-roten Schnabel zu erkennen, hockte hoheitsvoll am Eingang des *bais* auf einem Ast und schien sie auf der kleinen Lichtung, die sich hinter der dichten grünen Mauer auftat, willkommen zu heißen. Dort ließ Bic die

Gruppe zum ersten Mal länger rasten. Die Weißen warfen sich sofort auf den Boden, als hätte ein Gewehrfeuer sie niedergemäht. Die schwarzen Träger stellten sorgsam das Gepäck ab und begannen, sich leise miteinander zu unterhalten.

Ihr Plan sah vor, fünf der stärksten Männer hier zurückzulassen, um eine schnelle Verbindung zwischen dem Basiscamp und Kilemi zu garantieren. Abwechselnd konnten sie ins Dorf gehen oder den anderen Geleitschutz geben. Sie waren absolut autonom, und wahrscheinlich würde ihre Hilfe kaum gebraucht werden, aber ein paar Zwischenfälle während der letzten Expedition hatten Anna von der Notwendigkeit einer solchen Sicherheitsmaßnahme überzeugt.

Das Gras war feucht und dampfte in der Hitze.

»Alles in Ordnung, Anna?«, fragte Marco und zog sie beiseite.

»Ich glaube schon.«

»Nervt dich dieser Typ? Scheint ja ziemlich penetrant hinter dir her zu sein.«

»Teo? Ich bitte dich, nein! Im Gegenteil, ehrlich gesagt ist es mir angenehm ...«

Damit hatte er nicht gerechnet. »Er gefällt dir? Dieser – Schleimer?« Ihm fiel einfach keine andere Bezeichnung ein.

»Der Schleimer, wie du ihn nennst, ist nett, charmant und sieht einfach umwerfend aus.«

»Gütiger Himmel, Anna, nicht schon wieder! Vielleicht ist er ein Mörder und wir wissen es nicht einmal.«

Sie breitete die Arme aus, ohne sich die Laune verderben zu lassen. »Dann fehlt er gerade noch auf meiner Liste, meinst du nicht?«

»Mach keine Witze darüber. Da ist mir ja dieser Ken Travis lieber.«

»Er gefällt dir?«, gab sie ironisch zurück.

Marco drückte ihr einen Kuss auf die Wange. »Vorsicht, Schwesterchen, der Urwald ist voller Hinterhalte.«

Eine Stunde später verließen sie das Zwischenlager und setzten ihren Weg in der gleichen Reihenfolge wie zuvor fort.

Eine gute halbe Stunde lang wurden sie auf dem ebenen Pfad von silberhellen Klängen wie aus einem riesigen Glockenspiel begleitet. Das lenkte die Wanderer ab und ließ sie die Anstrengung besser ertragen. Abwechselnd wurden sie alle von geheimnisvollen Insekten gestochen, die schon wieder verschwunden waren, bevor sie die Tiere auch nur identifizieren konnten. Sie hofften nur, dass sie nicht giftig waren, aber um sicher zu sein, mussten sie einfach abwarten. Am schlimmsten waren immer noch die Trigona-Ameisen, die sich unaufhörlich an ihrem Schweiß labten.

»Wir nähern uns dem Sumpf«, klärte Bic sie auf.

Das bedeutete, dass sie den Hügel komplett umrundet hatten. Sie folgten, nun wieder in nordwestlicher Richtung, einem ebenen und morastigen Pfad, auf dem sie mühsam vorankamen und der von Blutsaugern nur so wimmelte. Anna blieb stehen, um jedem der Gemeinschaft ein paar aufmunternde Worte zu sagen. Bei Bob Loneghy hielt sie sich ein wenig länger auf.

»Ziemlich heiß, was?«

»Ziemlich.«

»Glaubst du, dass du Fieber hast? Deine Augen glänzen so.«

»Schwer zu sagen bei dieser Hitze.«

»Schüttelfrost?«

»Ab und zu. Danke, es geht schon.«

Ken Travis schien sich keine Sorgen zu machen, das genügte ihr. Schließlich unterstanden alle Männer direkt dem

Leiter der Gruppe. Sie blieb stehen, um auch mit ihm zu reden.

»Du bist nicht zum ersten Mal im Urwald, oder, Ken?«

»Nein, doch in Ruanda war es nicht so hart. Der Weg zu den Gorillas war zwar länger, aber dafür viel bequemer. Im Vergleich zu diesem hier war er die reinste Autobahn.«

»Wir haben es uns ja selbst so ausgesucht. Das zeichnet diese Gorillakolonie nun mal aus, eben dass sie so isoliert ist.«

»Was hältst du von dieser Geschichte mit den Doktorgorillas?«

Sie war dankbar für die direkte Frage. »Ich halte das schlicht für Wahnsinn. Dasselbe gilt allerdings für uns, die wir hier mitten durch den Urwald stapfen.«

»Stimmt. Dennoch frage ich mich, was die beiden von der Pharmacon wirklich vorhaben.«

Anna zuckte innerlich zusammen, als habe Ken einen empfindlichen Nerv berührt. »Sie möchten beobachten, wie die Tiere sich kurieren. Das ist doch nicht schwer zu verstehen.«

Der Mann antwortete nicht, sah aber wenig überzeugt aus. »Ich weiß nicht, irgendwas kommt mir da komisch vor.«

Sie sprachen nicht weiter, weil der schmale Pfad nun breiter wurde und sie schneller vorankamen.

Anna holte Bic an der Spitze der Kolonne ein. »Was geht hier vor?«

»Waldelefanten«, erwiderte der Führer. »Wir sind gerade auf einen ihrer Pfade gestoßen, dem wir nun eine Weile folgen. Es ist, als sei ein Bulldozer durch den Wald gebrochen, uns kommt das natürlich sehr gelegen.«

»Müssen wir damit rechnen, dass sie uns angreifen?«

»Ich habe keine Spuren von frischen Exkrementen entdeckt. Ich vermute, sie haben diesen Pfad schon verlassen und der Wald hatte nur noch nicht die Zeit, sich wieder zu regenerieren. Schau dir die Bäume an, die Blätter wurden schon vor längerem abgerissen. Nein, ich glaube nicht, dass wir ihnen begegnen werden.«

Die Überquerung des Sumpfes war weniger mühsam als erwartet. Ein paar Mal mussten sie anhalten, um die Blutsauger wegzubrennen, die sich an den unwahrscheinlichsten Körperstellen eingenistet hatten. Nun begann der letzte, sanfte Aufstieg zu der Lichtung, wo sie ihr Lager aufschlagen wollten. Die Gipfel der Bäume lagen mittlerweile in dichten Nebel getaucht. Sie liefen durch eine in Watte gepackte Welt und die Schreie der Affen schienen nicht mehr als entfernte Echos. Anna liebte diese Momente. Sie fühlte sich dann wie in einem Feenreich, aufgehoben in der Natur, wo sie alle Gefahren vergessen konnte. Sie fragte sich, ob die anderen das ähnlich empfanden. Der wachsame Bic war jedenfalls der Einzige, der sich voll und ganz auf den Weg konzentrierte.

Als sie endlich das Plateau zu Füßen des Gorillahügels erreichten, waren sie alle mit ihren Kräften am Ende. Anna fühlte, wie sich ihr Herz zusammenzog. Mit diesem Ort verbanden sich einige der schönsten Augenblicke ihres Lebens in Afrika, und sie erinnerte sich noch sehr gut an die Traurigkeit, mit der sie das letzte Mal das Camp abgebaut und den Rückweg nach Kilemi angetreten hatte.

Der Gipfel war in Nebel gehüllt, aber sie wusste genau, dass die Gorillas dort auf sie warteten.

Sie beschlossen, sich am äußersten Rand der Lichtung niederzulassen. Vor dort aus musste man nur einen kurzen Weg durch den Urwald zurücklegen, nicht mehr als zehn Minuten, um eine Wasserquelle zu erreichen, die sie von nun an mit allen möglichen Tieren teilen würden.

Es war alles noch so, wie sie es zurückgelassen hatte. Doch im Unterholz herrschte eine merkwürdige Unruhe. Sie erinnerte sich an einen alten Trick, den sie damals von einem Träger gelernt hatte. Sie nahm ein Blatt zwischen die Zähne und imitierte so naturgetreu wie möglich den Schrei einer Antilope. Mindestens eine Minute lang war der Aufruhr perfekt: Vögel stoben in alle Richtungen davon, die Colobus-Affen flüchteten, sogar die Insekten spielten angesichts dieser Unruhe verrückt.

Bic kam näher. »Ich wollte euch überraschen. Sieh nur.«

Dutzende von Augenpaaren waren auf Anna gerichtet. Eine Schimpansenfamilie war von den Bäumen heruntergekommen, in der Hoffnung auf leichte Beute. Stattdessen standen sie nun vor einem wahrhaft komischen Tier, wie sie es hier noch nie gesehen hatten. Sie schrien wie verrückt, liefen hin und her und bleckten bedrohlich die Zähne.

»Ich wusste, dass eine Schimpansenkolonie bis hierher vorgedrungen ist«, gestand Bic. »Eine Wache hat es mir vor einigen Wochen berichtet. Die freuen sich natürlich nicht gerade über unsere Anwesenheit.«

Das war offensichtlich. Die wagemutigeren der Affen hatten sich herabgehangelt und urinierten nun großzügig in Richtung der unerwünschten Gäste. Sie machten ihrem Ärger auf alle erdenklichen Arten Luft, ohne jedoch näher heranzukommen. Dazu konnten sie die Überlegenheit der Neuankömmlinge zu gut einschätzen.

Anna beobachtete die Tiere, ohne sich zu bewegen oder Angst zu zeigen. Sie kannte die Schimpansen und wusste, wie gut sie bluffen konnten. Aggressivität würde sie nur einschüchtern und zu unkontrollierten Handlungen verleiten. Zeichen der Angst andererseits würden sie nur als Herausforderung ansehen. In einer solchen Situation war es das Beste, sich ganz still zu verhalten und ihnen in die Augen zu schauen. Damit vermittelte man ihnen die Nachricht: Irgendwie sind wir doch alle miteinander verwandt.

Plötzlich kam ein Jungtier auf sie zugerannt, bog aber drei Meter vor ihr ab und erklomm blitzschnell einen einladenden *Anodium*. Das wiederholte der kleine Kerl einige Male und trommelte sich dabei lautstark auf den Brustkorb, ohne bei der Frau irgendeine Reaktion hervorzurufen. Schließlich setzte er sich müde, wenn auch offensichtlich beruhigt, vor Anna auf den Boden und sah ihr seinerseits in die Augen.

»*Hoo.*«

Anna interpretierte den Laut als Aussage, weniger als Frage. »Wir werden einige Zeit Nachbarn sein.«

Da war der Schimpanse auch schon wieder weg und beobachtete sie aus sicherer Entfernung von einer Liane herab.

Seine Artgenossen waren nicht geflohen – ein gutes Zeichen. Wahrscheinlich waren sie noch nie in engeren Kontakt mit Menschen gekommen und wussten nicht, wie gefährlich sie ihnen werden konnten.

Die Männer schlugen das Camp auf. Anna hatte sich für ein kleines Zelt entschieden, das sie alleine bewohnte. Sie mochte ihre Intimsphäre nicht mit anderen teilen, obwohl Teos Anwesenheit sie nun fast ihre Entscheidung bereuen ließ. Der Aufbau ging schnell vonstatten, so dass die Gruppe am nächsten Morgen, wenn die physische Verfassung es erlaubte, wahrscheinlich schon bis zu den Gorillas hinaufsteigen könnte.

Anna hatte ihr Ziel nun fast erreicht, und alle waren gesund und munter, trotz der vielen Kratzer im Gesicht und an den Armen. Teo hatte eine verdächtige Schwellung am Arm. Immer noch wurden sie von den Ameisen verfolgt, die auf der verschwitzten Haut ihren Durst löschten. Plötzlich fiel ihr ein, was ihrer Prüfung bisher entgangen war.

Sie zog einen kleinen Handspiegel aus dem Rucksack und hätte fast einen Entsetzensschrei ausgestoßen. Die Haare klebten an ihrem mit Mückenstichen übersäten Gesicht. Niemand hätte in diesem Moment auch nur im Entferntesten an Sandra Bullock gedacht. Schnell untersuchte sie Arme und Beine, die unversehrt waren, ganz im Gegensatz zu ihren Füßen. Spuren unzähliger Larven erinnerten sie an die Durchquerung des Sumpfes. Abgeschirmt vor neugierigen Blicken – wobei sie genau wusste, dass dies nur die Scham der ersten Tage war – begann sie langsam, eine nach der anderen zu entfernen.

Aus Rücksichtnahme hatte man ihr Zelt als Erstes errichtet und sie freute sich über dieses Privileg. Sie breitete einen leichten Schlafsack auf dem Feldbett aus und hoffte, dass er auch dieses Mal der nächtlichen Feuchtigkeit trotzen würde. Dann öffnete sie den Rucksack und nahm ihren Laptop heraus. Die neuen Lithiumbatterien würden lange Zeit reichen, wenn sie sie sparsam einsetzte. Dennoch wollte sie sich eine kleine Belohnung für die Anstrengungen des Tages gönnen.

Sie schaltete das Gerät ein und stellte die Verbindung zu dem Nachrichtensatelliten her. Anschließend führte sie die übliche Prozedur durch, um sich ins Internet einzuloggen, und gab die IP-Adresse ein, die sie längst auswendig wusste.

Langsam baute sich ein Bild auf dem Schirm auf, völlig verschwommen und undeutlich. Es war nicht hell genug und sie erkannte nur mühsam die in Nebel getauchte Lichtung. Das Bild im Internet, dessen Original weniger als einen Kilometer Luftlinie von ihr entfernt war, legte wer weiß welche Wege zurück, vielleicht über Australien, Lateinamerika oder Nordeuropa.

Sie machte den Computer aus und war schon eingeschlafen, bevor sie die Augen geschlossen hatte.

Basiscamp, Gorillahügel

Es wurde eine unruhige Nacht. Gegen drei wachten sie von einem plötzlichen Aufruhr im Urwald auf, aus dem nur Annas geübtes Gehör den Besuch eines Leoparden heraushörte. Allerdings war sie zu müde, um sich Sorgen zu machen, und verließ sich auf die Schwarzen, die das Camp bewachten und am ersten Tag noch ausgeruht waren. Tatsächlich bestätigte sich ihre Vermutung am nächsten Morgen, als einige Männer, die ein paar Meter in den Wald hineingegangen waren, die Überreste einer Antilope fanden.

Es war noch dunkel, als Anna aus dem Zelt kroch. Dichter Nebel lag über dem Lager und die Wachen bewegten sich wie Gespenster über die Lichtung. Am Feuer traf sie auf Bic, der ihr eine Tasse Kaffee reichte. In dem milchigen Weiß waren seine Kugelschreiber die einzigen Farbkleckse.

»Sind schon alle wach?«, fragte sie einen der Männer.

»Alle«, antwortete Ken Travis, der hinter ihr auftauchte. Er war positiv überrascht, dass auch Anna so früh auf war. »Die Jungs bereiten gerade die Ausrüstung vor und werden gleich hier sein.«

»Wie geht es Bob?«

»So lala. Er hat kein Fieber mehr und sagt, dass er es schaffe. Für seine einen Meter fünfzig hat er enorme Kraftreserven.«

Nun kamen auch Teo und Martino heran und erkundigten sich nach dem nächtlichen Lärm.

»Ist das hier immer so?«, fragte Blasti mit einer weiten Geste.

»Das ist die Magie afrikanischer Nächte, Teo. Poesie und Leoparden.«

Er gab ihr einen Kuss auf die Wange, nicht unbedingt der übliche Morgengruß, wie sie fand.

»Bei diesem Nebel«, stellte Martino fest, »können wir unmöglich drehen.«

Bic beruhigte ihn. »Er wird sich bald lichten und uns nur am Anfang unserer Wanderung begleiten.«

»Wie sieht unsere Strecke aus, Anna?«, fragte Ken.

»Der Cheli-Pfad? Das ist mehr oder weniger der Weg, den Bic und ich vor einigen Monaten gegangen sind. Er ist ziemlich steil, dafür aber gut passierbar und frei von Insekten. Tröstet euch, am Ende wird es euch vorkommen wie ein Spaziergang durch die Wälder Italiens. Zwei Stunden Wanderung sind nicht viel, und wenn wir früh aufbrechen, schaffen wir es noch vor der schlimmsten Hitze.«

Marco stieß zu ihnen. Die Ringe unter seinen Augen kündeten von einer schlaflosen Nacht. »Ich bin nicht mehr daran gewöhnt«, sagte er entschuldigend und nickte grüßend in die Runde. »Was war denn gegen drei bloß los?«

»Kann das Tier uns gefährlich werden in den nächsten Tagen?«, fragte Teo, nachdem der Parkwächter den nächtlichen Zwischenfall geschildert hatte.

»Wohl kaum. Leoparden sind Einzelgänger und hier finden sie Nahrung im Überfluss. Der Leopard verlässt nicht gerne seine Deckung.«

»Immerhin könnte er Lust auf Abwechslung bekommen. Warum nicht auch mal Menschenfleisch probieren?«

Anna setzte ihre Kaffeetasse ab. »Das ist eine Frage des Risikos, Teo. Das Problem dieser Tiere ist, dass die Wahrscheinlichkeit eines Misserfolgs im offenen Gelände größer ist und daher nicht ratsam. Schuld an unserer verzerrten Sicht der Dinge sind diese Herren«, sagte sie und deutete auf Ken Travis. »Die Dokumentarfilme zeigen wieder und wieder die klassische Sequenz, in der Geparden eine Gazelle angreifen und erlegen. Viel realistischer wäre es hingegen, vor dieser Szene mindestens zwanzig Jagdversuche zu zeigen, die mit einem Misserfolg enden.«

Endlich kamen auch die beiden Engländer ans Feuer und verzehrten schweigend ihr Frühstück.

Anna nutzte die Zeit, um ans andere Ende des Camps zu gehen. Alles wirkte ruhig, aber ihr sechster Sinn sagte ihr, dass dem nicht so war. In den Vereinigten Staaten hatte sie bei einer Untersuchung mitgearbeitet, die erwiesen hatte, dass der Mensch in dunklen Vorzeiten höchstwahrscheinlich über sechs Sinne verfügt hatte und dass der Letzte, der dann verloren ging, eine Art Sehfähigkeit zur Seite und nach hinten gewesen sein musste. Es war die Fähigkeit, zu spüren, wenn einen jemand intensiv anstarrte – überlebenswichtig für den, der im Dunkeln der Höhlen und im Dickicht der Wälder hauste. Im Laufe der Evolution hatte sich der Lebens-Mittelpunkt des Menschen aufs freie Feld verlegt und allmählich war der sechste Sinn überflüssig geworden und verkümmert.

Sie spürte also, dass sie beobachtet wurde. Daraufhin schickte sie einige merkwürdige Rufe in den Nebel, aus dem unter großem Geschrei prompt die Schimpansen hervorkamen. Die Neugier der Affen war größer als die Furcht und hatte sie zurückgetrieben, um zu sehen, was in dem Camp geschah.

Eine Hand legte sich auf Annas Schulter.

»Haben die denn nichts Besseres zu tun, als uns zu beobachten?«, witzelte Teo.

»Sie versuchen zu verstehen, zu lernen. Lieber Teo, du wohnst hier gerade einer Anschauungsstunde im Fach Evolution bei. Die Schimpansen haben gelernt, in Gruppen zu leben und zu jagen, so dass sie sich die Aufgaben untereinander aufteilen können und über viel freie Zeit verfügen. Die nutzen sie eben, um ihre Umwelt zu beobachten und zu begreifen. Also uns, verstehst du? Wenn Leonardo da Vinci den ganzen Tag damit beschäftigt gewesen wäre, Nahrung zu suchen, hätte er niemals etwas geschaffen. Shakespeare, Byron, Picasso oder Einstein – für alle gilt dasselbe. Ich denke immer, dass die Menschheit ihr Wissen zum Großteil den Gouvernanten, Dienstmädchen, Bäckern und so weiter verdankt.«

Zwei Stunden später hatte der Nebel sich aufgelöst und der Hitze Platz gemacht. Ihre Wanderung war wie angekündigt anstrengend, aber zu bewältigen gewesen, und nun näherten sie sich der Gegend der Gorillas. Bics Sinne waren aufs Höchste geschärft und er begann, in der Luft nach Anzeichen für die Tiere zu schnuppern. Seinem Mund entschlüpften merkwürdige Laute. Sie wussten, dass sie nun die letzte Grenze überschritten hatten und sich auf fremdem Territorium befanden.

Ihr Führer brachte sie mit einer Handbewegung zum Stehen und winkte Anna heran.

»Riechst du sie?«

Tatsächlich nahm sie einen heftigen Gestank wahr, und in der Ferne hörte sie das Geräusch von Blättern, die abgerissen wurden.

»Wir sind da.«

Mit Gesten bedeutete Bic den anderen, sich ruhig zu verhalten. Nun begannen Anna und er, sich anzuschleichen. Sie hatten nicht vor, die Tiere zu überrumpeln, wollten sich ihnen dennoch so annähern, dass sie die Kontrolle behielten. Die Gorillas hatten seit vielen Monaten keine Menschen mehr zu Gesicht bekommen, und niemand wusste, ob die Gruppe friedlich war oder ob es innere Spannungen gab.

Nach etwa zwanzig Metern bemerkte Anna den ersten dunklen Fladen im Grün.

Sie gingen ein wenig weiter und stießen auf eine lichtere Stelle, die beiden Parteien, Mensch wie Tier, eine bessere Sicht erlaubte.

Ein Weibchen war am Fressen, ein Junges hing an ihr und sah sich neugierig um, vielleicht hatte es etwas Ungewöhnliches wahrgenommen. Die Mutter wirkte zu beschäftigt, um sich darum zu kümmern. Plötzlich tollten wie in einem Theaterstück zwei halbwüchsige Tiere auf die Bühne, liefen einander nach und verknäulten sich im Kampf. Ihre Mäuler waren leicht geöffnet, woran Anna erkannte, dass es nur ein Spiel war. Der kleine Gorilla stieß einen Schrei aus.

Anna hielt nach Nostril Ausschau, aber wahrscheinlich war er bei der Webcam und schon seit den frühen Morgenstunden mit seinen üppigen Mahlzeiten beschäftigt. Der Silberrücken, der Anführer der Gruppe, musste hingegen in der Nähe sein, denn alles war ruhig.

Die Jungtiere tollten immer noch wie wild geworden um einen Baum herum, bis eines der beiden ermüdet stehen blieb und sich umdrehte. Krachend stießen sie zusammen, und nachdem sie einen Augenblick benommen innegehalten hatten, stürzten sie wieder aufeinander los und rauften weiter.

Endlich kam der Silberrücken heran und ließ ein seiner Stellung angemessenes, mächtiges Rülpsen erklingen. Dann machte er es sich auf der einen Seite der kleinen Lichtung bequem und verzehrte in aller Ruhe ein paar *Cynoglossum*-Wurzeln. Niemand wagte ihn zu stören.

»Merken sie, dass wir hier sind?«, flüsterte Anna.

»Das Weibchen hat uns gesehen, aber wir sollten lieber wieder zu den anderen gehen.«

Ihre Gefährten hatten sich tatsächlich nicht von der Stelle gerührt, als seien sie zu Statuen erstarrt.

»Sie sind da hinten«, sagte Anna zu Ken. »Wenn ihr mit dem Drehen beginnen wollt, gibt es dort eine Lichtung mit einem großen Gorillamännchen, das frisst. Am besten bereitet ihr hier erst alles vor und danach gehen wir erst hin.«

Norman war ein Profi, und sobald er von der offenen Stelle hörte, baute er das Stativ auf und schraubte die Kamera darauf. So konnte er eine Einstellung mit Weitwinkelobjektiv machen. Bob Loneghy setzte unter kräftigem Niesen die Kopfhörer auf.

Während sie mit Anna an der Spitze vorsichtig voranschritten, begann Bic wieder mit seinen Tönen. Es war unmöglich, sich den Gorillas unbemerkt anzunähern, deshalb taten sie besser daran, sie direkt über ihre Anwesenheit in Kenntnis zu setzen.

Auf der Lichtung war mittlerweile eine weitere Mutter mit ihrem Kleinen angekommen, das auf ihrem Rücken herumturnte.

Auch der Silberrücken bemerkte Bic und kam unter lautem Grunzen etwa zehn Meter an den Parkwächter heran, bevor er sich wieder niederließ. Das war seine Art, sie auf Distanz zu halten.

Die Männer hatten mittlerweile die Kamera postiert und Norman filmte die Szene. Schweigend und unter dem unverwechselbaren Summen des Zooms wechselte er immer wieder die Bildausschnitte.

Etwas abseits hockte Anna und versuchte, sich daran zu erinnern, wo die Webcam sich von hier aus befand. Sie wollte Nostril wiedersehen.

Plötzlich spürte sie eine angenehme Frische. Jemand fächelte ihr sanft Luft zu, wenige Meter über ihrem Kopf, wie mit einem Palmwedel. Sie erstarrte und bemerkte, dass direkt über ihr auf einem schmalen Felsstück ein großes Männchen sich seinem Mahl widmete und sie gleichzeitig beobachtete. Das Tier hockte genau an der scharf abfallenden Kante.

»Gütiger Himmel«, flüsterte sie Teo zu, der die Situation bemerkt hatte, »Gorillas greifen zwar nicht an, aber wenn sie auf dich drauffallen, ist das Ergebnis ungefähr dasselbe.«

Die Situation war einfach zu lächerlich. Sie wagte nicht, sich zu rühren, und das Tier schien nicht die geringste Absicht zu haben, in absehbarer Zeit seinen Sitzplatz aufzugeben.

»Kann ich näher ran?«, fragte Bob derweil. »Der Ton ist ziemlich schlecht.«

Anna nickte. Ken blieb neben Norman stehen und gab ihm die notwendigen Anweisungen.

Sie sahen, wie Bob auf Bic zuschritt, der ihm mit Gesten bedeutete, in die Knie zu gehen.

Ein Weibchen war herangekommen und der Tontechniker war jetzt nur noch wenige Schritte von dem Tier entfernt. Erneut musste er niesen. Die Erkältung hatte offenbar tatsächlich den idealen Augenblick für ihren Ausbruch gefunden.

Anna beobachtete die Szene, während sie gleichzeitig ihren aufdringlichen Nachbarn im Blick behielt. Ihr sechster Sinn hatte sie diesmal im Stich gelassen. Während sie die Präsenz der Schimpansen vorhin zwei Stunden im Voraus gefühlt hatte, war ihr dieses 200-Kilo-Exemplar völlig entgangen.

Auch die beiden Jungtiere hatten mittlerweile ihr Gerangel aufgegeben und schlichen sich neugierig an das merkwürdige Ding heran, das der Tontechniker in der Hand hielt.

Wieder ein Niesen.

»Ken«, rief Anna mit leiser Stimme, »ruf Bob lieber zurück. Was hat er nur?«

»Keine Ahnung«, bedeutete Ken ihr mit Gesten. Dennoch stoppte er ihn nicht.

Als der Gorilla endlich seinen Posten verließ, um sich ein ruhigeres Plätzchen zu suchen, fühlte Anna sich wie von einer Zentnerlast befreit. Schnell schlüpfte sie zu Martino, der schweigend die Fernsehcrew beobachtete. Sie merkte, dass er zitterte.

»Ich gehe zwanzig Meter weiter da hinüber. Sag den anderen Bescheid. Ich muss etwas prüfen.«

Martino machte eine vage Handbewegung. Die Crew hatte sich für eine neue Einstellung etwas nach rechts verlagert.

Endlich entdeckte Anna in der Höhe die kleine Platte mit den Solarzellen, die sie schnell zu der Webcam führte. Sie überprüfte die Geräte, die alle in Ordnung waren. Marcos Vermutung, die Tiere würden sie auffressen, hatte sich also nicht bewahrheitet, außerdem hatte sie bis zum Vorabend ja noch Bilder im Netz gesehen.

Nostril thronte wie ein König in der Mitte der Lichtung, als wartete er auf sie. Da er von hier aus an keine Blätter heranreichte, gab er sich mit dem zufrieden, was er auf dem Boden fand. Sein Hunger war wie immer unstillbar und verließ ihn nie. Er war ausgewachsen und würde schon bald ein wunderbarer Silberrücken werden, aber noch genoss er die Privilegien der Jugend. Anna hatte ihm seinen Namen aufgrund der auffälligen Nasenlöcher gegeben, die ihn von den anderen Tieren unterschieden und ihn nicht gerade anziehender machten. Doch für einen Gorilla war er sehr gut gebaut.

»Hallo, Nostril. So sehen wir uns also wieder«, sagte sie mit leiser Stimme.

Als Antwort wandte er sich ab. Er hatte einen besonders schmackhaften Busch im Visier. Unter einigem Lärmen erhob er sich.

»Schöner Empfang. Tausende von Kilometern habe ich zurückgelegt, und jetzt das.«

Nostril sprang über das Gebüsch, ohne es zu berühren, kletterte auf einen Baum, ergriff eine Liane und schaukelte daran hin und her. Anschließend schwang er zu einem nahen Baumstamm, an dem er sich festklammerte. Er kletterte etwa einen Meter hinauf und ließ sich dann mit seinen gut zweihundert Kilo auf ein Astgeflecht fallen, das ihm wie durch ein Wunder standhielt. Danach landete er auf einem Haufen Blätter auf dem Boden. Der Kleine, der ihn wie üblich voller Bewunderung beobachtet hatte, schlug sich aufgeregt die Hände auf die Brust und erzeugte damit einen Ton, der an eine Streichholzschachtel erinnerte. Unzufrieden darüber wälzte er sich im Gras hin und her.

Die anderen kamen heran.

Norman hatte die Situation schnell im Blick und platzierte das Stativ am Rand der Lichtung. Er hatte kaum Zeit, die Turnübungen des Kleinen zu filmen, als dieser schon wieder im Gestrüpp verschwand. Nostril hingegen war immer noch mit seinem Frühstück beschäftigt.

»Ein wunderbares Tier«, meinte Ken.

»Das ist Nostril«, erwiderte sie. »Ich kenne ihn gut. Er ist meistens friedlich, hat aber immense Kräfte. Seid also vorsichtig.«

Es wiederholte sich die gleiche Szene von eben. Während Norman filmte, schlich sich Bob unter Bics Führung so nah wie möglich an das Tier heran. Nostril war tatsächlich ein gutmütiger Kerl und ließ die Männer ohne Gegenwehr herankommen. Als Norman dies sah, positionierte er die Kamera nur wenige Meter von dem Tier entfernt. Er drehte etwa dreißig Sekunden, dann musste er abbrechen, weil über das Mikrofon zweimal das heftige Niesen des Tontechnikers erscholl.

Anna hatte allmählich genug von dieser Geschichte.

»Menschenskinder, Ken!«, sagte sie mit erhobener Stimme. »Hol Bob da weg. Sonst steckt er noch ganz Afrika an.«

Teo kam heran. »Ich hätte nicht gedacht, dass sie so zutraulich sind.«

»Wir hatten auch Glück«, antwortete sie. »Sie haben genügend zu fressen und keiner stört sie. Die Autorität des Silberrückens ist nicht in Gefahr. Der nächstliegende Anwärter wäre dieses Exemplar hier vor deinen Augen, doch der denkt nur ans Fressen.«

Nun kamen auch die Weibchen von der kleinen Lichtung herüber, wo sie mit dem Drehen angefangen hatten. Hier handelte es sich anscheinend um den Versammlungsplatz, der ideale Ort für Norman.

»Jetzt reicht es erst einmal, Leute. Wenn sie so viele sind, ist es schwierig, einzelnen Exemplaren zu folgen. Wir gehen. Für diesen Vormittag habt ihr ja wohl genug gedreht.«

Sie brauchten zehn Minuten zum Abbau, in denen Anna immer ärgerlicher wurde, weil Bob ununterbrochen nieste und dann zu allem Überfluss auch noch Martino damit anfing.

»Was ist das hier, ein Sanatorium?«, fragte sie zornig.

Erst nach wiederholten Aufforderungen Bics waren die Männer dazu zu bewegen, sich einige hundert Meter von den Gorillas zu entfernen.

Sie gingen, doch sie ließen etwas zurück.

Im mikroskopisch Kleinen, dort, wo das menschliche Auge nichts mehr zu erkennen vermag, war das Ökosystem durcheinander geraten. Proteine, die kleinsten Teilchen genetischer Information, wirbelten wild durch die Luft und wurden vom Wind in alle Richtungen getragen. Leblose Mikroorganismen, die das Leben anderer suchten, um sich zu vermehren und im großen Spiel der Evolution mitzumischen.

Viren.

In riesigen Mengen griffen sie sofort dort an, wo Millionen von Zellen sie gutgläubig aufnehmen und ihre Befehle umsetzen konnten. Vor allem jedoch griffen sie einen Feind an, der nicht auf sie vorbereitet war und für diese Art von Krieg nur wenig Spezialeinheiten zu seiner Verteidigung bereithielt.

Dic Makrophagen bemerkten als Erste die Eindringlinge und gingen sofort in die Defensive. Doch sie waren zu wenige, um die Invasion zu stoppen. Immerhin gelang es ihnen, die fremden Wesen zu identifizieren und einen Abdruck von dem Feind zu nehmen, der in Massen über sie herfiel. Das war der Startschuss für die Immunabwehr: Viele T-Helferlymphozyten im Blut schwammen achtlos über sie hinweg, aber manche erkannten in dem Abdruck, den die Makrophagen ihnen präsentierten, sofort einen Feind, der bekämpft werden musste. Alarmstufe Rot wurde ausgelöst, der Befehl zur allgemeinen Vermehrung erging. Wenn man den Eindringling stoppen wollte, brauchte man Streitkräfte dieses Typs, nur dieses einen. Sofort wurden Heere von T-Killerlymphozyten aufgestellt und mit der

Aufgabe betraut, die bereits infizierten Zellen zu zerstören und den Virenzyklus zu unterbrechen, während Heere von B-Lymphozyten begannen, große Mengen von Antikörpern zu bilden, die den Feind attackieren und handlungsunfähig machen sollten.

Im Innern vermehrten sich die Aggressoren inzwischen rasant. Teile der Virus-RNA drangen in die Zellen ein, die guten Glaubens die neu angekommenen Befehle ausführten. Diese lauteten jedoch, neue Viren zu produzieren, die ihrerseits in einer Endlosspirale weitere Zellen angreifen würden.

Der Feind war relativ jungen Typs. Jahre ungestörter Entwicklung hatten es nicht notwendig gemacht, die Gorillas mit einer Verteidigungsstrategie gegen den ihnen so gut wie unbekannten, krankheitserregenden Agenten auszurüsten. Daher war das innere System völlig unvorbereitet und die Abwehrreaktion, so schnell sie auch kam, nur schwach.

All das geschah im winzigen Mikrokosmos der riesigen Tiere.

Basiscamp

Als sie am späten Nachmittag ins Lager zurückkamen, war die Stimmung unter den Expeditionsteilnehmern so unterschiedlich wie nur möglich. Ken und Norman waren mit der getanen Arbeit zufrieden: Das Licht war gut gewesen, die zu filmenden Objekte noch besser, mehr wollten sie nicht. Bob Loneghy hingegen ging es schlecht. Bei ihm war die Erkältung definitiv zum Ausbruch gekommen und der Rückmarsch war eine Tortur gewesen. Teo war aufgeregt. Das Projekt LARA nahm allmählich Formen an und war nun nicht mehr zu stoppen. Martino spürte die ersten Symptome eines Unwohlseins, von dem er insgeheim hoffte, dass es derselben Natur wie das von Bob sei, dessen Quelle er nur zu gut kannte. Anna kochte vor Wut. Die Männer waren viel zu nah an die Gorillas herangegangen und vielleicht hatte Bob sie angesteckt. Sie wusste, dass ein einfacher Schnupfen sich bei den Tieren, die weniger Antikörper hatten, zu einer tödlichen Lungenentzündung auswachsen konnte. Nur Marco stand schweigend etwas abseits und schien an alldem keinen Anteil zu nehmen. Für Bic und die Träger wiederum waren die Ereignisse des heutigen Tages reine Routine.

Mit vielen Dingen konnte Anna aber auch zufrieden sein. Sie hatte die Gruppe schnell und problemlos zu den Gorillas geführt, was ihre Hauptaufgabe gewesen war. Sie hatte gesehen, dass es den Tieren und insbesondere Nostril gut ging, zumindest bis zu ihrer Ankunft. Die Webcam einschließlich des Systems der Datenübertragung funktionierte einwandfrei.

Im Zelt schaltete sie den Computer an. Sie versuchte, eine Verbindung zum CMM in Varese herzustellen in der Hoffnung, dass Treiber noch im Büro und online war. Ein einfaches ICQ-Programm würde ihn beim Surfen benachrichtigen, dass Anna ihn suchte.

Auf dem Computer in Varese erschien die Kontaktanfrage. Schnell schloss Treiber die Disney-Homepage, wo er sich seit einer Stunde herumtrieb, und nahm die Anfrage an, indem er das Dialogfenster öffnete.

Dasselbe Fenster erschien auf Annas Bildschirm. Sie tippte:

– Hier ist Anna. Wer ist da?

Ein paar Sekunden später erschien die Antwort.

– Gioele. Hallo, Anna. Wo bist du?
– Im Basiscamp, unterhalb des Gorillahügels.
– Geht's den Affen gut?
– Großartig, jedenfalls noch.
– Und was macht Marco?
– Schweigsam wie immer. Irgendwelche Neuigkeiten?

Eine kurze Pause entstand. Dann erschien die Antwort.

– Bist du allein?
– Ja, ganz allein, aber bitte keine unsittlichen Anträge.
– Ich habe eine Nachricht von deinem florentinischen Freund.

Molderi. Was konnte er nur Wichtiges wollen, dass er es ins tiefste Afrika schickte?

- Was für eine Nachricht?
- Kann jemand im Netz unser Gespräch mitlesen?
- Niemand.
- Die Ermittlungen haben Neues ergeben. Ein Zeuge ist aufgetaucht. Es war kein Überfall.
- Verstehe ich nicht.
- Jemand hat einen großen, elegant gekleideten Mann gesehen, der Luisa Mori auf der Straße angehalten hat. Die beiden schienen sich zu kennen und haben gestritten. Als sie sich umdrehte, hat er sie aus nächster Nähe erschossen. Dann hat er ihre Handtasche an sich genommen.
- Wurde der Mann erkannt?

Wieder eine Pause. Dann arbeitete der Computer weiter.

- Ich glaube nicht. Molderi hat nur gesagt, du sollst auf die beiden Typen aufpassen, die bei euch sind.

Dieses Mal zögerte Anna vor der nächsten Antwort.

- Verstanden. Sonst noch was?
- Nein. Wir können aufhören. Ich werde jeden Abend um diese Uhrzeit hier sein.
- Ciao. Ende.

Dann war ihr Verdacht also richtig gewesen. In jener Nacht hatte es keinen Raubüberfall gegeben. Luisa Mori war höchstwahrscheinlich ermordet worden, weil sie etwas wusste und es weitersagen wollte. Aber was? Schließlich waren sie ja mittlerweile an ihrem Ziel angekommen, ohne dass etwas passiert war. Teo und Martino machten keinen

Ärger und außerdem hatte die Polizei doch bestimmt ihre Alibis für jene Nacht überprüft. Molderis Sorgen kamen ihr übertrieben vor.

Sie ruhte sich eine Stunde aus.

Das Abendessen verlief schweigsam. Müdigkeit machte sich breit. Anna war völlig unansprechbar. Trotz der scheinbaren Normalität spürte sie, dass ihr die schlimmsten Überraschungen noch bevorstanden.

In dieser Nacht kehrte der Leopard zurück.

Gorillahügel, Basiscamp

Am nächsten Morgen stiegen sie wieder hoch zu den Gorillas. Auch Bob Loneghy war dabei, doch hatte Anna Ken zumindest das Versprechen abgerungen, dass er gebührenden Abstand zu den Tieren einhalten würde. Zwei Stunden waren sie durch den Nebel gewandert, der sich erst lichtete, als sie oben ankamen, was Normans Sorgen bezüglich der Lichtverhältnisse zerstreute. Nachdem sie am ersten Tag wenig spezifische Aufnahmen gemacht hatten, würden sie sich nun auf das eigentliche Thema konzentrieren: die Doktorgorillas. Dafür mussten sie zuerst einige kranke Exemplare ausfindig machen, um dann zu sehen, wie und womit sie sich kurierten.

Sie stießen an genau derselben Stelle auf die Gorillas, wo sie die Tiere verlassen hatten, und Anna merkte sofort, dass etwas nicht stimmte. Der kleine »Platz der Weibchen«, wie sie die Lichtung getauft hatte, die sie am vorigen Tag als Erste gefunden hatten, war voll mit Müttern und ihren aufgeregten Jungen. Die unteren Zweige der Bäume waren von dem Gerangel der beiden Halbwüchsigen mitgenommen, die ihren endlosen Kampf fortsetzten. Ein gut zweijähriger Gorilla lag ausgestreckt auf dem Boden, um ihn herum hockten die Weibchen. Weder der Silberrücken noch Nostril oder das Männchen, das in Annas Nähe gefressen hatte, waren zu sehen, aber hin und wieder drangen ihre unverwechselbaren Geräusche aus dem Dickicht der Vegetation zu ihnen.

Bic hielt das Team auf Distanz zu den Tieren.

»Ihr sucht einen kranken Gorilla? Der Kleine dort ist

ganz zweifellos krank. Doch ihr geht besser nicht zu nah heran, die Weibchen sind nervös.«

Teo wandte sich an Anna. »Kannst du dir vorstellen, was er hat?«

»Dazu müsste ich näher ran.« Sie nahm das Fernglas und richtete es auf die Gruppe. »Aus dieser Entfernung würde ich sagen, es handelt sich um die üblichen Bauchschmerzen.«

Sie ließ das Fernglas über die Gruppe schweifen, um die Gesichter genauer zu studieren. Tatsächlich konnte sie jedes einzelne Exemplar der Gruppe unterscheiden. Ein Weibchen beeindruckte sie besonders. Sie hatte es »Sventola« genannt, Segelohr, wegen seiner lustig geformten Ohrmuscheln, von denen die eine stärker abstand als die andere. Der Gesichtsausdruck des Tieres war ganz anders, als sie ihn in Erinnerung hatte.

Sie rief Bic zu sich. »Hier stimmt etwas nicht. Darf ich näher ran?«

»Nein, nicht jetzt. Nicht solange wir den Silberrücken noch nicht gesehen haben.«

Über eine Stunde tat sich nichts. Der Platz der Weibchen belebte sich erst, als die beiden Jungtiere diagonal über die Lichtung schossen. Nostril ließ sich kurz sehen, dann verschwand er wieder. Der Silberrücken blieb weiterhin im Verborgenen.

Anna nutzte die Zeit und ging zu der größeren Lichtung hinüber, wo die Webcam installiert war. Völlig verlassen lag sie da.

Vorsichtig umkreiste sie den Platz, ohne etwas zu entdecken. Die männlichen Gorillas waren offensichtlich auf der anderen Seite des Hügels beim Steilhang. Sie wollte gerade zurückgehen, als Marco ihr entgegenkam.

»Ach, du bist es. Ich habe nur das Blätterrascheln gehört«, sagte er erleichtert.

»Danke, dass du mich mit einem Gorilla verwechselt hast. Aber ich glaube, dass ich doch etwas sanfter auftrete.«

»Hier passiert überhaupt nichts.«

»Richtig«, erwiderte sie. »Für die Tiere ist das die Normalität. Sie bestimmen den Zeitplan, denk daran, nicht wir. Und du? Stimmt etwas nicht?«

»Dieser Bob hat mich wohl endgültig mit seiner Grippe angesteckt. Meine Augen tränen und mein Kopf ist ganz dumpf.«

»Ich habe Vitamin C im Rucksack. Bitte fang jetzt nicht auch noch an zu niesen. Komm, wir gehen wieder zu den anderen.«

Sie kehrten zum Platz der Weibchen zurück. Marco und Teo waren verschwunden.

»Wo sind sie hin?«, erkundigte sich Anna und sah Bic fragend an.

»Sie wollten sich von rechts anschleichen. Ein Weibchen hat die Gruppe verlassen und sie haben es verfolgt, in der Hoffnung, dass es wer weiß welche Heilmittelchen sammeln geht. Ich habe ihnen einen Träger mitgegeben.«

Ken, Norman und Bob warteten geduldig ab. Wahrscheinlich waren sie langes Warten gewöhnt.

Anna griff wieder zum Fernglas. Sie bekam Sventola ins Blickfeld und rief Marco. »Guck dir mal dieses Weibchen an. Was siehst du?«

Er hantierte mit dem Fernglas. »Ich kann nichts Ungewöhnliches entdecken.«

Anna wollte ihm gerade von ihrer Beobachtung berichten, als der Silberrücken durch die Büsche brach und in vollem Galopp auf sie zuhielt. Vier, fünf Meter vor ihnen bremste er ab. Norman hatte nicht genug Zeit, ihn aufzunehmen.

Sie kauerten sich auf den Boden und vermieden es, ihn

mit Blicken zu reizen. Doch war ihre Vorsicht unnötig, weil das Tier sich schon umgedreht hatte und ihnen sein riesenhaftes Hinterteil zeigte. Sie konnten nur hoffen, dass die beiden Männer der Pharmacon nicht gerade in diesem Augenblick zurückkommen würden, womöglich unbeschwert plaudernd.

Kens Stimme ertönte. »Das passiert mir andauernd. Ich habe in meinem Leben mehr Gorilla- als Frauenhintern gesehen.«

Anna kicherte. Die Situation war lächerlich.

Ken fuhr mit seinem englischen Talent für schwarzen Humor fort: »Dottoressa, wenn wir im Falle, dass er uns anschaut, so tun sollen, als ob wir äßen, wozu raten Sie in diesem Falle?«

»Hör auf damit, Ken.«

Der Gorilla richtete sich zu seiner vollen Größe auf. Er war keine zwei Meter hoch, aber die enorme Muskelmasse ließ ihn in den Augen der Anwesenden mächtiger erscheinen. Er trommelte sich lautstark auf den Brustkorb und ließ sich dann bei den Weibchen nieder. Die Spannung löste sich, und Bic machte Anna ein Zeichen, dass sie nun ein paar Schritte näher heran durfte.

Endlich konnte sie Sventola aus der Nähe betrachten, und was sie sah, war keineswegs beruhigend.

»Marco«, meinte sie mit dem Fernglas vor den Augen, »ich werde dir sagen, was mit diesem Weibchen nicht stimmt. Von weitem erkennt man nur seinen merkwürdigen Ausdruck, als wäre das Gesicht irgendwie deformiert. In Wirklichkeit hat es glänzende Augen und aus Nase und Mundwinkeln läuft ein schleimiges Sekret.«

Sie betrachtete die anderen und entdeckte, dass ein weiteres Weibchen und einer der Kleinen die gleichen Symptome zeigten.

Neben ihr nieste Marco.

»Verdammt, fängst du jetzt auch noch an?«

In einer hilflosen Geste hob er die Arme.

Anna kehrte mit einem unguten Gefühl zur Lichtung zurück. Nostril war nicht mehr da und niemand beobachtete sie. Da entschloss sie sich, jegliche Vorsicht außer Acht lassend, langsam die Grasfläche zu überqueren, um auf der anderen Seite in den Urwald einzutauchen. Sie wusste, dass sie ein großes Risiko einging. Sie war noch nie in dieses Gebiet vorgedrungen und bei der vorigen Expedition hatte sie ein stillschweigendes Abkommen mit der Gorillagruppe geschlossen: Dort ist euer Gebiet, hier ist meines. Nun brach sie diesen Nichtangriffspakt. Fünfundfünfzig Kilo gegen zweihundert – die Chancen standen schlecht für sie, sollte es zu einer Auseinandersetzung kommen.

»Er ist letztlich nur zwei Exmänner auf einmal«, wiederholte sie sich immer wieder. Gerne hätte sie jetzt Helm und Körperschutz gehabt, die Greg für seine Spiele anlegte.

Alle ihre Sinne waren geschärft und dieses Mal durfte sie sich bei ihrem Geruchssinn bedanken.

Sie erschnüffelte den Gorilla, bevor sie ihn sah, und blieb augenblicklich stehen, um ihm die nächste Bewegung zu überlassen, falls er sie bemerkt haben sollte. Sie wusste nicht, ob es sich um Nostril oder ein anderes Männchen handelte. Sie schmatzte vernehmlich, um sich bemerkbar zu machen, und verfolgte, wie sich die Blätter vor ihr bewegten.

Eine Sekunde, zwei Sekunden.

Von irgendwoher durchzuckte eine Gefahrenmeldung ihr Gehirn und intuitiv sprang sie in einer plötzlichen Bewegung zur Seite.

Aus den Augenwinkeln sah sie für einen Moment eine pechschwarze Masse an sich vorüberschießen.

Ein zweiter Gorilla war hinter ihr aufgetaucht und der gesegnete sechste Sinn hatte sie gerettet.

Der Aufprall war schrecklich. Die Tiere stießen frontal zusammen, und einen Augenblick hatte Anna das Bild von sich selbst vor Augen, zerquetscht zwischen diesem riesigen Fleischsandwich. Die beiden grunzten und brüllten sich derweil böse an, bevor langsam jeder wieder seiner Wege ging.

Anna wartete eine Weile, bis das Zittern in ihrem Körper nachließ. Das Schlimmste sollte ja jetzt wohl vorbei sein. Allmählich beruhigte sie sich und gewann wieder die Kontrolle über ihre Hände zurück. Die brauchte sie auch dringend, um den Reißverschluss ihrer Jeans zu öffnen. Schnell hockte sie sich an Ort und Stelle hin, bereit, jeden zum Teufel zu schicken, Gorilla oder Mensch, der sie beim Wasserlassen beobachten mochte.

Sie trat den Rückweg an und beschloss, niemandem von ihrem waghalsigen Unternehmen zu erzählen. Als sie die Lichtung erreichte, sah sie Nostril auf der linken Seite. Sie konnte nicht sagen, ob er eines der beiden Tiere war, die eben zusammengestoßen waren. Er saß dort einfach, fraß in aller Seelenruhe seine Lobelien und lauste sich. Sie warf einen Blick durch das Fernglas und entdeckte auch bei ihm das Sekret unter den großen Nasenlöchern.

Sie kehrte zu den anderen zurück. Teo und Martino waren wieder da, der eine mit angespannter Miene, der andere mit einem Gesichtsausdruck, in dem geschrieben stand: Erkältung im Anmarsch, bitte fern halten. Sie verstauten sorgsam zahlreiche Blätter in ihren Rucksäcken.

Das war zu viel für sie. »Wir brechen sofort auf. Es wird bald regnen.«

Bic blickte sie komisch an, widersprach aber nicht.

»Bist du sicher, Anna?«, fragte Ken.

»Ganz sicher. Siehst du die Wolken da rechts? Sie wirken noch harmlos, aber in einer Stunde bricht die Hölle los. Und ich habe keine Lust, hier festzusitzen.«

Eilig bauten sie die Geräte ab und machten sich auf den Heimweg.

Nach der Hälfte der Strecke ließ Bic Anna herankommen.

»Es wird eindeutig nicht regnen.«

»Natürlich nicht«, zwinkerte sie ihm zu. »Doch es war die einzige Möglichkeit, um schnell aufzubrechen.«

»Was ist passiert?«

»Ist dir denn nichts aufgefallen?«

»Nur dass die Gorillas irgendwie merkwürdig waren.«

»Merkwürdig?«, rief sie aus, dämpfte aber sofort wieder ihre Stimme und hob sich ihren Ärger für später auf. »Die Gorillas brüten eine Krankheit aus und wir sind verflucht noch mal schuld daran.«

»Die Erkältung?«

»Klar, die Erkältung. Ich hätte sie nicht herführen dürfen.«

Bic schwieg eine Weile.

»Es ist nicht deine Schuld, Anna. Das konnte doch keiner ahnen. Außerdem sind die Tiere robust und bei guter Gesundheit.«

»Du weißt genauso gut wie ich, dass sie in tödlicher Gefahr schweben. Die Erkältung kann schnell zu einer Lungenentzündung werden.«

»Ich wäre nicht so pessimistisch. Ich habe schon andere Gorillas mit allen Symptomen einer Erkältung gesehen, denen es bald wieder großartig ging.«

»Stimmt das?«

»Ja, sei unbesorgt. Das wird wieder.«

Auch Bics besänftigende Worte konnten Anna letztlich

nicht beruhigen. Sie versuchte nachzudenken. Eine Sache war, sich eine Erkältung zuzuziehen, die andere jedoch, sich mit einer Viruserkrankung zu infizieren. Vielleicht waren die Gorillas ja an Ersteres gewöhnt, gewiss aber nicht an Letzteres. Sie konnte nur abwarten, was passieren würde.

Als sie das Lager erreichten, war nicht ein Tropfen Regen gefallen, aber keiner machte eine Bemerkung darüber. Annas Gesichtsausdruck lud auch nicht gerade dazu ein. Sie zog sich sofort in ihr Zelt zurück, um ihre Wut ein wenig verrauchen zu lassen. Drinnen warf sie einen Blick auf die Uhr: drei Stunden noch, bis sie mit Treiber sprechen konnte. Drei Stunden, in denen sie nichts tun konnte und niemanden sehen wollte. Wenn die Gorillas starben, würde sie sich das niemals verzeihen. Endlich hörte ihre Nebenniere auf, Adrenalin ins Blut zu pumpen, und die Aufregung wich einer großen Müdigkeit. Vor zwei Stunden war sie knapp dem Tod entronnen und dachte kaum mehr daran. Sie fiel in tiefen Schlaf.

Um kurz nach sechs wachte sie wieder auf, noch rechtzeitig, um den Computer anzuschalten und die Verbindung zu dem Satellitensystem herzustellen. Nach der üblichen Prozedur ging es los.

`-Hallo, schöne Frau.`

Die Buchstaben, die auf dem Bildschirm erschienen, beruhigten sie ein wenig. Sie hatte sich noch nie so sehr nach Treiber gesehnt wie in diesem Moment.

`-Spar dir die Komplimente. Neues aus Florenz?`
`-Negativ.`

– Du musst mir aus dem Internet alles über Gorillas und Erkältungen raussuchen, das du finden kannst.

Pause.

– Das muss ein Tippfehler sein.
– Gorillas und Erkältungen.

Anna hämmerte auf die Tasten ein, als könne sie ihren Worten damit mehr Nachdruck verleihen.

– Okay. Gorillas und Erkältungen. Ich schick dir die Informationen dann per E-Mail. Sonst noch was?
– Negativ, im Moment.
– Marco geht's gut?
– Geht so. Ende.

Sie machte sich ein wenig frisch, wechselte die Bluse und versuchte dabei, nicht in den Spiegel zu schauen, um sich böse Überraschungen zu ersparen. Dann schlug sie die Zeltplane zurück und kroch hinaus.

Die Schlacht konnte beginnen.

Basiscamp, Kilemi

»Qua-ran-tä-ne!« Annas Stimme gellte durch die Luft.

»Was meinst du damit?«

»Ich meine, dass wir alle«, und sie deutete mit dem Finger auf jeden Einzelnen ihrer Zuhörer, »von heute an in Quarantäne sind und das Camp mit keinem Schritt verlassen werden. Kein Aufstieg mehr zu den Gorillas.«

»Das soll doch wohl ein Witz sein«, meinte Ken.

»Keineswegs. Einige der Tiere haben sich bei Bob angesteckt, und sie haben im Gegensatz zu ihm nicht genügend Antikörper, um die Erkältung zu bekämpfen. Mindestens ein Männchen, zwei Weibchen und ein Junges weisen eindeutige Symptome auf.«

»Woher willst du wissen, dass es unsere Schuld ist?«

»Ich weiß es nicht. Aber ich schließe es aus der Tatsache, dass es den Tieren bei unserer Ankunft noch gut ging und heute nicht mehr. Und dazwischen war Bob in ihrer Nähe. Ganz einfach.«

Besorgt über die Wendung, welche die Dinge zu nehmen drohten, versuchte Marco zu vermitteln.

»Anna, du kannst den anderen nicht einfach deine Entscheidung aufzwingen. Wir machen hier keine Vergnügungsfahrt, sondern haben eine Aufgabe zu erledigen.«

Sie ließ ihn kaum ausreden. »Diese Tiere riskieren eine Lungenentzündung, an der sie innerhalb weniger Tage sterben können. Ist das etwa unsere Aufgabe?«

»Aber Anna ...«

»Nichts aber. Du und Martino seid auch schon erkältet

und wahrscheinlich wird es in den nächsten zwei Tagen noch mehr von uns treffen.«

Nun mischte Teo sich ein. »Anna, ich verstehe dich sehr gut. Doch warum lassen wir Bob, Martino und Marco nicht hier im Camp und steigen ohne sie auf?«

»Auf gar keinen Fall. Wir könnten uns alle längst angesteckt haben, auch wenn wir noch symptomfrei sind.«

Ihr Ärger wurde immer größer. Sie musste sechs Männern die Stirn bieten, und sie hatte nicht vor, auch nur einen Millimeter zu weichen.

Langes Schweigen trat ein.

Schließlich ergriff Ken das Wort. »Anna, ich sage das nicht gern, aber du hast uns keine Befehle zu geben.«

»Nein, natürlich nicht«, lachte sie bitter. »Doch du bildest dir hoffentlich nicht ein, dass die Dinge, die ich nach meiner Rückkehr in Italien erzählen werde, eine gute Werbung für deinen Sender oder für die Pharmacon sein werden?!«

»Soll das Erpressung sein?«

»Nenn es, wie du willst. Jedenfalls verlässt in den nächsten Tagen niemand das Camp. Schließlich ist es für uns nur eine banale Erkältung.«

»Du kannst uns aber nicht verbieten, wenigstens nach Kilemi zurückzukehren«, wandte Teo ein. »Du willst uns doch nicht als Geiseln hier festhalten.«

»Ich halte niemanden fest. Wer nach Kilemi zurückmöchte, dem steht frei, das zu tun. Wer einen Spaziergang durch die Sümpfe machen möchte – bitte. Nur in die Nähe der Gorillas kommt mir keiner.«

Wiederum herrschte Schweigen.

»Glaubt ihr denn, mir macht das Spaß?«, fuhr sie dann fort. »Diese Tiere sind vielleicht sehr krank, und ich bin weder in der Lage, etwas für sie zu tun, noch kann ich prüfen, wie es ihnen geht. Ich werde selbst so lange nicht hinaufsteigen, bis ich sicher bin, dass ich ganz gesund bin.«

Ken mischte sich wieder ein. »Mach, was du willst. Wir kehren um.«

»Na, dann viel Spaß, wenn ihr den Weg findet. Bic wird euch jedenfalls nicht begleiten.«

»Bic wird von uns bezahlt.«

»Nein, mein Lieber, Bic ist ein Wächter des Nationalparks und wird von der ugandischen Regierung bezahlt. Natürlich könnte er an uns etwas hinzuverdienen, doch wenn wir in einem Monat abreisen, bleibt er hier. Und er wird sicher nicht uns zuliebe seine Lizenz riskieren.«

»Ich werde dich dafür zur Verantwortung ziehen.«

»Ich könnte dich jetzt fragen, ob das eine Drohung sein soll, Ken, aber ich sage lieber: Nur zu, zieh mich dafür ruhig zur Verantwortung.«

Noch über eine Stunde lang wehrte sie alle Proteste ab, ohne von ihrem Standpunkt abzurücken.

Später im Zelt kamen Teo und Martino auf das Thema zurück.

»Diese Frau kann wirklich nerven«, platzte Dosi nach einem donnernden Niesen heraus.

Teo lachte. »Diese Frau ist einmalig. Die Quarantäne kommt uns gerade recht.«

Sein Kollege sah ihn erstaunt an.

»Verstehst du denn nicht, Martino? Wir haben heute eine große Menge Material gesammelt, das wir in unserem Labor unten in Kilemi analysieren müssen. Und prompt liefert sie uns einen perfekten Vorwand, es dorthin zu bringen, ohne unangenehm aufzufallen. Wir warten die ersten Ergebnisse ab, und kommen dann mit klareren Vorstellungen wieder.«

»Und der Dokumentarfilm ...«

»Seit wann interessiert uns der? Entscheidend ist, dass wir zu den Gorillas zurückkehren, und das werden wir auf jeden Fall. Ich habe auch schon einen Plan. Morgen gehen wir nach Kilemi und liefern das Material beim Kentrax-Lager ab. Gegen Bezahlung mieten wir uns einen anderen Parkwächter, der die Gegend kennt, und steigen wieder hinauf, diesmal jedoch nicht über das Camp, sondern auf der anderen Seite des Berges.«

Martino nieste wieder. »Immer vorausgesetzt, dass ich es schaffe.«

»Natürlich schaffst du es. Nicht einmal die Akte LARA sieht eine so günstige Ausgangssituation vor. Durch die Sache mit der Quarantäne gewinnen wir drei bis vier freie Tage fernab von neugierigen Blicken. Das ist unsere große Chance. Alles verläuft ganz nach Plan. Die Gorillas sind erkältet und müssen nun dafür sorgen, wieder gesund zu werden. Und wir werden bei ihnen sein und alles beobachten, aufschreiben, registrieren. LARA steht kurz vor ihrem Ziel. Wenn alles gut geht, Martino, sind wir weltweit die Ersten, die ein Arzneimittel gegen Erkältung auf den Markt bringen. Die ganze teure Suche nach neuen Impfstoffen ist dann überflüssig. Wir werden es viele Millionen Mal verkaufen. Allein in den Ländern der westlichen Welt bekommen drei Viertel der Bevölkerung jährlich zwei bis drei Mal eine Erkältung. Stell dir das doch nur mal vor!«

»Das klingt mir alles zu einfach.«

»Es *ist* so einfach, Martino. Wie alle großen Entdeckungen in der Medizin. Ich spüre, dass wir vor einer revolutionären Wende in der Forschung stehen. Der Name LARA wird auf der ganzen Welt berühmt werden.«

»Und falls wir nichts finden?«

»Schau dir doch nur die Proben an, die wir schon gesammelt haben, Martino«, erwiderte Teo und wies auf die Gefäße und Beutel, die säuberlich aufgereiht auf dem Tisch lagen. »Vielleicht enthält eine von ihnen ja schon die große Entdeckung und wir wissen es bloß noch nicht. Eines dieser Fläschchen, eines dieser Säckchen könnte Milliarden wert sein.«

Der Mond tauchte die Waldlichtung in silbernes Licht, auf der Nostril mit geröteten Augen in den Himmel blinzelte. Den ganzen Tag schon fühlte er sich komisch. Er hatte noch Appetit, das schon, doch er nahm den Geruch der Pflanzen nicht mehr wahr und konnte nicht richtig genussvoll fressen. Außerdem hatte er das Gefühl, ein Schwarm lästiger Fliegen brumme in seinem Kopf. Er konnte sich nicht erinnern, jemals in diesem Zustand gewesen zu sein, zumindest nicht so extrem, und er wusste nicht, was er tun sollte. Dunkel erinnerte er sich an ein paar schwarze, harte Beeren, die ihm ein wenig Erleichterung verschafft hatten, aber wer weiß, wo es sie gab, irgendwo dort im Wald. Er würde sich morgen darum kümmern.

Jetzt wollte er sich ganz dem Frieden der Vollmondnacht hingeben.

Sein Körper fand jedoch keine Ruhe. Nostril wusste nicht, dass sein Immunsystem immer noch einen Kampf austrug, und das Kriegsglück schien im Moment auf Seiten des bösartigen Eindringlings. Das Virus vermehrte sich immer noch so rasant, dass die Antikörper nichts dagegen ausrichten konnten. Die neuen genetischen Befehle, die das Virus eingeschleust hatte, erstellten eine Kopie nach der anderen. Eine perfekte Maschinerie.

Vielleicht nicht ganz perfekt. Denn perfekte Maschinen gibt es nicht.

»Darf ich reinkommen?«

Als Anna Teos Stimme hörte, setzte sie sich auf ihrem Feldbett auf. »Bitte.«

Mit diesem abendlichen Besuch hatte sie nicht gerechnet, schon gar nicht nach ihrem Wutausbruch von vorhin. Sie hatte keine Lust, noch einmal davon anzufangen.

Er ließ sich neben ihr nieder. »Ich sag es dir gleich: Du hast Recht mit dieser Quarantäne-Sache. Ich habe mich eben nur zurückgehalten, weil ich keinen Keil durch die Gruppe treiben wollte.«

»Ist das dein Ernst? Freut mich, dass endlich jemand zur Vernunft kommt.«

»Ich werde die Gelegenheit nutzen, um nach Kilemi zurückzukehren.«

»Aber warum?« Anna bemühte sich vergebens, ihre Enttäuschung zu verbergen. In Wahrheit hatte ihr der Gedanke gefallen, für ein paar Tage in seiner Nähe hier in der Einöde festzusitzen.

Teo fuhr mit der Hand fahrig durch die Luft. »Ich will mir mit Martino ein wenig die Gegend anschauen. Vor zwei Tagen sind wir ja direkt am Morgen nach unserer Ankunft aufgebrochen ...«

Sie schwieg, um sich nicht noch mehr zu verraten.

»Warum kommst du nicht mit?«

»Ich kann das Lager nicht verlassen, Teo, das weißt du doch. Würdest du das denn wirklich wollen?«

Er ließ ein paar Sekunden verstreichen, ehe er antwortete. »Ich begehre dich, Anna.«

»Himmel«, dachte sie, »plumper geht's nicht.« Doch genau das hatte sie hören wollen. Bei ihren Träumereien in den letzten Tagen war sie zu dem Entschluss gekommen, dass sie auf Flirten, vage Annäherungen und unausgesprochene Sehnsüchte nicht eingehen würde. Sie waren in Afrika, hier gab es keine Halbheiten, alles war klar und direkt. Aber sie wusste, dass sie dem banalsten Frontalangriff nicht würde widerstehen können. Das hatte sie schon in Florenz begriffen. Mit Teo wollte sie bloßen Sex, jenseits aller Gefühle.

Sie spürte seine Hände, die sie auszogen, und dachte an Molderis Warnungen. »Natürlich passe ich auf«, sagte sie sich. »Ich werde jetzt mit diesem Mann schlafen, der vielleicht vor kaum zwei Wochen seine Sekretärin ermordet hat, doch das bedeutet gar nichts. Wenn ich mit absoluter Sicherheit wüsste, dass er ein Mörder ist, würde ich dasselbe tun. Das ist eine andere Geschichte, aus einer anderen Zeit.«

Niemand, wirklich niemand konnte verstehen, was sie in diesem Moment suchte. Nicht einmal Teo, der sie gerade küsste.

Als Anna aufwachte, war es noch dunkel. An die Nacht erinnerte sie sich kaum und wollte es auch nicht. Teo war verschwunden. Auf ihrer Uhr war es erst vier. Der Leopard war näher gekommen.

Teo und Martino brachen am nächsten Morgen mit drei Trägern auf. Vier Tage später sollten sie wiederkommen, laut Annas Entschluss dem letzten Tag der Quarantäne. Marco blieb im Zelt. Er hatte Fieber und die Erkältung war nun voll zum Ausbruch gekommen. Bob schlenderte über das Camp. Ken und Norman schlugen sich in das Waldstück, das zwischen ihnen und dem Brunnen lag, in der Hoffnung, hier ein paar Szenen drehen zu können, um damit eventuelle Lücken im Film zu füllen. Anna blieb praktisch allein zurück. Sie schaltete den Computer an und hoffte, dass Treiber ein paar Informationen aufgetrieben hatte. Im Eingangsordner lag eine Nachricht.

Liebe Anna,
ich habe die gesuchten Informationen und schicke sie dir als Anhang mit. So wie es aussieht, erkälten Gorillas sich normalerweise nicht, zumindest gibt es kaum Literatur darüber. Molderi hat nichts mehr von sich hören lassen. Hier herrscht absolute Windstille und mir fehlen deine Miniröcke. Das Shuttle kehrt bald zurück, ich hoffe, mit den Radaraufnahmen im Gepäck. Ich habe eine Menge lustiger Dinge im Netz gefunden, aber die hebe ich mir für deine Rückkehr auf.
Gioele
PS: Gestern habe ich dich über die Webcam gesehen. Interessant, sehr interessant.

Sie dachte kurz nach. Sie war nur einmal ins Sichtfeld der Videokamera gekommen, nämlich als sie die Lichtung überquert hatte. Es sei denn – es sei denn, dieser Mistkerl von Treiber hatte sie beobachtet, als sie sich vor lauter Schrecken hatte erleichtern müssen. Das fehlte ihr noch, ausgerechnet dieser Spinner!

Sie öffnete die Datei, die er angehängt hatte, und begann zu lesen.

Danach war sie kaum schlauer. Es gab noch keine detaillierten Studien über eine vom Menschen auf Gorillas übertragene Erkältungsinfektion. Dennoch wollte sie lieber nicht die Erste sein, die sich mit diesem Thema beschäftigte.

Sie hatten das Zwischencamp erreicht, wo sie kurz ausruhten, bevor sie zur letzten Etappe nach Kilemi aufbrachen. Der Marsch war sehr anstrengend gewesen, vor allem in den Sümpfen, wo sie von merkwürdigen, unersättlichen Insekten angefallen worden waren. Später waren sie dem ersten Tier begegnet, das sie durch seine Größe erschreckt hatte, aber es war nur ein Bongo gewesen, die schreckhafteste unter den Antilopenarten. Ein schönes Exemplar mit hellbraunem Fell und feinen weißen Streifen. Dann war das Tier auch schon wieder verschwunden. Weil sie den Weg nun in die entgegengesetzte Richtung liefen, hatten sie manchmal Schwierigkeiten, ihn wiederzuerkennen, doch die Träger marschierten zügig voran und waren ihrer Sache offenbar sicher. Martino ging es ein wenig besser, dennoch beschlossen sie, in Kilemi einen Arzt aufzusuchen.

Auf halbem Weg des letzten Streckenabschnitts geschah, womit niemand gerechnet hatte, genau an der Stelle, wo Bic sie auf dem Hinweg hatte anhalten lassen. Alles spielte sich innerhalb weniger Sekunden ab. Sie hörten das Knacken von entsicherten Gewehren und erblickten gleichzeitig zwei orientalisch wirkende Männer, die ihnen in den Weg sprangen.

»Wer seid ihr?«, fragte Teo auf Englisch.

»Wer seid *ihr*?«, gaben die beiden in derselben Sprache zurück.

Es gab keinen Grund, zu lügen.

»Wir gehören zu einer Forschungsexpedition, die einen Dokumentarfilm oben auf dem Gorillahügel dreht, Richtung Nordwest.«

»Wo sind die anderen?«

Die Kerle waren also über sie informiert, stellte Teo fest.

»Die sind im Basiscamp geblieben.«

»Wohin wollt ihr?«

»Nach Kilemi.«

Die beiden Asiaten traten zur Seite und bedeuteten ihnen, vorbeizugehen. Als die fünf Männer in der Ferne verschwanden, eilten sie zu der Lichtung, um dem Sicherheitschef Bericht zu erstatten.

Der kleine Zwischenfall beschäftigte Teo und Martino weniger als die drei Träger, die nicht erwartet hatten, andere Menschen auf diesem einsamen Bergpfad anzutreffen. Sie würden Bic nach ihrer Rückkehr davon erzählen. Als sie Kilemi erreicht hatten, verabschiedeten sie sich von den Weißen, nachdem sie ihnen einen guten Arzt empfohlen und versprochen hatten, am nächsten Tag wieder zur Stelle zu sein.

Teo und Martino begaben sich unverzüglich zum Kentrax-Lager, wo sie Fairplay trafen, der in aller Ruhe auf der Türschwelle saß und rauchte. Bei ihrem Anblick sprang er eilfertig auf. Der Schwarze führte sie ins Labor, wo sie ihre gesammelten Proben auspackten. Kurz darauf trat ein Mann in weißem Kittel ein, ein alter Bekannter aus Italien, der erst vor ein paar Tagen eingetroffen war.

»Guten Tag, Teo. Guten Tag, Martino.«

»Guten Tag, Mari.« Bei der Pharmacon hatten sie sich immer gesiezt. »Hier sind die ersten Proben unserer Ernte. Die rot beschrifteten stammen aus verschiedenen Essensresten von aller Wahrscheinlichkeit nach erkrankten Tieren. In den Flakons mit der schwarzen Aufschrift befinden sich Kot- und Urinproben, soweit wir da überhaupt rankamen. In den Säckchen mit grüner Schrift sind Kräuter, die die Tiere verzehrt haben. Ich hätte nicht gedacht, dass es dort oben einen solchen Artenreichtum gibt. Und das ist erst der Anfang.«

Er reichte dem Labortechniker ein Blatt Papier.

»Hier sind alle notwendigen Informationen.«

»Kein Blut?«

»Bisher nicht.«

»Und nach was genau soll ich suchen?«

»In der Anfangsphase müssen wir das Spektrum der Untersuchung sehr weit fassen. Die Proben der nächsten Tage können dann wahrscheinlich schon gezielter sein.«

»Ein grober Anhaltspunkt?«

»Spuren einer Rhinoviren-Infektion.«

»Wie bitte?« Mari glaubte sich verhört zu haben. Er wusste nichts vom Projekt LARA.

»Sie haben ganz richtig verstanden, Mari. Rhinoviren.«

Der Labortechniker schüttelte den Kopf. Er dachte, er sei nach Afrika gekommen, um wer weiß welche Tropenkrankheiten zu identifizieren, und nun handelte es sich um einen banalen Schnupfen.

»Zwei Weiße und drei schwarze Träger auf dem Weg nach Kilemi.«

Joffe stellte sich hinter die beiden Asiaten. »Ihr Dummköpfe! Ihr habt euch ihnen gezeigt.«

»Sie wären beinah in uns hineingerannt. Es ging nicht anders.«

»Schon gut, schon gut. Über die anderen haben sie nichts gesagt?«

»Nur dass sie in dem Camp am Fuße des Berges geblieben sind.«

»Seid ihr sicher, dass keine weiße Frau dabei war?«

»Ganz sicher. Nur die beiden Männer.«

Joffe dachte nach. Wenn die Italiener zurückgekehrt waren, hatten sie sich wahrscheinlich unmittelbar zu dem Kentrax-Lager begeben. Er würde jemanden hinschicken, um das zu überprüfen. Und wer wäre besser dazu geeignet als die beiden Holländer, die dann auch endlich aufhören würden, sich auf Kosten anderer zu betrinken!

Er ließ sie rufen und gab ihnen die nötigen Anweisungen.

Teo und Martino entging das alarmierte Leuchten, das bei ihrem Anblick einen kurzen Moment in den Augen des Schwarzen aufflackerte.

»Doktor Lazarus Boma?«

»Der bin ich, kommen Sie herein.«

Wenn sie erwartet hatten, die Höhle eines Zauberers zu betreten, hatten sie sich geirrt. Das Behandlungszimmer dieses Arztes war zwar ärmlich möbliert, dafür aber mit den neuesten Geräten ausgestattet. Teo ließ sich nicht von den alten, abgenutzten Möbeln täuschen. Sein Blick blieb an den Büchern im Regal hängen.

»Keine Sorge, mein Herr. Sie werden keine Bände mit magischen Formeln oder Zaubersprüchen finden. Die bewahre ich in einer Extraschublade in unmittelbarer Reichweite auf.«

Teo überflog gerade das Diplom, das an der Wand hing, ausgestellt von einer englischen Universität. »Nicht schlecht!«, entfuhr es ihm.

»Das sagen alle meine Patienten, wenn sie die Urkunde sehen, auch die, die nicht lesen können. Besonders beeindruckend finden sie das Wappen mit den Löwen, das sie für afrikanisch halten. Dann erst vertrauen sie mir. Nun, da ich die Prüfung bestanden habe, dürfte ich wissen, was Sie zu mir führt, meine Herren?«

Teo stellte sich und Martino vor, und Lazarus wusste sofort, wen er da vor sich hatte: die beiden Italiener, mit denen Anna nach Afrika gekommen war, um den Dokumentarfilm über Gorillas zu drehen. Er ließ sich nichts anmerken.

»Seit zwei Tagen geht es mir schlecht«, begann Martino. »Wahrscheinlich ist es nur eine einfache Erkältung, doch allmählich kann ich nicht mehr. Vielleicht liegt es auch an den anstrengenden Wanderungen.«

»Fieber?«

»Mal ganz hoch, dann wieder niedrig.«

»Übelkeit, Erbrechen, Verdauungsprobleme?«

»In den letzten Stunden ist mir ziemlich schlecht gewesen. Aber ich komme gerade aus dem Urwald zurück. Vielleicht hat mich irgendein Insekt gestochen.«

Während er weiter seine Symptome beschrieb, machte Lazarus sich Notizen. Der Arzt beschränkte sich auf eine Untersuchung der oberen Atemwege und der Lunge. Er konnte keine Anzeichen für Komplikationen entdecken.

»Wie lange halten Sie sich in Kilemi auf?«, fragte er, als er das Stethoskop auf den Tisch legte.

Teo antwortete für Martino. »Wir müssen morgen früh, spätestens übermorgen wieder aufbrechen. Wir drehen gerade im Urwald einen Film über Gorillas, zusammen mit dem englischen Fernsehen.«

»Ach so, verstehe.« Wieder tat Lazarus so, als wüsste er von nichts. »Signor Dosi, wahrscheinlich haben sie einfach eine starke Erkältung, die mit Medikamenten bekanntlich sieben Tage dauert und ohne eine Woche. Im Moment kann ich nichts anderes feststellen. Aber eine Frage: Hätten Sie etwas dagegen, eine Blutprobe zur Untersuchung hier zu lassen?«

Die beiden Italiener sahen sich an.

»Halten Sie das für unbedingt notwendig?«, fragte Martino.

»Nicht unbedingt, doch normalerweise möchte ich jemanden, der aus dem Urwald kommt und über Fieberanfälle und Übelkeit klagt, gerne näher untersuchen. Eine reine Vorsichtsmaßnahme.«

Wortlos krempelte Martino einen Ärmel hoch. Lazarus nahm ihm schnell und schmerzlos ein wenig Blut ab.

»Wann und wo kann ich Sie erreichen, falls es notwendig sein sollte?«

»Wir werden uns wieder bei Ihnen melden.«

Sie zahlten die Visite und verließen die Praxis durch ein völlig leeres Wartezimmer. Dieser Arzt konnte nicht viele Patienten haben, schlossen sie daraus.

Urwald, Gorillahügel, Basiscamp, Kilemi

Gegen ein paar Dollar fanden sie in Kilemi einen ehemaligen Wächter des Bwindi-Parkes, der die Gegend wie seine Westentasche kannte und sie über einen anderen Weg auf den Gorillahügel führen würde. Die Träger wussten nur von dem einen Pfad und waren für ihre Zwecke auch nicht vertrauenswürdig genug. Die Wanderung war für beide sehr beschwerlich. Nach einer relativ ruhigen Nacht im Elephant Hotel wurde Martino wieder von Fieberschüben geschüttelt, außerdem zitterte er am ganzen Leib. Dennoch hatte er darauf bestanden, aufzubrechen, und Teo musste ihn immer wieder stützen, wenn er merkte, dass Martino schlappmachte. Er hatte es eilig, denn er wollte unbedingt wieder auf dem Hügel sein, bevor die Krankheit die Tiere im schlimmsten Fall mit einer tödlichen Lungenentzündung niederstreckte. Dies war wahrscheinlich die einzige Schwachstelle der Akte LARA: Es gab keinerlei Studien, so dass die Immunreaktion der Gorillas auf diese besondere Infektion nicht vorauszusagen war.

Die Kreuzung, an der sie die beiden bewaffneten Asiaten getroffen hatten, war verlassen. Sie erreichten das Zwischencamp etwas später als erwartet, obwohl sie früh aufgebrochen waren, um schon im Laufe des Tages auf dem Gorillahügel zu sein und noch bei Tageslicht den Tieren bei ihren Heilungsversuchen zu folgen. Dieser und der nächste Tag würden womöglich entscheidend sein.

In den Sümpfen wurden sie nicht mehr von den geheimnisvollen Insektenschwärmen angefallen, aber Teo machte sich große Sorgen um den Gesundheitszustand seines Gefährten, der sich rapide verschlechterte. Er und die Träger mussten ihn nun abwechselnd über weite Strecken stützen. Einen Moment lang war er versucht, aufzugeben und doch zum Camp zu gehen, wo Anna und die anderen waren und wo Martino sich im Zelt hätte auskurieren können, aber dann verwarf er die Idee. Eine Chance wie diese, allein und fernab von neugierigen Blicken den Berg zu besteigen, war ein echter Glücksfall und würde sich so schnell nicht wieder ergeben.

Der neue Führer, Mwebe, kam zu Teo.

»Hier müssen wir abbiegen. Wenn wir geradeaus weitergehen, erreichen wir in einer Stunde euer Camp. Stattdessen halten wir uns nun rechts und umrunden eine kleine Erhebung. Das ist kein Problem. Schwierig wird's wahrscheinlich danach, wenn wir den Berg angehen müssen.«

»Wieso schwierig?«

»Die Steigung ist ziemlich steil. Ihre Gefährten haben den besseren Weg gewählt.« Er schlug eine Karte auf, in der Teo den Steilhang wiedererkannte, von dem Anna am ersten Tag in Kilemi gesprochen hatte. »Wir steigen hier auf. Wie Sie sehen, ist es ziemlich hoch.«

»Wird mein Freund das schaffen?«

»Ich habe Leute in schlimmerer Verfassung gesehen. Hat er hohes Fieber?«

»Ich glaube, ja.«

»Dann müssen Sie das entscheiden.«

Der Erkundungsgang der Holländer zum Kentrax-Lager hatte keinerlei Ergebnisse erbracht. Alles schien ruhig, die Zahl der bewaffneten Aufpasser war stark reduziert. Sie hatten einen der jungen Männer, die dort ständig ein und aus gingen, zum Reden gebracht, und dessen Aussage war letztlich das Einzige, von dem sie Joffe berichten konnten.

»Es stimmt, dass gestern zwei Weiße kurz nach ihrer Ankunft in Kilemi zu der Lagerhalle kamen und sich dort mit einem anderen Weißen getroffen haben. Keine Ahnung, was drinnen passierte. Der Mann hat gesagt, dass dort nur Säcke mit Kaffee und alte Kisten herumstehen, aber er hat auch nur die große Halle gesehen.«

»Wenn sie noch etwas anderes lagern«, dachte Joffe, »ist es sicherlich gut versteckt.« Aus anderen Informationsquellen wusste er, dass der geheimnisvolle dritte Weiße, von dem die Holländer sprachen, ein Labortechniker der Pharmacon war. Alles wies darauf hin, dass der italienische Arzneimittelhersteller im Innern der Kentrax nicht nur Säcke und Kisten stapelte. Wahrscheinlich handelte es sich um ein geheimes Waffenlager und das machte ihm Sorgen. Die Leiter der TEC standen voll und ganz hinter ihm. Sie wollten keinen Ärger in der Nähe ihrer Arbeitsstelle. Sollte sich der Verdacht des illegalen Waffenhandels allerdings bestätigen, würde das die Situation gefährlich aufladen, die dann von einem Moment auf den anderen explodieren konnte.

Das durfte er nicht zulassen. Außerdem wollte er endlich zur Tat schreiten.

»Leute, macht euch bereit. Wir kehren zu unserem alten Job zurück.«

»Meinen Sie das ernst, Oberleutnant?«

»Heute Abend werden wir die Lagerhalle durchsuchen.«

Anna wurde in das Zelt der Engländer gerufen, es sei dringend. Ken wartete am Eingang.

»Was ist passiert?«

Die Miene des Mannes verhieß nichts Gutes. »Norman ist übel dran.«

»Norman? Du meinst wohl Bob.«

»Nein, Bob erholt sich schon wieder. Aber Norman geht es sehr schlecht. Er hat hohes Fieber, über vierzig, und fantasiert schon. Er weist alle Symptome einer bösartigen Bronchitis auf.«

Anna trat ins Zelt. Der Kameramann lag ausgestreckt mit tiefen Ringen unter den Augen auf einem Feldbett und starrte ins Leere. Merkwürdige rote Flecken hatten sich auf seinem bleichen Gesicht gebildet. Er zitterte am ganzen Leib.

»Kannst du mich hören, Norman?«, versuchte es Anna.

Keine Antwort.

Ken mischte sich ein. »Ich gebe ihm schon seit gestern Abend Antibiotika und flöße ihm Flüssigkeit ein. Wir können nur abwarten, doch ich wollte, dass du Bescheid weißt. Unsere Pläne werden einen weiteren Aufschub brauchen.«

Schweigend verließen sie das Zelt.

Draußen ergriff Anna das Wort. »Unten in Kilemi kenne ich einen Arzt. Wir könnten ihn kommen lassen ...«

»Lass uns noch zwölf Stunden warten.«

»Einverstanden. – Gibt es Nachricht von Teo und Martino?«

»Keine.«

So erkrankten reihenweise Gorillas und Menschen, von heute auf morgen und ausgerechnet hier, im tiefsten afrikanischen Urwald weitab von jeglicher Zivilisation. Anna kannte die Symptome nur zu gut. Nicht die Symptome der Erkältung, sondern die der Angst.

Es war Nachmittag, als Teo, Martino, Mwebe und die drei Träger nach einem langen Aufstieg die Gegend der Gorillas erreichten. Sie brauchten mehr als eine halbe Stunde, um den kleinen Platz der Weibchen zu finden, wo sich ein paar Tiere aufhielten. Martino war am Ende seiner Kräfte und glühte im Fieber. Mehr als einmal hätte er die Gefährten am liebsten gebeten, ihn ins Camp zurückzubringen, doch traute er sich nicht. Teo ließ ihn unter einem Baum mit einem Träger zurück und entfernte sich mit Mwebe und den anderen beiden.

Schließlich brach der Träger das Schweigen. »Diese Gorillas sind sehr krank«, sagte er. »Ich habe sie noch nie so gesehen.«

Hinter einer Gruppe von Lobelien hatte Teo schon das Weibchen ausfindig gemacht, das Anna Sventola getauft hatte und das man leicht an dem Ohr erkennen konnte, das auffällig aus dem Fell hervorlugte. Er griff nach dem Fernglas und beobachtete ihre Miene, während er sich vorsichtig anschlich. Dieses Tier sah wirklich schlimm aus, das Gesicht voller Schleim, die Augen tränend. Doch der Schock verwandelte sich schnell in untergründige Freude. Er entschloss sich, ihr mindestens eine Stunde lang zu folgen und all das zu sammeln, was sie pflückte, ausspuckte oder ausschied. Ein Weibchen würde rein instinktiv alles tun, um Heilung für sich und ihre Jungen zu finden.

Er informierte die Träger und sie begannen ihre mühselige Arbeit. Jede Probe wurde unverzüglich katalogisiert und in einen breiten Thermokoffer gepackt, der luftdicht verschlossen werden konnte und neben Martino stand.

Mwebe zog Teo am Ärmel. »Da drüben«, er zeigte auf ein anderes Weibchen. »Es sammelt diese violetten Beeren, siehst du?«

»Ja, sehr gut.«

»Das ist komisch, das habe ich bisher noch nie gesehen. Normalerweise fressen sie nur die Blätter davon und lassen die Beeren unberührt.«

Teo fand einige der Beeren auch in seiner Nähe. Vorsichtig pflückte er eine Hand voll und ließ sie in ein Säckchen gleiten. Er beschriftete das Etikett und übergab alles einem Träger.

»Wenn dir noch andere ungewohnte Verhaltensweisen auffallen, sag mir Bescheid«, befahl er Mwebe.

»Sie sind krank«, wiederholte der Schwarze. »Sehr krank.«

Teo fragte sich, was der Mann wohl dazu sagen würde, wenn er wüsste, dass die Italiener mit Bob als Überträger die Tiere angesteckt hatten.

Auf der großen Lichtung in der Nähe spielten Nostril und der Kleine miteinander. Beide wiesen deutlich die Symptome einer Erkältung auf, aber körperlich wirkten sie nicht besonders geschwächt. Tatsächlich nutzte Nostril das Spiel auch dazu, den kleinen Gorilla zum Fressen zu bringen, denn er wusste, dass er sonst seine Kräfte verlieren würde. Wenn ihn das Leben etwas gelehrt hatte, dann das: Es geht dir gut, solange du etwas in den Magen bekommst, deine Verdauung stimmt und du tief schläfst. Schließlich hatte er sowieso nichts anderes zu tun den ganzen Tag. Um die Gruppe kümmerte sich der große Gorilla mit dem grauen Fell, um die Jungen kümmerten sich die Weibchen. Nostril wusste nicht, dass seine Gene mit den ersten grauen Haaren des Rückenfells nur noch einen Befehl ans Gehirn übermitteln würden: Kämpfe mit dem Silberrücken oder geh und gründe eine eigene Familie. Doch zurzeit war sein Fell noch wunderbar schwarz und glänzend und er konnte das Leben genießen. All sein Denken war allein auf die Klassifikation der besten Nahrung konzentriert. *Cineraria grandiflora* stand auf Platz eins, dicht gefolgt von *Carduus afromontanus*, dann kamen sämtliche Lobelienarten und schließlich die *Laucas deflexa*. Natürlich kannte er ihre lateinischen Namen nicht, doch mit sicherer Nase roch er die Leckerbissen aus dem großen Salat heraus, in den Mutter Natur ihn gesetzt hatte.

Sein Unwohlsein dauerte nun schon ein paar Tage, und er hatte keine Ahnung, wie er es behandeln sollte. So beschloss er, das Einzige zu tun, was klug war. Er würde eben von allem ein bisschen fressen. Auf kurz oder lang würde das Unwohlsein seinen Körper schon wieder durch irgendeine Öffnung verlassen.

Er packte den kleinen Gorilla und warf ihn zwei Meter weit auf einen Blätterberg. Das Junge sah geschafft aus.

Doch da hatte der Kleine sich schon wieder aufgerappelt und kam auf ihn zugelaufen, um noch einmal zu fliegen.

Nachdem sie drei Stunden lang Beeren, Wurzeln, Blätter, Rinden, Stängel, Blüten und Früchte aller Art gesammelt hatten, kehrte Teo zu Martino zurück und musste feststellen, dass dessen Zustand sich weiter verschlechtert hatte. Zum ersten Mal, seit er ihn kannte, sah er in seinen Augen den Schrecken desjenigen, der spürte, dass der Kampf verloren war. Der Träger hatte eine Decke um ihn gewickelt, doch er zitterte immer noch.

»Mir geht es so schlecht, Teo.«

Der Abend brach schnell herein und sie würden es nicht mehr zum Camp schaffen. So gingen sie einige hundert Meter weiter zu einer Stelle, die Mwebe gefunden hatte und wo sie ein Feuer anzünden und die Nacht verbringen konnten.

Gegen zehn begann Martino plötzlich, für Sekunden das Bewusstsein zu verlieren, und Teo bekam es mit der Angst zu tun. Niemals hatte er eine Krankheit so schnell voranschreiten sehen und er war absolut hilflos. Alle Medikamente, die sie bei sich trugen, hatten versagt, und er konnte nicht mehr tun, als seinem Freund mit einem feuchten Lappen die Stirn zu kühlen.

»Ich werde LARA nicht mehr erleben.« Martino ergriff Teos Hände und legte sie zwischen seine. Sie glühten.

»Morgen brechen wir auf, und dann wirst du im Camp gesund gepflegt.«

»Ich habe Angst, dass ich sterbe, Teo. Ich habe keine Kraft mehr.«

Der Tod. Noch so etwas, was in der Akte LARA nicht vorkam.

Um elf schien der Kranke wieder munter zu werden. Doch es war nur das Delirium, er wusste nicht einmal mehr, wo er sich befand.

»Ich habe sie umgebracht, Teo.«

»Wovon redest du? Wen hast du umgebracht?«

»Luisa. Deine Sekretärin. Ich war's.«

»Du fantasierst ja, Martino.«

»Nein.« Mit dem letzten bisschen Kraft, das ihm geblieben war, packte er den Arm seines Gefährten. »Ich weiß, dass sie deine Geliebte war, alle in der Pharmacon wussten es. Es tut mir Leid, Teo, so Leid. Luisa wusste von LARA. Wahrscheinlich hatte sie die Akte entdeckt, und sie drohte, alles auffliegen zu lassen, allen zu erzählen, was wir vorhatten. Da musste ich ...«

Er erstarrte. Teo betupfte mit dem Lappen seine Stirn – eine Geste, die seine ganze Hilflosigkeit verriet.

Viele Minuten lang sah Martino das sonnendurchflutete Florenz vor Augen und die Farben des Marktes auf der Piazza San Lorenzo, die Cafés und die Touristen, die sich auf dem Ponte Vecchio drängten. Er kehrte zu seinem Geburtshaus zurück, auf den großen Platz mit den vielen Bäumen, wo immer Kinder spielten, und er glaubte sogar die Essensdüfte zu riechen, die aus Mutters Küche kamen. In irgendeinem Winkel seines Gehirns wusste er, dass er fantasierte, und er dachte: Sieh an, der Tod entreißt mir meine Erinnerungen und erlaubt mir nur noch einen letzten flüchtigen, allzu flüchtigen Blick darauf.

»Teo ... Teo!«

»Ich bin hier.«

»Ich konnte nicht zulassen, dass unser Projekt aufflog. Es war doch so wichtig für uns. An jenem Abend haben wir uns bei ihr zu Hause verabredet, um die Angelegenheit ein für alle Mal zu klären, doch sie kam nicht. Deshalb bin ich raus auf die Straße, und da war sie dann, aber sie wollte keine Vernunft annehmen. Ich hatte die Pistole bei mir. Ich fühlte mich in Gefahr, das erste Mal in meinem Leben, verstehst du? Dann habe ich auf sie geschossen.«

Jetzt begleiteten sie ihn zur Schule, und er erkannte einen alten Klassenkameraden wieder, mit dem er die Begeisterung für den Weltraum geteilt hatte. Wie viele Diskussionen, wie viele Auseinandersetzungen um Russen und Amerikaner! Warum wollte der Tod, dass er sich an so unwichtige Kleinigkeiten erinnerte? Gab es denn nichts anderes, Wichtigeres in seinem Leben?

»Martino, wir waren zusammen an diesem Abend. Beruhige dich.«

Die Stimme kam von ganz weit her.

»Ich war mit dir bei der Versammlung, aber ich bin früher gegangen. Du hast es nur nicht gemerkt.«

Teo dachte an den Abend zurück, doch er konnte sich einfach nicht erinnern. In seinem Kopf herrschte eine große Leere. »Warum hast du das gemacht, Martino?«

»Das hab ich doch schon gesagt, um LARA zu retten.«

Ein jähes Getöse erschütterte den Wald. Danach war alles wieder still.

Zur selben Zeit schlängelten sich drei bewaffnete Männer durch das Gelände bei dem Kentrax-Lager. Einer von ihnen trug eine Infrarotbrille.

»Ich kann nur zwei Wachen sehen«, sagte Joffe leise. »Wir müssen hier bleiben und abwarten.«

Sie warteten eine halbe Stunde.

»Da unten ist alles ruhig«, ergriff der Franzose wieder das Wort. »Ihr übernehmt die Wachen. Macht sie unschädlich, ohne sie zu töten! Ein Schlag auf den Kopf genügt, um sie für ein paar Stunden außer Gefecht zu setzen.«

Die beiden Holländer besprachen sich mit ein paar Gesten. Joffe beobachtete, wie sie dann einen Kreis beschrieben und sich von hinten ihren Zielen näherten. Auf ein verabredetes Zeichen hin schlugen sie zu. Die Wachen sackten ohne einen Laut zu Boden.

Vorsichtig kam Joffe aus seinem Versteck hervor und ging zum Lagerhaus, wo seine beiden Männer auf ihn warteten.

Sie brauchten nicht einmal die Tür aufzubrechen.

Als sie eintraten, schlug ihnen eine faulige Dunstwolke entgegen, die sie einige Schritte zurücktaumeln ließ. Sie schalteten ihre Taschenlampen an und kontrollierten jeden Meter der weitläufigen Halle. Joffe hatte sich von außen sehr genau Grundriss und Maße des Gebäudes angeschaut, und er war sicher, dass es noch mehr Räume geben musste. Aber wie gelangte man dorthin? Er befahl, die Taschenlampen auszumachen, und tauchte wieder in seine grüne Welt ein.

Nach zehn Minuten entdeckte er den Durchgang auf der rechten Seite, zwischen den Kaffeesäcken. Er betrat den langen Flur mit der vorgeblichen Sackgasse und fand die Tür. Sie war angelehnt, so dass er durch den Spalt zwei Männer sehen konnte, die auf improvisierten Betten schliefen. Es brauchte nur einen Moment, sie mit einem sicheren Griff, den er im Kongo gelernt hatte, unschädlich zu machen. Er winkte die Holländer heran und betrat mit ihnen die Büros und die anderen Räume, ohne auf weitere Wachen zu stoßen. Endlich standen sie in der Waffenkammer, doch was sie sahen, enttäuschte ihn: ein paar Gewehre, automatische Waffen, alles nicht mehr neu, dazu Munition und andere Kleinigkeiten, die wahrlich nicht an einen Waffenschmuggel denken ließen. Erst als sie den Weg zurückgingen, fiel ihm auf, dass alle Räume im Grunde in ihrer Mitte einen Raum umschlossen, zu dem er keinen Zugang gesehen hatte. Mit viel Geduld fand er die Tür, doch nach ihrem Öffnungsmechanismus suchte er vergeblich.

Dort drinnen, hinter jener Tür, befand sich also das Geheimnis des Kentrax-Lagers. Das nächste Mal würde er mit Sprengstoff kommen.

Leise verließen sie das Gebäude und verschwanden in die Nacht.

Martino litt fürchterlich, lange Phasen der Bewusstlosigkeit wechselten mit kurzen Momenten der Klarheit ab. Teo fühlte weder Reue noch Hass. Die unmittelbare Nähe des Todes hatte eine unsichtbare Mauer um ihn errichtet, die keine in die Zukunft weisenden Gefühle zuließ. Ihm war alles gleichgültig. Aus dem Rucksack nahm er eine Ampulle, die er aus reinem Aberglauben mit durch den Urwald getragen hatte. Er zog eine Spritze auf, ergriff den nackten Unterarm des Freundes und suchte im Feuerschein eine Vene.

Wenige Augenblicke später hörte er, wie der Atem des Kranken sich beruhigte. Das Morphium begann zu wirken.

Ein Mörder.

Doch war er nicht der einzige dort auf dem Hügel, in dieser Nacht.

Nostril schlief ruhig in seinem Nest, das er eineinhalb Meter über dem Erdboden in einem Astgeflecht eingerichtet hatte. Auch seine Gefährten ruhten sich aus und die von der Krankheit am schwersten Betroffenen wälzten sich im Schlaf hin und her. Der Kampf in ihnen dauerte an, und das Virus, dem sich nicht genügend Antikörper in den Weg stellten, drang in die Zellen ein, wo seine Information noch immer schnell repliziert wurde. Doch diese war längst nicht mehr die des ersten Tages. An irgendeinem Punkt war ein Merkmal, nur ein einziges, falsch kopiert worden. Niemand konnte sagen, wo, wie und wann es passiert war. Aber nun fehlte die Übereinstimmung mit dem Original. Ein Virus war in den Körper eingedrungen und ein völlig neues Virus hatte ihn wieder verlassen.

Unwissentlich waren die Gorillas zu unschuldigen Mördern geworden und ihr erstes Opfer lag nur wenige Schritte von ihnen entfernt.

LARAS DÄMMERUNG

Urwald, Basiscamp

Am nächsten Morgen wachte Anna sehr früh auf. Voller Sorge um Norman begab sie sich sofort zu dem Zelt der Engländer, wo Ken die ganze Nacht kein Auge zugetan und den Kranken gepflegt hatte. Dessen Zustand war noch bedenklicher als am Vortag, und die beiden kamen überein, via Funk den Arzt in Kilemi zu verständigen. Anna dankte dem Himmel, dass sie das Zwischencamp eingerichtet hatten, da sie so auf eine gute Verbindung bauen konnten.

Nach einer Viertelstunde fruchtloser Versuche und viel Geschrei auf Englisch, Französisch und Suaheli hatten sie endlich den Freund am anderen Ende der Leitung.

»Lazarus, hier ist Anna.«

»Dem Himmel sei Dank, Anna, ich versuche seit Stunden, dich zu erreichen, aber ich wusste nicht, wie und wo.«

Sie ging nicht weiter auf ihn ein. »Lazarus, hörst du mich? Wir haben hier einen Notfall im Camp. Einer unserer Männer ist sehr krank.«

Auf der anderen Seite blieb es lange still.

»Lazarus, hörst du mich?«

»Klar und deutlich. Was für Symptome zeigt er?«

Warum war seine Stimme plötzlich so verändert?

»Ich weiß nicht, ich verstehe nichts davon. Fieberanfälle. Könnte eine plötzliche Bronchitis oder Schlimmeres sein, doch die Antibiotika wirken nicht und sonst auch nichts.«

»Anna, wir haben ein Problem.«

Endlich merkte sie, dass Lazarus ihr die ganze Zeit etwas sagen wollte. »Was für ein Problem? Wovon sprichst du?«

»Hör zu, Anna. Sind diese beiden Italiener – Teo und Martino, wenn ich mich nicht irre –, sind die gerade bei euch im Camp?«

Irgendetwas verwirrte sie an seiner Frage, und es dauerte einen Moment, bis sie verstand, was. »Nein, die sind nicht hier. Sie sind in Kilemi. Woher kennst du sie?«

»Sie waren vor zwei Tagen bei mir in der Praxis. Einem von ihnen, Martino, ging es nicht gut. Alles sah nach einer normalen Erkältung aus. Zur Vorsicht habe ich ihm jedoch Blut abgenommen.«

Anna verstand noch immer nicht. »Ja, und?«

»Ich habe sofort bei der ersten Analyse gemerkt, dass da etwas nicht stimmt. Seine Werte spielen völlig verrückt. Dieser Mann kämpft mit einer großflächigen Infektion im Körper. Er schwebt in Lebensgefahr.«

»Welche Art von Infektion?«

»Genau das ist das Problem. Ich habe noch nie etwas Ähnliches gesehen. Alle Tests, die ich hier durchführen kann, haben keine Aufklärung erbracht.«

Eine lange Reihe elektrostatischer Entladungen unterbrach ihre Verbindung.

»Bist du noch da, Anna?«

»Ja.«

»Der Mann hat sich da an etwas höchst Merkwürdigem angesteckt, wahrscheinlich ein neuer Virenstamm. Vielleicht aber auch die x-te Variante eines banalen Erkältungsvirus. Kannst du mir folgen?«

»Ja, Lazarus. Was sollen wir jetzt tun?«

»Ich muss noch ein paar Untersuchungen durchführen, diese Geschichte gefällt mir ganz und gar nicht.«

Anna war sprachlos.

»Besteht auch für uns Lebensgefahr?«

»Wer weiß das schon? Kein Stamm eines Rhinovirus oder

Adenovirus ist letztlich für den Menschen lebensgefährlich. Aber hier haben wir es mit etwas ganz Neuem zu tun.«

Schweigen.

Dann sprach Lazarus weiter. »Anna, jedenfalls müsst ihr sehr vorsichtig sein. Wo ist dieser Martino jetzt?«

»Er ist in Kilemi. Er wohnt im Elephant Hotel. Dort kannst du ihn finden.«

»Da war ich bereits. Die beiden sind gestern Morgen abgereist.«

»Was? Hier sind sie noch nicht eingetroffen.«

»Ich glaube fast, dass sie gar nicht zu euch zurückwollten. Sie haben einen gewissen Mwebe angestellt, einen ehemaligen Parkwächter. Ich vermute, dass sie woanders hinwollten.«

Anna schaltete sofort. »Die Gorillas!«

Diesmal verstand Lazarus nicht, was sie meinte.

Sie erzählte ihm die ganze Geschichte. Von dem Kontakt mit den Tieren am ersten Tag und der möglichen Ansteckung durch den Tontechniker. Davon, dass sie bei ihrer Rückkehr am nächsten Tag Gorillas gesehen hatten, die Anzeichen einer Erkältung aufwiesen, und von der Quarantäne, die sie angeordnet hatte. An die Teo und Martino sich offensichtlich nicht hielten.

»Und der Tontechniker ist der, wegen dem du mich angerufen hast?«, fragte Lazarus.

»Nein, der hat sich schon wieder etwas erholt. Jetzt geht es um einen seiner Kollegen.«

»Komisch. Hör mal, Anna, ich kann jetzt nicht kommen. Die Analysen sind zu wichtig und ich habe noch zu wenig in der Hand. Ein Mann ist infiziert, aber der hält sich wer weiß wo auf. Ein anderer, der Kontakt zu ihm hatte, ist schwer erkrankt. Die Gorillas sind, wie du sagst, erkältet. Ich weiß wirklich nicht, was ich von alldem halten soll.«

»Und was kann ich tun?«

»Das Problem seid jetzt ihr. Du musst die Hygiene-Standards erhöhen und vor allem den Kranken in einem Zelt isolieren. Nur einer allein darf ihn pflegen, unter allen gebotenen Vorsichtsmaßnahmen. Wenn dieser Virus hoch ansteckend ist, seid ihr alle in Gefahr.«

»Kannst du keinen Hubschrauber schicken?«

»Wir haben keine Hubschrauber zur Verfügung. Das Einzige hier, was fliegt, ist meine Cessna, doch damit kann ich bei euch nicht landen. Wir bleiben in Kontakt.«

»Okay, Lazarus. Ruf mich sofort auf dieser Frequenz an, wenn du etwas herausfindest.«

Nachdem sie die Verbindung beendet hatte, kehrte Anna zu Ken zurück und berichtete ihm von dem Gespräch mit dem Arzt. Der Engländer wirkte völlig gelassen. Als einzige Reaktion verkündete er, dass Bob in ein anderes Zelt verlegt und er selbst sich um Norman kümmern werde. Wenn Ansteckungsgefahr bestand, dann wäre er sicher schon infiziert. Die Gleichgültigkeit, mit der er die schlimmen Nachrichten aufnahm, verstörte Anna ein wenig.

»Was hast du jetzt vor?«, fragte der Mann sie.

»Was meinst du?«

»Wegen Teo und Martino.«

»Ach die. Ganz einfach: Ich werden sie suchen gehen und mit Fußtritten hierher zurücktreiben. Ach du meine Güte – Marco!«

Bei der Aufregung des Vormittags hatte sie ihren Kollegen ganz vergessen. War es möglich, dass er bei all dem Radau immer noch schlief?

Mit einer bösen Vorahnung eilte sie zum Zelt des Freundes.

Marco lag in einer unnatürlichen, verkrampften Haltung auf seinem Feldbett. Sie stieß einen Schrei aus.

»Was ist los?«, murmelte er schlaftrunken.

»Marco! Alles in Ordnung mit dir?«

»Uh, was für ein Erwachen! Was ist denn in dich gefahren, Anna?«

»Ich möchte wissen, wie es dir geht.«

»Fürchterlich.«

»Kannst du aufstehen?«

»Natürlich kann ich aufstehen. Ich habe eine Erkältung, glaube ich. Hör dir nur mal meine Stimme an.«

»Aber kein Fieber?«

»Nein. Jetzt beruhige dich und erklär mir, warum du so aufgescheucht bist.«

Sie erzählte ihm die ganze Geschichte.

Bei Morgengrauen begannen sie den Abstieg. Martino hatte dank des Morphiums die Nacht überstanden, doch sein Zustand war unverändert kritisch. Keinesfalls würde er alleine den Weg zurück zum Camp schaffen. Teo lud sich die gesamte Ausrüstung auf den Rücken, während die anderen vier den Todkranken auf eine Bahre legten, die sie notdürftig aus Schlingpflanzen geflochten hatten. So konnten sie kaum hoffen, ihr Ziel innerhalb der üblichen zwei Stunden zu erreichen. Drei Faktoren bestimmten nun den Ausgang des Spiels: Martino, die Zeit und der Tod. Und der Gewinner war leider schon abzusehen.

»Ich gehe sie suchen.«

Marco packte die Kollegin unsanft am Arm. »Du gehst nirgendwohin, Anna. Sie können überall sein. Am wahrscheinlichsten sind sie oben bei den Gorillas.«

»Eben«, entgegnete sie. »Marco, du weißt genau, dass

du mich nicht aufhalten kannst. Hier im Camp gibt es nichts für mich zu tun. Ich würde nur unaufhörlich grübeln, ob wir uns schon alle angesteckt haben und vielleicht bald sterben müssen. Nein, da werde ich wahnsinnig. Ich nehme Bic mit. Wir werden nur drei, vier Stunden weg sein, und wenn wir sie in dieser Zeit nicht finden, kehren wir ins Camp zurück. Versprochen.«

Eine halbe Stunde später waren sie und der Wächter schon unterwegs.

Sie würden den Gorillahügel auf einem Weg umwandern, der links von ihrem gewohnten Pfad und damit genau in entgegengesetzter Richtung zu der Route verlief, die Teos Gruppe auf dem Hinweg zum Steilhang genommen hatte. In Wahrheit wollte sie nur alleine sein, um in aller Ruhe nachzudenken, und da gab es nichts Besseres als den Urwald und ihren Vertrauten Bic, der den großen Vorteil hatte, nur im äußersten Notfall zu reden.

Ein solcher trat nach etwa einer Stunde ein.

»Halt mal an, Anna!«, befahl er.

Sie hatte nichts Verdächtiges gehört. »Gorillas?«

»Nicht hier, nein. Es ist flink. Sei still.«

Das Geräusch verstummte, aber Bic war zu erfahren, um sich täuschen zu lassen. Er befahl ihr, sich nicht vom Fleck zu rühren, und reckte wie ein gejagtes Tier witternd die Nase in die Luft.

Anna machte eine typisch italienische Handbewegung, die auf der ganzen Welt verstanden wird und besagt: Also, was ist nun?

Bic antwortete mit einer ebenso universalen Geste, dass sie schweigen und Geduld haben solle.

Endlich machte er den Mund wieder auf.

»Muzungu, muzungu.«

Ein merkwürdiges Wesen trat wenige Schritte vor ihnen aus dem Wald heraus. Es war ein Mensch, kaum größer als einen Meter fünfzig und ziemlich betagt, wenn man seinem ins Graue spielenden, krausen Haar und den Stirnfalten glauben durfte. Sein übriges Äußeres ähnelte eher einem jungen Mann, der trotz seines kleinen Wuchses über beeindruckende Muskelkräfte zu verfügen schien.

»*Muzungu*«, wiederholte Bic und deutete auf Anna.

Das Wesen war offenbar einverstanden und setzte sich nieder.

»Ich habe ihm gesagt, dass eine Weiße dabei ist, aber er hat uns Suaheli sprechen hören und vertraut uns.«

»Wer ist das?«

»Ein Efe-Pygmäe. Die Efe sind große Jäger. Die besten im Urwald.« Er begleitete seine Worte mit weit ausholenden Gesten. Der Pygmäe schien zuzustimmen.

»Frag ihn, ob er andere – *muzungu* hier gesehen hat.«

Die beiden tauschten sich schnell in einer für Anna absolut unverständlichen Sprache aus, dennoch entnahm sie der Unterhaltung, dass der Mann keinen Fremden in der Umgebung gesichtet hatte. Dann erinnerte sie sich an etwas, was sie im Rucksack bei sich trug. Sie reichte es Bic, damit er es dem kleinen Jäger übergab. Der Parkwächter wehrte sich, doch sie bestand so vehement darauf, dass Bic ihre Dickköpfigkeit verfluchte. Schließlich ergab er sich ins Unvermeidliche, griff das Gläschen und reichte es dem Mann.

»Jetzt wirst du sehen, was du davon hast. Jeder Schimpanse hat mehr Verstand als du«, murmelte er ihr zu.

Der Pygmäe nahm das Glas, öffnete es und verschlang den Honig mit einem Bissen. Dann begann er Anna mit Fragen zu bombardieren.

Bic betrachtete die Szene amüsiert.

»Was will er denn?«, fragte sie besorgt.

»Mehr Honig natürlich.«

»Aber ich habe keinen mehr.«

»Das wird er dir nicht glauben.«

Der Pygmäe insistierte.

»Warum sollte er mir das nicht glauben? Hier, schau in meinen Rucksack«, meinte sie und hielt ihm die offene Tasche hin.

»Anna, mach nicht alles noch komplizierter.«

Bic nahm den kleinen Efe beiseite und redete lange auf ihn ein, wobei er häufig die Bewegungen eines Affen imitierte und dabei auf Anna zeigte. Nach einer wilden Diskussion verschwand der Pygmäe im Dickicht.

»Also das brauchst du mir nicht zu übersetzen, Bic. Ich fürchte, ich habe es auch so verstanden.«

»Oh«, gab er zurück, »ich habe nur gesagt, dass *muzungus* nicht intelligenter sind als Affen und nicht wissen, wo man Honig findet.«

»Das verstehe ich nicht.«

»Im Urwald gibt es keine Geschäfte. Für einen Efe ist es absolut undenkbar, dass du etwas zu essen besitzt, aber nicht weißt, wie man es sich beschafft. Daher glaubte er, du wolltest ihm dein Geheimnis nicht verraten, also den Baum, wo du den Honig gefunden hast. Ganz einfach. Ich habe ihn beruhigt und gesagt, du hättest ihn jemand anderem gestohlen, wie es die Affen tun.«

Die übrige Wegstrecke redete Anna kein Wort mehr. Bic zeigte ihr verschiedene Bäume, in deren Wipfel Bienenstöcke hingen.

Sie trafen niemanden und waren pünktlich wieder im Camp.

Mwebe ließ die Gruppe am Ende des Abstiegs zurück und ging alleine nach Kilemi, um die gefundenen Proben im

Kentrax-Lager abzugeben. Teos Anordnungen waren unmissverständlich: Keiner durfte wissen, dass sie bei den Gorillas gewesen waren. Sie hatten sich einfach im Wald verirrt und sich deshalb verspätet. Den drei Trägern gab er Geld, damit sie den Mund hielten.

Im Camp trafen sie zuerst auf Ken, der erschrocken die improvisierte Bahre mit Martino anstarrte.

»Was ist denn mit euch passiert? Anna sucht euch, habt ihr sie getroffen?«

»Wir haben uns im Wald verlaufen. Seit zwei Tagen irren wir schon herum und Martino geht es sehr schlecht. Wir müssen ihn sofort in ein Zelt bringen und einen Arzt rufen.«

Weil es keine Zelte mehr gab, beschlossen sie, ihn zu Norman zu legen und das Zelt zur Krankenstation des Lagers zu erklären.

»Ich musste ihm Morphium spritzen. Gestern Nacht glaubte ich fast, er sterbe, aber jetzt scheint das Schlimmste überstanden. Gibt es hier noch mehr Morphium?«

Angelockt durch den Aufruhr, erschien auch Marco, in dem Glauben, Anna sei zurück.

»Was ist mit Norman los?«, erkundigte sich Teo.

»Ich verstehe zu wenig davon«, antwortete Ken, »doch er weist dieselben Symptome auf wie Martino. Anna hat über Funk einen Arzt angerufen, den sie in Kilemi kennt, der kann allerdings zurzeit nicht kommen.«

Teo horchte alarmiert auf. »Einen Arzt, sagst du? Doch nicht etwa einen Doktor Lazarus?«

»Ich weiß nur, dass es derselbe ist, der auch Martino untersucht hat.«

»Ach!« Anna und Lazarus kannten sich also, das war eine Neuigkeit für Teo. Komisch, dass der Doktor das nicht erwähnt hatte. Wie immer war er vor allem auf der Hut, auch vor noch so nebensächlich erscheinenden Kleinigkeiten.

»Teo, es gibt ein Problem. Dieser Arzt hat doch eine Blutprobe entnommen.«

»Ja, und?«

»Tja, es sieht so aus, als sei Martino mit einem unbekannten Virus infiziert. Seine Blutwerte sind jenseits aller Norm. Wahrscheinlich handelt es sich um das gleiche Virus, mit dem Norman kämpft.«

»Welche Art von Virus?«

»Das weiß niemand. Wenn ich das richtig verstanden habe, könnte es wohl eine Variante des Rhinovirus sein, eine der vielen.«

Teo verstand allmählich gar nichts mehr. Eine Variante des Rhinovirus war nun überhaupt nicht vorgesehen gewesen. Dabei hatten sie bisher doch alles unter Kontrolle gehabt, ihr Plan war Punkt für Punkt mit erstaunlicher Präzision eingetreten. Aber von so etwas war in der Akte nirgends die Rede, das wusste er genau.

»Und Bob geht es gut?«

»Ja, besser. Die Erkältung klingt schon wieder ab.«

»Hatte er denn die gleichen Symptome wie Norman und Martino?«

»Ganz und gar nicht, wie kommst du darauf?«

»Ach, nur so«, antwortete Teo ausweichend.

In diesem Moment kam Anna zurück. Kaum hatte sie Teo gesehen, lief sie zornesrot an und fiel in ihrer Wut über ihn her.

»Da seid ihr beide ja. Wo habt ihr nur die ganze Zeit gesteckt? Bei den Gorillas wahrscheinlich, wie?«

Teo nahm ihre Hände zwischen seine. »Beruhige dich, Anna. Wir waren nicht bei den Gorillas. Wir haben uns nur im Wald verlaufen, wegen dieser dummen Träger. Martino geht es sehr schlecht.«

Anna ließ sich alles erzählen, und Teo wiederholte, was

er schon Ken berichtet hatte. Langsam verrauchte ihr Ärger und machte einer tiefen Besorgnis Platz. Sie sprachen lange darüber, ob sie einen Arzt rufen oder die beiden Kranken nach Kilemi transportieren sollten. Sie überließ es den anderen, die Details einer solchen Expedition zu klären.

Doch eine Expedition hatte keinen Sinn mehr, das wurde Anna klar, als sie entgegen ihren eigenen Anordnungen das Krankenzelt betrat, um sich selbst ein Bild von Martinos Zustand zu machen. Norman wälzte sich im Schlaf hin und her.

Sie trat an das Feldbett. »Martino, erkennst du mich? Ich bin's, Anna.«

Er öffnete die Augen und sah sie starr an, zeigte allerdings keine Reaktion. Er brannte vor Hitze und wurde immer wieder von heftigem Zittern geschüttelt.

Sie blieb einen Moment neben ihm stehen und dachte über einen Widerspruch in Teos Erzählung nach, als sie eine schwache Stimme hörte.

»Teo?«

»Ich bin nicht Teo, Martino, ich bin Anna.«

»Teo, ich möchte, dass du mir vergibst, bevor ich sterbe.«

Sie fragte sich, was er meinte und ob sie auf ihn eingehen sollte. Dieser Mann fühlte seinen Tod nahen und er bat nur um ein wenig Frieden. Sie wusste nicht genau, ob es aus Mitleid oder Faszination angesichts der entblößten Seele geschah, jedoch beharrte sie nicht weiter darauf, dass sie jemand anders war, als er glaubte.

»Ich muss bezahlen, Teo. Tod um Tod.«

Anna schwieg.

»Ich muss für Luisa bezahlen. Ich habe es für uns getan, verstehst du? Ich konnte ihr nicht mal in die Augen sehen, als sie starb. Ich habe sie einfach dort auf der Straße liegen lassen.«

So kam also die Wahrheit ans Licht, an dem unwahrscheinlichsten Ort und zum unerwartetsten Zeitpunkt, im tiefsten Afrika, unter dem glühenden Zeltdach und in Anwesenheit des Todes.

Sie hatte einen Mörder vor sich, der um Vergebung bat, doch erbat er sie von jemand anderem.

»Vergib mir, Teo, ich wollte LARA schützen.«

Die Frage rutschte ihr instinktiv heraus: »Wer ist Lara, eine Frau?«

Ob der Sterbende noch die Absurdität der Frage begriff?

»LARA wird die Gorillas umbringen. Tod um Tod.«

Er fantasierte. Dann wurde sein Atem plötzlich wieder schneller und er konnte nicht mehr sprechen.

Verwirrt verließ sie das Zelt. Luisa Mori war also nicht wegen der Informationen gestorben, die sie ihr hatte übermitteln wollen, sondern schlicht und einfach wegen einer gewissen Lara. Ein Eifersuchtsdrama, von dem Anna nichts wusste und das sie nicht im Geringsten interessierte. Alles in dieser verdammten Geschichte verlor sich an irgendeinem Punkt unerwartet im Nichts. Der Grund, warum sie hergekommen waren, denn der Brand in Ngoa war schon gelöscht und die Gorillas in Sicherheit, und jetzt Luisas geheimnisvolle Informationen, die plötzlich nichts mehr bedeuteten. Hier im Urwald hatten sie auch nichts Verdächtiges gefunden. Wahrscheinlich würde selbst der Dokumentarfilm sich am Ende noch in nichts auflösen.

Sie ging zu ihrem Zelt hinüber. Sie wollte Treiber mailen, damit er sich mit Agente Molderi in Florenz in Kontakt setzte. Nun konnte man diese Geschichte genauso gut gleich zu den Akten legen. Sie kannte ja jetzt die Wahrheit.

Vielleicht kannte Teo sie auch, aber mit ihm würde sie nicht darüber sprechen. Sie wollte gar nicht mehr darüber sprechen, über nichts.

Teo. Plötzlich fiel ihr ein, worüber sie in seinem Bericht gestolpert war. Über vier kleine Wörter.

»... wegen dieser dummen Träger ...«

Er log.

Lazarus hatte gesagt, dass die beiden einen ehemaligen Wächter des Bwindi-Parks angeheuert hatten, der sich garantiert nicht im Wald verirren würde. Ihn hatte er mit keiner Silbe erwähnt. Warum? Doch das war nicht die einzige Frage, die ihr durch den Kopf ging.

Warum bedeutete diese Lara eine Bedrohung für die Gorillas?

Sie fuhr den Computer hoch und kontaktierte Treiber. Der versprach ihr, noch für diesen Nachmittag um fünf Uhr eine Verbindung mit Agente Molderi herzustellen.

Um vier Uhr starb Martino Dosi.

Basiscamp, Spaceshuttle Discovery

Von allen möglichen Reaktionen zeigte Teo Blasti die unerwartetste. Er schrie nicht, er weinte nicht, verkroch sich nicht in dumpfem Schmerz, er suchte weder Trost noch das Gespräch und sagte auch keinen dieser abgedroschenen Sätze, zu denen man sich trotz ihrer Banalität häufig im Angesicht des Todes verpflichtet fühlt. Teo wurde hart. Wie ein Tier in der Mauser legte er die Haut des erfolgreichen Managers und Charmeurs ab und kehrte eine neue, undurchschaubare Persönlichkeit hervor. Obwohl er seine Wandlung selbst bemerkte, versuchte er nicht einmal, sie zu erklären. Er wusste nur, dass er keinen Zorn mehr darüber empfinden konnte, was Martino in Florenz getan hatte, ihn jedoch für das hasste, was er gerade getan hatte. Dieser Tod hatte sein Meisterwerk zerstört. Die Akte LARA war nun nicht mehr als ein mit scharfer Klinge zerfetztes Gemälde, eine in Stücke geschlagene Skulptur.

Vor der versammelten Gruppe verkündete er seinen Entschluss. »Ich werde Martino nach Kilemi bringen und dafür sorgen, dass seine Leiche nach Florenz überführt wird. Ich selbst bleibe in Afrika.«

Ken Travis stellte sein Glas auf dem Tisch ab. »Wir können den Film alleine fertig stellen, wenn du zurückmöchtest.«

»Ich sagte, ich bleibe hier. Spätestens in ein paar Tagen bin ich wieder da.«

»Martino hatte wahrscheinlich Angehörige in Italien?«

»Das ist nicht euer Problem.«

»Man muss sie irgendwie benachrichtigen …«

»Das braucht euch nicht zu interessieren. Das geht nur mich etwas an. Und ich möchte nicht mehr darüber reden, weder jetzt noch später.«

Anna schwieg.

Stattdessen griff Marco ein. »Ganz so einfach ist es leider nicht. Der Arzt in Kilemi hat uns über Funk mitgeteilt, dass Martino mit einem unbekannten Virus infiziert war, dessen Natur und Gefahrenpotenzial zurzeit noch niemand wirklich einschätzen kann. Dieses Virus hat ihn umgebracht, und das innerhalb von nur fünfunddreißig, vierzig Stunden seit Auftreten der ersten Symptome, die sich zudem kaum von denen einer normalen Erkältung unterscheiden.«

»Worauf willst du hinaus, Marco?«, fragte Ken.

»Ich weiß es nicht, ich sammle nur die Fakten. Normans Krankheit weist aktuell denselben Verlauf auf. Wir können keine Analysen vornehmen und wissen nicht, ob er ebenfalls mit dem Virus infiziert ist. Und wir können ihn unmöglich in diesem Zustand nach Kilemi bringen.«

»Es wäre möglich, hier eine Blutprobe zu entnehmen und sie Teo mit in die Stadt zu geben.«

Marco ging nicht darauf ein, sondern setzte seinen Gedankengang fort. »Dann ist da noch Bob. Er hat als Erster die Erkältung bekommen, aber sein Zustand hat sich entschieden verbessert. Bei mir dasselbe: Ich bin fieberfrei. Und auch Ken war in direktem Kontakt mit Norman, scheint sich jedoch nicht angesteckt zu haben. Genauso Anna, Bic und die anderen Männer im Camp. Was schließt ihr daraus?«

»Vielleicht gibt es kein tödliches Virus«, wagte Ken einen Erklärungsversuch, »und Martino ist an etwas anderem gestorben. Vielleicht wurde er von einer giftigen Schlange gebissen, ohne dass er es gemerkt hat, wer weiß. Deshalb hat er auch niemanden angesteckt. Norman hat vielleicht nur eine einfache Erkältung, die eben etwas stärker ist als normalerweise.«

»Das glaube ich nicht«, meinte Anna kopfschüttelnd. »Vielleicht war es doch das Virus, das Martino getötet hat, aber es ist so aggressiv, dass es innerhalb weniger Stunden mit seinem Wirt stirbt, bevor es jemand anderen anstecken kann. Das würde erklären, warum es mit Ausnahme von Norman allen gut geht.«

»Wie können wir da sicher sein?«, wiederholte Marco. »Selbst wenn es noch so einleuchtend erscheinen mag. Vor drei Tagen ging es auch Martino noch blendend.«

»All diese Überlegungen bringen uns nicht weiter«, meinte Anna ungeduldig. »Wir können tausend Erklärungen finden und gleichzeitig bleiben tausend Fragen offen. Diese beispielsweise: Wo und von wem wurde Martino mit dem Virus infiziert?«

Sie diskutierten noch lange weiter, dieses Mal mischte sich auch Bob Loneghy ein, der sich persönlich angegriffen fühlte. Nur Teo blieb auffällig still.

Anna beobachtete ihn eine Weile, erstaunt über seine Zurückhaltung. Sie fragte sich, ob Martino auch ihm gestanden hatte, Luisa erschossen zu haben, und ihm vielleicht sogar ein Motiv genannt hatte.

Genau – das Motiv!

Die Frage entfuhr ihr ganz spontan: »Teo, wer ist Lara?«

Blasti sprang ohne eine Antwort auf und verschwand in seinem Zelt.

Für den Bruchteil einer Sekunde hatte sie blanken Hass in seinen Augen aufblitzen sehen, so deutlich, dass ein Irrtum ausgeschlossen war.

Es war schon nach sechs, und sie hoffte von ganzem Herzen, dass die Verbindung zu Molderi, die Treiber ihr versprochen hatte, noch bestand. Im Zelt schaltete sie sofort den Computer an.

Nach einer Minute erschien auf der Bildoberfläche das ICQ-Fenster von Varese.

- Da bist du ja endlich. Wo warst du denn?
- Wer bist du?
- Gioele, und du?
- Anna.
- Ich versuche es seit einer Stunde.
- Steht die Verbindung zu Molderi?
- Ich verbinde euch. Soll ich mich ausklinken?
- Wäre besser. Kann ich dir vertrauen?
- Kindchen, dein Wunsch ist mir Befehl.

Der Glückliche, konnte noch Witze machen. Sie wartete eine halbe Minute, dann erschien eine neue Zeile.

- Hallo, Anna. Hier ist Federico.
- Wo bist du?
- In Florenz. Dein Freund in Varese hat eine rechte Teufelei veranstaltet, doch es scheint zu funktionieren. Was ist los bei euch? Aber denk dran, dass unsere Unterhaltung nicht zugangsgeschützt ist.

Welchen Sinn hatte sie dann?

- Ich weiß, wer Luisa Mori ermordet hat.
- Ich hoffe, das ist kein Witz.
- Vor wenigen Stunden habe ich Martino Dosis

Beichte mit angehört. Eine Frauengeschichte, glaube ich. Willst du Einzelheiten?

Die Antwort ließ lange auf sich warten.

- Wir dürfen nicht unvorsichtig sein. Du bist in Gefahr.
- Martino Dosi ist gestorben.
- Wie?

Berufskrankheit, dachte Anna. Dennoch konnte sie sich vorstellen, wie der Polizist sich bei diesem absurden Chat zwischen Florenz und Uganda fühlen musste.

- Tropenfieber. Ein Virus. Genaues weiß man nicht. Im Delirium hat er gestanden, Luisa in jener Nacht erschossen zu haben, und eine gewisse Lara erwähnt. Kennst du jemanden, der so heißt?

Wieder musste sie warten. Vielleicht schaute Molderi seine Notizen durch.

- Keine Lara. Wer soll das sein?
- Ich weiß es nicht.
- Wir werden das überprüfen. Hat er noch mehr gesagt?
- Nein, sonst nichts. Er hat fantasiert.
- Was ist mit diesem Blasti?
- Ich weiß nicht, ob Martino ihm dasselbe gebeichtet hat, ist jedoch ziemlich wahrscheinlich. Hattet ihr die Alibis denn nicht überprüft?
- Am fraglichen Abend waren beide bei ihrem Tennisverein, aber irgendwann später verwischt sich

ihre Spur. Die Zeugenaussagen sind zu vage. Deshalb hatte ich deinem Kollegen in Varese gesagt, dass du vorsichtig sein sollst.
- Jetzt dürfte die Angelegenheit erledigt sein.

Wieder Schweigen.

- Das hoffe ich. Bleibt aber immer noch die Frage nach dem Tatmotiv. Hat diese Lara auch einen Nachnamen?
- Den hat er mir leider verschwiegen.
- Wir prüfen das. Jedenfalls überzeugt mich die Geschichte noch nicht hundertprozentig.

Typisch.

- Dich stört wohl, dass ich die Lösung zuerst wusste, wie?
- Es beunruhigt mich vielmehr.
- Ich muss jetzt Schluss machen. Wie bricht man das hier ab?
- Ich mach das schon. Ende.

Sie klickte das Fenster weg. Darunter erschien ein neues Fenster.

- Kompliment, Kindchen.

»Dieser Irre!«, zischte Anna zwischen den Zähnen, bevor sie auch die Verbindung mit Varese schloss.

Sie streckte sich auf ihrem Feldbett aus. Die Männer draußen debattierten noch immer, aber Teos Stimme war nicht zu hören. Sie fragte sich, ob sie ihn aufsuchen sollte.

Im selben Moment kreiste die Discovery über ihren Köpfen, mit geöffneten Bauchklappen für die notwendige Kühlung. Die Weltraumfähre montierte das Radargerät X-SAR2 mit eingebauter Luke, eine Weiterentwicklung des Modells, das erfolgreich auf der Endeavour eingesetzt worden war. Getreu ihrem Flugplan, machten die Astronauten die vorgesehenen Aufnahmen vom Blauen Planeten, kleine Routinearbeiten am Ende ihrer Mission. Die Signale, die aus verschiedenen Winkeln und in unterschiedlichen Frequenzen zur Erde geschickt wurden, kehrten zum Shuttle zurück und wurden dort in Daten umgewandelt, die später im Computer unter Zuhilfenahme der neuesten Software zu komplexen 3-D-Grafiken verarbeitet würden. Das System war in der Lage, das von der Oberfläche des Urwaldes reflektierte Sonnenlicht in 224 verschiedene Wellenlängen zu spalten, die ebenso viele unterschiedliche Abbildungen ergaben. Auf diese Weise konnte jede kleinste Unregelmäßigkeit in der chemischen Zusammensetzung registriert werden. Das Endergebnis wäre weit mehr als ein einfaches Foto: die Rekonstruktion eines perfekten, dreidimensionalen Modells von dem Ausschnitt Afrikas.

So ausgefeilt die Instrumente auch waren, wussten sie dennoch nichts von dem großen Drama, das sich in ebendiesem Fleckchen Erde unter ihren abtastenden Fotoaugen abspielte. Ein kleines Zeltlager, ein toter Mann und Menschen voller Zweifel, Ängste und Gewissensbissen, dazu eine isolierte Kolonie kranker Gorillas und ein tödliches Virus, das nicht aufhörte, sich zu vermehren.

X-SAR2 visualisierte Daten, aber es war nicht darauf programmiert, sie zu verstehen.

»Darf ich reinkommen, Teo?« Sie wartete die Antwort nicht ab.

Blasti lag mit geöffneten Augen auf dem Feldbett. Zuerst registrierte sie, aus welchem Grund auch immer, dass er nicht geweint hatte.

»Schick mich nicht weg, Teo.«

Er hatte nichts gesagt.

»Es tut mir Leid wegen Martino. Ich kannte ihn kaum. Er war immer so schweigsam. Möchtest du über ihn sprechen?«

»Nein.«

»Du musst aber, Teo. Du kannst nicht alles in dich hineinfressen.«

Seine Stimme war schneidend. »Ich soll über ihn sprechen? Sag mir, was du wissen willst, und ich werde antworten, allerdings nur auf präzise Fragen.«

Wieso reagiert er so aggressiv?, fragte sich Anna. »Wart ihr schon lange befreundet?«

»Gute Frage. Befreundet. Beim Tennis waren wir es beispielsweise nicht.«

»Was meinst du damit?«

»Ach, nichts.«

»Weißt du«, meinte sie und legte sich neben ihn, wo sie weder willkommen geheißen noch zurückgewiesen wurde, »ich bin sicher, dass Martino ein sensibler Mensch war, hinter seiner Fassade des erfolgreichen Managers. Er sprach nicht viel, doch er hatte alles im Blick. Er schien die Leute ständig zu beobachten, aber nicht, um sie auf frischer Tat zu ertappen, sondern um zu verstehen, wie weit er sich ihnen öffnen durfte. Irre ich mich?«

»Ich weiß wirklich nicht, was ich dazu sagen soll.«

»Besonders beeindruckt hat mich ein Satz, den er mir kurz vor seinem Tod gesagt hat.«

War das Absicht gewesen? Oder waren diese Worte von selbst ihrem Mund entflohen? Sie konnte es nicht sagen, weder in diesem Moment noch später. Sie fühlte, wie Teo sich kurz anspannte: ein leichtes, kaum wahrnehmbares Beben.

»Was für einen Satz?«

»Er sprach von den Gorillas.«

»Martino war die Stunden vor seinem Tod nicht mehr zurechnungsfähig, er fantasierte. Man darf seine letzten Worte nicht für bare Münze nehmen.«

Was war das, eine versteckte Botschaft?

»Warum nicht? Es ist doch wichtig.«

Er stützte sich auf einen Ellbogen und umklammerte mit der anderen Hand ihr Kinn, um sie auf dem Bett festzuhalten. Er wirkte so aufgebracht, dass sie einen Moment fürchtete, er wolle sie ersticken.

»Es ist wichtig, ja? Nun gut, dann hör mir mal zu, meine Kleine. Weißt du, was Martino mir gebeichtet hat, bevor wir ins Camp zurückkamen? Weißt du, was er mir gesagt hat? Dass er dich in jener Nacht in Florenz angegriffen hat, aber er schaffte nicht zu sagen, warum. Soll ich ihm das glauben? Oder delirierte er? Glaubst du ihm, Anna? He? Was sollen wir davon halten?«

»Du tust mir weh, Teo.«

Er ließ sie los und sank erschöpft zurück. »Geh.«

Wortlos stand sie auf und trat in die Nacht hinaus.

Einen Moment, nur einen winzigen Moment lang nahm sie im Hinausgehen aus den Augenwinkeln etwas wahr, das sie verwirrte, das in ihrem Kopf Alarm schlug. Ein Irrtum war ausgeschlossen, doch zugleich konnte sie unmöglich sagen, was genau es gewesen war. Eine winzige Kleinigkeit, eine Sache, ein Geräusch, ein Lichtschein. Wer weiß. Dennoch hatte sie etwas gesehen in Teos Zelt, einen kurzen Moment lang.

Kilemi

Die Szene ähnelte der vom vorigen Mal. Im Wald versteckt, observierte Joffe durch seine Infrarotbrille den Eingang zu dem Kentrax-Lager. Neben ihm lagen schweigend die beiden Holländer.

»Komisch. Ich kann keine Wachen erkennen. Seit einer halben Stunde liegen wir hier und niemand ist zu sehen.«

»Paradiesische Zustände.«

»Vielleicht, aber mir gefällt das nicht. Neulich waren hier vier bewaffnete Männer postiert, zwei draußen, zwei drinnen. Heute Abend nichts, obwohl ihnen unsere Aktion wohl kaum entgangen ist und sie besonders vorsichtig sein müssten. Sehr komisch.«

»Vielleicht haben sie Angst bekommen«, witzelte einer der Holländer.

»In diesem Lager befindet sich etwas äußerst Kostbares. Warum zum Teufel wird es nicht bewacht?«

»Kein Problem. Lass uns nachsehen gehen.«

»Von wegen kein Problem. Ich habe die böse Vorahnung, dass das Gebäude keineswegs unbewacht ist, sondern irgendwo ein Dutzend Männer gut versteckt auf der Lauer liegen und nur darauf warten, sich auf uns zu stürzen.«

»Was sollen wir also tun? Umkehren?«

Joffe überlegte eine Weile. Einerseits wollte er keinesfalls sein Leben riskieren für etwas, von dem er nicht einmal genau wusste, was es war, für einen geheimnisvollen Raum in einer nicht minder geheimnisvollen Lagerhalle. Andererseits hatte diese Tür mit dem unsichtbaren Schließsystem ihn wirklich neugierig werden lassen.

Er beschloss, einen kleinen Erkundungsgang durchzuführen. Er reichte den Gefährten den Sprengstoff mit dem Befehl, sich nicht zu rühren, und kroch einige Meter weiter. Seine Infrarotbrille verschaffte ihm gegenüber den Gegnern einen deutlichen Vorteil und gab ihm ein Gefühl von Sicherheit. Er durfte nur kein Geräusch machen.

Hinter einem Gebüsch kauerte er sich nieder: ein idealer Beobachtungsposten. In aller Ruhe suchte er die Umgebung ab, konnte jedoch keinen Menschen entdecken. Sie mussten wirklich gut versteckt sein. Das sagte sein Verstand, während der Instinkt etwas ganz anderes wahrnahm. All seine Sinne meldeten ihm, dass dort draußen niemand war. Er schob sich weitere zwanzig Meter nach rechts und wiederholte seine Prüfung. Dasselbe Ergebnis: keine Menschenseele, keine Wärmequelle, kein Bild vor seiner Infrarotbrille.

Da bemerkte er in geringer Entfernung eine leichte Bewegung der Blätter.

»Idioten!«, zischte er leise. »Diese Idioten von Holländern. Nicht einmal ruhig halten können sie. Wenn ich ein Feind wäre, hätte ich sie mit einem Schuss erledigt.«

Er kehrte zu ihnen zurück, immer noch unsicher über das weitere Vorgehen. Er könnte sie hinausschicken, wie letztes Mal, und abwarten, was passierte. Es wäre kein schwerer Verlust für die Menschheit. Aber das verwarf er, nicht weil er sich um diese zwei Idioten sorgte, sondern weil er Oberleutnant Joffe war und niemals sinnlos das Leben seiner Männer aufs Spiel setzte. Zum Teufel mit dieser Lagerhalle!

»Wir machen es folgendermaßen«, sagte er und setzte die Brille ab. »Ich gehe voraus, und wenn sie mich abknallen, tut mir den Gefallen und macht euch so schnell wie möglich aus dem Staub.«

Sie sahen ihn unsicher an.

»Sind Sie verrückt geworden, Oberleutnant?«

»Möchtet ihr lieber alleine gehen?«

»Nein, nein, zu dritt oder gar nicht.«

»Männer, jetzt denkt doch mal nach. Sich zu dritt abknallen zu lassen, wäre wirklich dumm, insofern wundert es mich nicht, dass ihr so etwas vorschlagt. Außerdem habe ich ein gewisses Alter erreicht, so dass man mich vielleicht mit einem alten Schwachkopf verwechseln könnte und nicht auf mich schießt. Sie nehmen mich gefangen und ihr geht zum Camp zurück, erzählt alles und kommt mit der Siebten Kavallerie der TEC zurück, um mich zu befreien.«

Er überprüfte seine Ausrüstung und nach einem letzten Zögern trat er ins Freie.

Zehn Schritte.

Zwanzig Schritte.

Immer noch passierte nichts. Mittlerweile musste er für jeden, der die Halle beobachtete, bestens sichtbar sein.

Weitere zehn Schritte.

Entweder sind sie sehr schlau, dachte er, oder sehr dumm. Am besten wär's natürlich, wenn sie überhaupt nicht da wären.

Er blieb stehen. Jetzt gab er wirklich eine ideale Zielscheibe ab, von Kopf bis Fuß ausgeleuchtet. Er kam sich vor wie beim russischen Roulett.

Langsam ging er zurück, bis er in Hörweite war.

»Keiner da. Ihr könnt rauskommen.«

Zu dritt begaben sie sich nun ohne jede Vorsichtsmaßnahme zur Eingangstür. Sie war verschlossen, doch sie brauchten nur einen Moment, um das Schloss mit Hilfe zweier Zangen zu knacken, die sie eigens für diesen Zweck mitgebracht hatten. Das Metall knirschte unangenehm, als es zerbrach.

Vielleicht soll uns ja auch erst im Innern ein warmer Empfang bereitet werden, überlegte Joffe. Er spitzte die Ohren, hörte aber nichts. Anstatt sich zu beruhigen, spürte er, wie die Angst in ihm wuchs, und Angst macht immer unvernünftig. In der Halle war es stockdunkel, so dass er wieder seine Infrarotbrille aufsetzte. Er versuchte, durch den Türspalt alle Ecken zu überblicken, konnte jedoch nichts Verdächtiges entdecken.

Schließlich hatte er die Ungewissheit satt. Mit einem Tritt stieß er die Tür auf und trat ein.

Nichts geschah.

»Macht die Taschenlampen an.«

Die Holländer gehorchten und er konnte wieder seine Brille abnehmen. Die Lagerhalle musste geräumt worden sein, denn überall sahen sie Anzeichen der Verwahrlosung.

Systematisch durchsuchten sie die gesamte Halle.

»Wenn jemand da ist, dann in den inneren Räumen. Gebt mir den Sprengstoff, Jungs, und wartet hier. Macht eure Lampen aus. Und folgt mir ja nicht, es hat keinen Sinn. Vielleicht rufe ich euch später.«

»Alles klar.« Die beiden ließen sich gehorsam auf ein paar Kisten nieder.

Die Kaffeesäcke vor dem Durchgang waren verschoben, was Joffe verdächtig vorkam. Er fürchtete allmählich, zu spät zu kommen. Vielleicht war das Kentrax-Lager nur eine Zwischenstation gewesen bei den illegalen Geschäften und, nachdem sie ihren Zweck erfüllt hatten, wieder aufgegeben worden. Vielleicht waren alle Ängste des heutigen Abends völlig umsonst gewesen.

Er setzte wieder die Brille auf und tauchte in seine unheimliche, grüne Welt ein. Vorsichtig schlich er den kleinen

Flur entlang bis zu dem falschen toten Ende, trat durch die Tür und näherte sich langsam dem Raum, in dem letztes Mal die beiden Wachen geschlafen hatten.

Er hörte nicht das geringste Geräusch, nicht einmal Atmen. Er ging hinein: Die Betten waren zerwühlt, der Raum menschenleer.

An der gegenüberliegenden Zimmerwand trat er rechts in den kleinen Vorraum und gelangte an die geheimnisvolle, verschlossene Tür.

Russisches Roulett. Er hatte alle leeren Schüsse verbraucht. Der nächste konnte der entscheidende sein.

Im Zeitlupentempo drückte er sich an der Wand entlang, bis er die Tür erreichte.

Sie war nur angelehnt.

Eine Falle – verflucht! Sie warteten also auf ihn und er war drauf reingefallen wie der perfekte Anfänger.

Er zählte sechs Männer in dem Raum.

Aber sie waren alle tot.

Vor Schreck war er wie gelähmt.

Es war nicht der Tod an sich, dem hatte er in seinen Söldnerjahren mehr als einmal ins Gesicht geschaut, und auch nicht das »Wie« des Todes. Seine Erinnerung war voller Bilder von Leichen auf Schlachtfeldern, von zerstückelten und grauenhaft verrenkten Leibern, wie nur rücksichtslose Gewalt sie hinterließ. Was ihn diesmal erschreckte, war das »Wo« des Todes.

Er schaltete die Taschenlampe ein und fand sich in einem modernen, perfekt ausgestatteten Labor wieder. Besonders erstaunten ihn auf Anhieb drei Dinge: die angeschalteten Computer, eine zerschlagene Zentrifuge, deren Glas in Splittern über den Boden verstreut war, und eine angelehnte

Tür, die zu einem angrenzenden, kleinen Raum führte. Vorsichtig und darum bemüht, nichts anzufassen, ging er darauf zu und sah hinein. Hier standen weitere Geräte, und an einer Wand hing ein Overall, wie ihn Astronauten oder Froschmänner benutzen.

Die Männer hatten nur kleine Wunden, die wahrscheinlich auf die geplatzte Zentrifuge zurückzuführen waren. Er ließ den Strahl der Lampe über jeden Einzelnen von ihnen gleiten. Es waren fünf Schwarze und ein Weißer. Der Krieg hatte ihn gelehrt, schnell zu reagieren, und so dachte er fieberhaft nach. Außer den Leichen befand sich niemand in dem Labor, es gab keine Spuren eines Kampfes, wenig Blut, also ein plötzlicher Tod. All das ließ nur eine Schlussfolgerung zu.

Der Killer war noch anwesend.

Es war ein Gas oder ein Bakterium oder ein Virus. Etwas, das sich plötzlich befreit hatte, vielleicht durch die Zentrifuge, und das mit einem Schlag getötet hatte, wie ein unerbittliches Gift. Er musste so schnell wie möglich hier raus, wenn es nicht schon zu spät war.

Basiscamp

Der heraufziehende Morgen war diesiger als sonst und gab der Zeremonie, die ihnen bevorstand, einen noch traurigeren Anstrich. Martino Dosis Leiche wurde in ein paar Jutesäcke gehüllt und auf die Bahre aus geflochtenen Lianen gelegt, auf der er vom Hügel zum Camp transportiert worden war. Schweigend sahen Anna und die anderen zu, wie Teo den Trägern kurze Befehle erteilte, und keiner hatte den Mut, einzugreifen. Die einen beteten zu Gott, die anderen verfluchten Afrika. Um sie herum erwachte der Urwald und begann sein gewohntes, ohrenbetäubendes Konzert.

»Wie geht es Norman?«, erkundigte sich Anna leise.

»Miserabel. Ich fürchte, er wird es auch nicht schaffen.«

Die Frau drückte Kens Arm, während sie den Blick nicht von den Vorgängen in der Mitte des Camps löste.

Bob Loneghy stand etwas abseits und weinte. Er hatte höchstens zwanzig Worte mit Martino gewechselt und dennoch fühlte er sich für seinen Tod verantwortlich. Marco versuchte sich an einer Tasse Kaffee zu wärmen, die er fest zwischen den Handflächen hielt. Bic war mit den Ausführungen von Teos Anweisungen beschäftigt und seine steinerne Miene verriet nicht die geringste Gefühlsregung.

Endlich wandte Teo sich seinen Gefährten zu. »Ich werde drei oder vier Tage in Kilemi bleiben, aber wie gesagt habe ich vor, zurückzukehren und unsere Arbeit zu Ende zu führen.«

Damit drehte er sich um und der Zug setzte sich langsam in Bewegung. Anna musste ihre Tränen hinunterschlucken.

Noch nie hatte sie eine derart absurde Beerdigung erlebt und die Einsamkeit dieses gottverlassenen Ortes lastete wie ein Mühlstein auf allem. Sie sah den Männern nach, die einer nach dem anderen in den Urwald verschwanden wie in das Maul eines gefräßigen Monsters.

Anna kehrte zum Zelt zurück. Sie wollte Lazarus über die neuesten Entwicklungen informieren. Nach all den Schicksalsschlägen hatte sie endlich mal wieder Glück. Obwohl es noch sehr früh war, befand sich der Arzt schon bei seiner Cessna auf der Rollbahn und antwortete prompt auf ihren Funkruf.

»Lazarus, hier ist Anna.«

»Wie sieht's aus bei euch?«

»Sehr schlecht. Es gibt schlimme Neuigkeiten.«

»Erzähl.«

»Martino Dosi, der Italiener, den du untersucht hast, ist gestern Nachmittag gestorben.«

»Woran?«

»Ich weiß es nicht. Er hatte sehr hohes Fieber und delirierte.«

»Irgendwelche Blutungen?«

»Nein, nichts. Er atmete schwer. Alles ging so schrecklich schnell.«

»Womit habt ihr ihn behandelt?«

»Mit praktisch allem, was wir hier haben. Am Ende mit Morphium, weil er so litt.«

»Wo ist er jetzt?«

»Teo, sein Kollege, bringt ihn nach Kilemi. Die Leiche soll nach Italien überführt werden.«

»Es könnte eine Autopsie notwendig sein. Was ist mit dem anderen Kranken?«

»Sein Zustand ist immer noch sehr ernst.«

»Und wie geht es euch?«

»Alle scheinen okay zu sein. Hast du etwas über dieses Virus rausgefunden?«

Ein langes Rauschen unterbrach die Verbindung, dann herrschte Schweigen.

»Ich habe dich nicht verstanden, noch einmal bitte«, sagte Anna.

»Nichts, ich habe nichts gesagt. Vielleicht kann ich irgendwie zu euch kommen.«

»Wie soll das gehen?«

»Ich habe da so eine Idee. Allerdings muss ich jetzt weg. Ich lasse von mir hören. Ende.«

Am späten Vormittag betrat Marcel Joffe das Büro der Timber East Company im Zentrum von Kilemi. Es bestand aus drei spärlich möblierten Räumen, in denen ein wunderschönes farbiges Mädchen die wenigen anfallenden Büroarbeiten erledigte. Die Räume dienten vor allem der Tarnung. Der Holzhandel wurde über zwei verschiedene Wege abgewickelt: ein amtlicher, der die in den Vereinbarungen ausgehandelten Höchstmengen einhielt, und ein zweiter, wesentlich einträglicherer, der vor neugierigen Blicken gut geschützt war. Zwei Wege auch im wahrsten Sinn des Wortes: Der erste führte von der Lichtung nach Kilemi, von wo mit Baumstämmen beladene Lastwagen zu den Häfen am Indischen Ozean fuhren, während der andere quer durch den Urwald ging, die Missionsstraße kreuzte, an der die beiden Holländer abgefangen worden waren, und von dort über ein dicht gesponnenes Netz aus Feldwegen unter Umgehung sämtlicher Kontrollen die Häfen erreichte. Wie auch schon im Kongo, an der Elfenbeinküste und im Senegal beschaffte die TEC sich die Genehmigung für zehn Bäume und fällte in Wirklichkeit hundert. Das Büro in Kilemi war der Knotenpunkt für die offiziellen Aktivitäten, und nur in dem letzten Raum, wo ein großer Computer vierundzwanzig Stunden am Tag mit dem Raffles in Singapur verbunden war, trafen die beiden Seelen des Unternehmens aufeinander.

Joffe schloss die Tür und aktivierte die Verbindung. In Asien war es schon spät am Tag.

SICHERHEITSLEVEL: CANOE
CODE 21 314 988888 010101

An: Mr Song Ho, Präsident der Timber East Company
Von: Marcel Joffe, Sicherheitschef, Uganda
Betreff: Entwicklungen in Kilemi

Auf Ihre Nachricht hin erlaube ich mir, Sie direkt über die neuesten Entwicklungen in Uganda zu unterrichten. Ich bestätige die Ankunft einer angloitalienischen Fernsehcrew vor Ort, die einen Dokumentarfilm über Gorillas dreht. Zwei Mitglieder der Gruppe, leitende Angestellte des italienischen Arzneimittelkonzerns Pharmacon, wurden wiederholt in der Lagerhalle der Kentrax gesichtet, ein großes Gebäude in Kilemis Randbezirken, in dem früher Elfenbein gelagert wurde, bis der Handel vor zehn Jahren eingestellt wurde.
Im Innern des Lagers befindet sich ein geheimes Chemielabor, das durch zwei ausgeklügelte Sicherheitssysteme geschützt ist. Bewaffneter Wachdienst außen und innen. Zum jetzigen Zeitpunkt lässt sich unmöglich sagen, welche Art von Analysen dort durchgeführt werden. Es handelt sich bei dem Raum wohl um ein Hochsicherheitslabor. Das legt den Schluss nahe, dass dort mit hoch anste-

ckenden Viren umgegangen wird. Vergangene Nacht habe ich mir Zugang zu dem Labor verschafft und sechs Leichen gefunden, darunter ein unbekannter Weißer (keiner der beiden Pharmacon-Männer). Keine Anzeichen von Gewalt, außer einem zerbrochenen Gerät. Keine Wachen. Torbis Groom, der Chef der Lagerhalle, ist unauffindbar. Ich habe zwei Männer dagelassen, die die Umgebung im Auge behalten. Bisher wurden die Leichen noch nicht von der Polizei entdeckt.

Hier meine Schlussfolgerungen:

1. Keine unmittelbare Bedrohung unserer Arbeit.
2. Kein Waffenschmuggel.
3. Der Dokumentarfilm dient als Deckmantel für andere Tätigkeiten.
4. Das Labor dient (diente?) dazu, die im Urwald isolierten Viren zu analysieren.
5. Ein Unfall, wahrscheinlich aufgrund eines Geräteschadens, hat alle in unmittelbarer Nähe befindlichen Personen getötet.
6. Der Tod muss schnell eingetreten sein, wahrscheinlich durch Gas oder ein hoch ansteckendes Virus oder Bakterium.
7. Beim Anblick der Leichen sind alle anderen geflohen.
8. Es ist möglich, dass ich selbst infiziert wurde, da ich mindestens zwei Minuten in dem Raum war, zurzeit jedoch kann ich keinerlei Symptome feststellen.

Sobald die Leichen gefunden werden, erfahre ich mehr. Ich halte Sie auf dem Laufenden.

Marcel Joffe

Sicherheitschef TEC, Kilemi, Uganda

Er verschlüsselte die Nachricht und sendete sie. Dabei überlegte er, ob Mr Ho merken würde, dass die Nachricht einiges offen ließ. Vor allem die Frage, wer die anderen Teilnehmer der italienischen Expedition waren und welche Rolle sie bei dem Ganzen spielten.

Kurz darauf verabschiedete er sich von der hübschen Sekretärin und trat hinaus in die Sonne. Er würde den Tag damit verbringen, sich ein wenig umzusehen und auf erste Alarmzeichen zu warten. Wenige hundert Meter entfernt lagen sechs Leichen, doch es konnte Tage dauern, bis dort etwas passierte.

Ein Mann, der ihm bekannt vorkam, hielt ihn an.

»Ich bin Doktor Lazarus Boma. Sie arbeiten für die TEC, nicht wahr?«

Daher kannte er ihn also, er war der Arzt. Sie hatten ihn wegen einiger Männer konsultiert, die sich auf der Lichtung verletzt hatten.

Sie schüttelten sich die Hände. »Ja, ich bin Marcel Joffe, der Sicherheitschef.«

»Können wir uns kurz unterhalten?«

Sie erreichten die Terrasse des Elephant Hotels und setzten sich an einen Tisch im Schatten der alten Zeltplane.

»Ich komme sofort zur Sache, Monsieur Joffe«, begann Lazarus. »Ich brauche Ihre Hilfe. Sechs Stunden Fußmarsch von hier in nordöstlicher Richtung hält sich eine Expedition auf, die einen Dokumentarfilm über Gorillas dreht.«

Der Franzose horchte auf. Das versprach interessant zu werden. »Ja, ich habe davon gehört. Italiener und Engländer, wenn ich richtig informiert bin.«

»Das stimmt. Es gibt einen medizinischen Notfall dort oben.«

Im Kopf des Franzosen schrillten tausend Alarmglocken, aber er hielt den Mund und wartete ab.

»Ein paar Männer sind schwer erkrankt und vielleicht trifft es im Laufe der nächsten Stunden noch weitere Expeditionsteilnehmer. Mir gefällt das nicht, und ich müsste hin, um mir selbst ein Bild zu machen.«

»Sie kennen die Männer?«

»Mit einigen habe ich bereits zusammengearbeitet, zwei andere waren vor ein paar Tagen bei mir, um sich behandeln zu lassen.« Er verschwieg Martinos Tod.

»Verstehe«, sagte Joffe. »Doch was hat die TEC damit zu tun?«

Das war der springende Punkt. Lazarus redete sich innerlich Mut zu, weil er sehr wohl wusste, wie gering die Wahrscheinlichkeit für einen Erfolg war.

»Ihr Hubschrauber. Ich würde gerne fragen, ob mich jemand hinauf ins Camp fliegen könnte, wenn es nicht zu unverschämt ist. Mit meiner Cessna kann ich dort nicht landen und ich kann meine Arbeit nicht zwei Tage hintereinander ausfallen lassen.«

Die Glocken spielten nun ein wahres Symphoniekonzert. Der Arzt würde ihm unwissentlich helfen, ganz unauffällig mehr über die Expedition herauszufinden. Damit lösten sich eine Menge Probleme mit einem Schlag in Luft auf, außerdem hätte er dann bei dem Mann noch etwas gut.

»Aber natürlich, Doktor. Angesichts eines Notfalls hat die TEC noch nie ihre Hilfe verweigert. Der Hubschrauber ist zurzeit unterwegs, am späten Nachmittag oder morgen früh, wenn Ihnen das nicht zu spät ist, steht er ganz zu Ihrer Verfügung.«

Lazarus Boma konnte es kaum glauben. Das war wirklich einfach gewesen.

Joffe widerstand der Versuchung, von dem Kentrax-Lager anzufangen. Eine Frage konnte er allerdings nicht zurückhalten, die ihm schon seit einigen Minuten auf der

Zunge lag. »Ich habe gehört, Doktor, dass auch eine Frau bei der Gruppe ist. Kennen Sie sie?«

»Ja, wir sind befreundet. Sie ist Italienerin, heißt Anna Cheli und ist Spezialistin für Primatenforschung – Affen und so. Sie arbeitet an einem Institut in Italien. Wieso interessiert Sie das?«

Joffe winkte ab. »Ich war nur erstaunt, dass unter all den Männern sich auch eine Frau ins Herz Afrikas vorwagt.«

»Anna?« Lazarus lachte herzlich. »Sie kennen sie nicht. Sie könnte einer ganzen Kompanie amerikanischer Marines die Stirn bieten, wenn es drauf ankommt. Eine großartige Frau. Jetzt müssen Sie mich entschuldigen, ich muss zu meinen Kranken.«

Sie klärten, wie sie einander erreichen konnten, sobald der Hubschrauber zur Verfügung stand.

»Sie können auf uns zählen, Doktor. Für die TEC ist ganz Afrika eine große Familie, der man gerne und immer hilft.«

Die Ironie in Joffes Worten entging Lazarus nicht.

»Natürlich, ich weiß sehr gut, was die TEC für Afrika tut«, erwiderte er im selben Tonfall.

Eine spontane Sympathie schien die beiden Männer zu verbinden, die unterschiedlicher kaum sein konnten. Zum einen der Schwarze, der an an einer renommierten englischen Universität studiert hatte, zum anderen der Weiße, der sein halbes Leben in den Wäldern, Savannen und Wüsten Afrikas verbracht hatte. Sie reichten sich die Hand und Lazarus ging davon.

Marcel Joffe blieb noch lange am Tisch sitzen und dach te darüber nach, was in den letzten Stunden passiert war. Afrika hielt tatsächlich immer wieder Überraschungen für ihn bereit. Schade war nur, dass er nicht selbst ins Camp fahren konnte. Doch dafür war die Zeit noch nicht reif.

Kilemi, Basiscamp

Lazarus Boma hatte so lange all seine diplomatischen Fähigkeiten aufgeboten, bis man ihm endlich nachgegeben hatte. Die ugandischen Behörden erteilten die Erlaubnis für den Rücktransport Martino Dosis nach Italien nur unter der Bedingung, dass seine Leiche vorher einer Autopsie unterzogen würde. Teo versuchte mit allen Mitteln, dies zu verhindern, doch vergeblich. In Afrika gab es nichts Schlimmeres, als sich in bürokratische Abläufe einzumischen, und am Ende musste der Italiener sich fügen.

Lazarus arbeitete auf Hochtouren, so dass schon am Nachmittag die Leiche an Bord des kleinen Flugzeugs war, das zur Hauptstadt flog, wo ein Linienjet sie nach Italien bringen würde. Während er auf den Hubschrauber wartete, führte der Arzt die ersten Analysen durch mit dem Ziel, einen Beleg für seine Annahme zu finden, die er sich zurechtgelegt hatte.

Weniger als eine Stunde nachdem die Bahre in dem kleinen Flugzeug verschwunden war, entdeckte Teo Blasti die sechs Leichen.

Schon bei seiner Ankunft am Kentrax-Lager hatte er sich gewundert, dass Torbis Groom und die Wachen gar nicht zu sehen waren. Er hatte sofort begriffen, dass da etwas nicht stimmte. Das Schloss am Eingang war aufgebrochen und eine merkwürdige Stille lastete auf dem Ort. Im Innern empfing ihn ein abstoßender Gestank, der so stark war, dass er sich übergeben musste. Instinktiv rannte er zum Labor und stellte mit Schrecken fest, dass die Tür nur angelehnt war. Hier lag offensichtlich die Quelle des Gestanks. Er schaute in den Raum und übergab sich ein zweites Mal. Mari war kaum wiederzuerkennen, so sehr hatten die Mäuse seine Leiche entstellt.

Auf den Anblick reagierte sein Gehirn, indem es eine Reihe von unkontrollierten Zuckungen durch den Körper schickte. Er wollte schreien, doch das heftige Zittern lähmte seine Stimmbänder und seiner Kehle entrang sich nur ein erstickter Laut. Zum Glück, dachte er, als er sich nach etwa einer halben Minute wieder unter Kontrolle hatte.

In diesem Labor, überlegte er, war etwas vorgefallen, was sechs Menschen getötet hatte. Aber es gab keine Spuren von Gewalt, auch waren wohl keine Waffen im Spiel gewesen.

Da kam ihm ein Satz in den Sinn, den er viele Tage zuvor in einem Büro der Pharmacon ausgesprochen hatte: »Unsere Waffen werden unsichtbar sein.«

Vielleicht war hier eine dieser Waffen am Werk gewesen.

Er überlegte schnell und handelte mit Methode. Zunächst suchte er die Flasche mit Essigsäure und tränkte eine kleine grüne Gesichtsmaske damit. Diese drückte er sich vor Nase und Mund. Das war zwar kein perfekter Schutz, doch immerhin hielt es ihn wach und dämpfte den Fäulnisgeruch der Leichen. Er schlüpfte in ein Paar Gummihandschuhe aus einem Spender, von denen er die ersten zwanzig vorsichtshalber weggeworfen hatte. Dann trat er an den Computer und rief das Schreibprogramm auf. Wenn Mari Notizen gemacht hatte, dann waren sie sicherlich hier zu finden. Natürlich bestand die Gefahr, in dieser kompromittierenden Situation mit sechs Leichen überrascht zu werden, aber er beschloss, das Risiko einzugehen, und konzentrierte sich auf seine Arbeit.

Er überprüfte die zuletzt angelegten Dateien und fand eine, die mit »Ergebnisse« betitelt war. Das Betriebssystem war dasselbe, das auch die Pharmacon in Florenz und beinah die ganze Welt benutzte, so dass er sich schnell damit zurechtfand. Kurz darauf öffnete sich eine Karteikarte:

```
ID H(?)RV138VP2 standard; RNA; VRL; 336 BP.
XX
DT 20-OCT-1998 (First Test)
XX
DE Human (?) Primate (?) rhinovirus serotype
NEW 138 viral coat protein VP2 RNA.
XX
KW viral coat protein; VP2.
XX
OS Human (?) rhinovirus.
OC Viruses; ssRNA positive-strand viruses, no
DNA stage; Picornaviridae;
OC Rhinovirus
XX
SQ Sequence 336 BP; 103 A; 57 C; 69 G, 107 T, 0
other;

AATATGTTTT ACCATTTTTT GGGTAGGAGT GGGTACACAG TGCATGTTCA   50
GTGCAATGCA AGTAAATTTC ATCAAGGTAC TCTGATTGTT GTAATGATTC  100
CAGAACATCA ATTGGCATCT GCTTCAACAG GAAATGTTAC AGCTCTTGAC  150
AATTTAACTC ATCCTGGTGA ACAAGGTAGA GATGTAGGTA TAACGCGAGT  200
GGAGGATTTG TTGAAGCAAC CTAGTGATGA TAGCTGGCTT AACTTTGATG  250
GTACTCTATT GGGGAACATA ACCATCTTTC CACTCTATTT CATCAACTTA  300
AGAAGTAATA ACTCAGCAAC AATTATAGTT CCATAT                 336

END
```

Ansonsten war das Dokument leer. In der Beschreibung stolperte er vor allem über die Zeile mit dem Ausdruck »NEW 138«, über die vielen Fragezeichen und die angehängte Basensequenz. Adenin, Thymin, Cytosin, Guanin: Die vier ewigen Bausteine des Lebens, aus denen sich alles entwickeln konnte, vom harmlosen Bakterium bis zum Präsidenten der Vereinigten Staaten, waren hier in einer bestimmten Reihenfolge aufgelistet, aber was genau die Sequenz bedeutete, konnte er nicht sagen. Er dachte wieder an die Akte LARA. Obwohl er sie auswendig kannte, erinnerte er sich beim besten Willen nicht an die Reihenfolge, die dort genannt war. Sie stimmte jedoch, darin war er sich sicher, mit einem anderen Virustyp überein. Unschlüssig begann er, alle Dateien der vergangenen drei Tage durchzusehen. Mari hatte tatsächlich flink gearbeitet. Selbst das kleinste Stückchen, das sie ihm überlassen hatten, hatte er geduldig analysiert und all seine Daten, Bezüge und chemischen Formeln in einem Dokument gespeichert. Er hatte jede einzelne Probe fotografiert und eingescannt. Saubere Arbeit. Nach zehn Minuten stieß Blasti wieder auf etwas Interessantes in einer Datei mit dem allgemeinen Namen »afrikil.doc«. Dort hatte Mari ein paar persönliche Überlegungen außerhalb des Wissenschaftsjargons festgehalten.

Er begann zu lesen und wurde blass.

Eine Stunde später hatte er alles, was ihm interessant erschien, ausgedruckt und neben sich gestapelt. Er ging jede einzelne der rund achtzig Seiten noch einmal durch und verglich sie mit Maris Schlussfolgerungen. Dann überprüfte er, ob er nichts übersehen hatte, um schließlich zum letzten Akt zu schreiten. Es würde nicht die geringste Spur von seinem Besuch und der Arbeit des Laboranten zurückbleiben. Einen nach dem anderen setzte er die drei Computer in ihre

Ausgangskonfiguration zurück. Die Daten wurden komplett gelöscht.

Nun gab es neun Leichen in diesem Raum: sechs Menschen und drei Computer.

Teo Blasti ergriff seine Zettel, suchte das Reagenzglas mit der entsprechenden Probe heraus und verstaute es in einer Thermotasche. Er dachte nicht im Entferntesten daran, dass er sich angesteckt haben könnte. Wie eine schöne Frau raubte LARA jedem den Verstand, der mit ihr zu tun hatte.

Am Nachmittag desselben Tages erreichte in dem Camp unterhalb des Gorillaberges ein anderes Drama seinen Höhepunkt. Norman Yves, der junge Engländer, dem keine Gefahr der Welt etwas hatte anhaben können, verlor endgültig und ohne noch einmal zu sich zu kommen die Schlacht gegen seinen unsichtbaren Feind. Ken, Anna und Marco hatten entgegen aller Vorsicht bis zuletzt bei ihm gewacht und auf ein Wunder gehofft. Die Sonne schien auf sein Gesicht, als Norman starb, und um ihn herum brandete die Geräuschkulisse des Urwalds. Niemand wusste mehr, was sagen oder tun. Sie fühlten sich wie Schiffbrüchige, ausgeliefert einer Natur, die ihnen gnadenlos ihre Regeln aufzwang. Sie waren vollkommen hilflos.

Die drei verließen das Zelt.

Ken ergriff als Erster das Wort. »Bob und ich werden mit Norman nach Kilemi gehen und dann nach London zurückkehren. Der Dokumentarfilm endet hier.«

Anna schüttelte den Kopf. Alles endete hier, nur nicht der Film. »Was wird Teo dazu sagen?«

»Vielleicht wird es ihm nicht gefallen, aber die Entscheidung steht fest, und ich habe nicht vor, davon abzurücken. Wenn er die Arbeit fortsetzen will, muss er sich einen neuen Partner suchen.«

In diesem Moment hörte Anna ein merkwürdiges Geräusch, das immer lauter wurde. Wenige Sekunden später erkannte sie den Hubschrauber.

»Hört ihr das? Da kommt jemand.«

Nun entdeckten sie den Helikopter, der mit gesenkter Schnauze auf sie zuhielt. Er begann den Sinkflug und setzte unter lautem Knattern etwa hundert Meter entfernt von ihnen auf.

»Wie lange werden Sie hier bleiben, Doktor?«, schrie der Pilot, um sich gegen den Propellerlärm durchzusetzen.

»Nicht lange, höchstens eine Stunde.«

»Okay. Dann lasse ich ihn an. Es wäre nicht gut, hier festzuhängen.«

»Ich beeile mich.«

Lazarus ging den drei Personen entgegen, die auf ihn zurannten. Er erkannte Anna und Marco, die ganz und gar nicht krank aussahen. Die dritte Person war ihm fremd.

Sie blieben in einiger Entfernung voneinander stehen.

»Lazarus, mein Gott, wie schön dich zu sehen! Du kommst wie ein Engel.« Anna zeigte auf den Engländer. »Das ist Ken Travis, der Filmproduzent.«

Der Arzt kam näher.

»Lazarus, vielleicht sind wir ansteckend. Wir haben einen zweiten Toten im Camp.«

Da schüttelte der Arzt ihnen schon die Hand. »Ich bezweifle stark, dass ihr ansteckend seid. Seit Tagen ist hier niemand mehr neu erkrankt, oder?«

»Stimmt.«

»Dann können wir wohl ganz beruhigt sein, nehme ich an.«

»Dieser Norman Yves, du weißt, der Mann, von dem ich dir über Funk berichtet habe, ist vor weniger als einer Viertelstunde gestorben. Dieselben Symptome wie bei Martino. Nur hat sein trainierter Körper einfach länger durchgehalten. Willst du ihn sehen?«

»Ich habe vor ein paar Stunden eine Autopsie an der Leiche von Martino Dosi durchgeführt.«

Sie sahen ihn gespannt an.

»Mir fehlen noch die letzten Ergebnisse, aber mein erster Eindruck, so verrückt es auch klingen mag, ist folgender: Dosi hatte es mit etwas zu tun, was anfangs wie eine einfache Erkältung aussah und dann plötzlich geradezu explodiert ist im Vergleich zu dem üblichen Krankheitsverlauf. Eine Erkältung kann verschiedene Komplikationen mit sich bringen, die meistens die Lungen betreffen. In seinem Fall sieht es so aus, als hätten sich die Komplikationen sowohl in der Intensität als auch in der Schnelligkeit multipliziert. Eine durchschnittliche Erkältung dauert sieben Tage, diese hier jedoch verlief wesentlich rascher und nahm einen tödlichen Ausgang. Euer Freund hier hatte wahrscheinlich dasselbe und auch er hat es nicht geschafft.«

Lazarus betrat Normans Zelt und kam zwei Minuten später wieder heraus. Er setzte sich zu den anderen an den Tisch.

Anna wollte Klarheit. »Entschuldige, Lazarus, aber es gab noch andere hier, die eine Erkältung hatten, doch bei ihnen ging sie einfach so vorbei.«

Bob Loneghy kam zu ihnen und wurde dem Arzt vorgestellt.

»Sie waren doch derjenige, wenn ich mich nicht irre, der als Erster irgendwelche Symptome aufwies, stimmt das?«

»Ich habe schon auf der Reise nach Kilemi die ersten Anzeichen gespürt.«

»Verstehe, das ist sehr interessant. – Und du, Marco?«

»Bei mir ging's zwei Tage später los. Niesen, hohes Fieber, das wieder zurückging, und dann die üblichen Sachen: dumpfer Kopf, verstopfte Nase. Ich bin auch jetzt noch nicht wieder richtig auf dem Damm, aber das hatte ich schon Dutzende Male.«

Lazarus schwieg und dachte nach.

»Hört zu«, sagte er schließlich, »nehmt jedoch das, was ich sage, nicht als der Weisheit letzter Schluss. Eindeutige Wahrheiten gibt es in der Medizin nicht. Was ich euch jetzt darlege, ist lediglich eine Hypothese. Wahrscheinlich haben wir es hier nicht mit einem, sondern mit zwei Viren zu tun. Beim ersten handelt es sich um das traditionelle und gut erforschte Virus. Bob hat es wahrscheinlich aus Europa mitgebracht und Marco damit angesteckt. Der Verlauf war der übliche. Wahrscheinlich handelt es sich um einen der Dutzend Virenstämme, die für das verantwortlich sind, was wir gemeinhin eine gewöhnliche Erkältung nennen: Adenovirus, Rhinovirus, Coronavirus, Myxovirus, jedes mit seinen verschiedenen Varianten. Um hier Sicherheit zu bekommen, werden wir eine Vielzahl von Analysen vornehmen müssen. Bis hierher also alles im grünen Bereich, bestens erforscht und bekannt.« Er nahm einen Schluck Wasser. »Erst mit dem zweiten Virus begeben wir uns auf unbekanntes Terrain. Dieses Virus weist anfangs dieselben Symptome auf wie die normale Erkältung, aber dann verhält es sich völlig anormal. Es ist jedoch nicht außergewöhnlich ansteckend, sonst hätte es euch nicht ausgespart, obwohl ihr in vielerlei Hinsicht gefährdet wart, angefangen bei den hygienischen Verhältnissen. Es ist noch nicht einmal besonders raffiniert, da es so schnell zum Tod führt, dass es entgegen den normalen Überlebensregeln innerhalb weniger Tage mit seinem Opfer zugrunde geht und damit seine Chance enorm vermindert, sich in anderen Organismen zu replizieren. Vielleicht haben Martino und Norman sich noch nicht einmal untereinander angesteckt, sondern beide an einem Objekt, das wir ›Drittwirt‹ nennen.«

Sie sahen sich gegenseitig fragend an.

»Jemand von uns könnte ein gesunder Träger des Virus sein?«, fragte Ken.

Lazarus lächelte. »Das ist unwahrscheinlich, ich dachte an jemand anderen. Wenn ich mich nicht irre, Anna, sind die Erkrankungen nicht nur bei euch aufgetreten, oder?«

»Was meinst du?«

»Dass es in dieser Gegend noch andere Wesen gibt, die in letzter Zeit eine Erkältung hatten.«

»Mein Gott«, rief sie aus, »die Gorillas! Meinst du etwa ...?«

Lazarus beruhigte sie. »Ich meine erst einmal gar nichts. Ich lege nur eine relativ komplexe Hypothese dar, und was mit den Gorillas passierte, ist eben Teil dieser Hypothese. Nehmen wir einmal an, dass Bob, wie du mir erzählt hast, von einem ganz normalen Erkältungsvirus angesteckt wurde. Für die Tiere wäre das etwas Neues. Wahrscheinlich war die Variante, die Bob mit sich herumtrug, für sie völlig unbekannt. Das Virus schlägt zu, aber es ist ein menschliches Virus, das in ihrem Körper umgewandelt wird, mutiert und als neuer Typ wieder austritt. Martino und Norman haben sich wahrscheinlich nicht über den Luftweg angesteckt, sondern indem sie etwas anfassten, was auch die Gorillas schon berührt hatten, und dann mit der Hand an Augen oder Nase kamen, der häufigste Übertragungsweg dieser Virusart.«

Nun schwiegen alle. Es war nur eine Hypothese, schön und gut, doch irgendwie passte alles zusammen. Außerdem hatte die Erklärung auch etwas Beruhigendes, weil sie selbst so nicht mehr in Gefahr schwebten.

Der Arzt war noch nicht fertig. »Damit stehen wir vor einem neuen Problem.«

Anna hatte ihre eigenen Gedankengänge verfolgt. »Jetzt, wo ich darüber nachdenke: Norman und Martino waren die Einzigen, die da oben keine Handschuhe trugen. – Was hast du gesagt? Was für ein Problem?«

»Die Gorillas.«

»Was haben die Gorillas damit zu tun?«

»Sie sind das Problem, Anna.«

»Hör endlich auf, in Rätseln zu sprechen.«

»Wenn meine Theorie stimmt, tragen sie ein tödliches Virus mit sich herum. Aber zum Glück sind es ja nicht viele.«

Alle merkten, dass Lazarus' Stimme sich verändert hatte.

»Was meinst du mit ›zum Glück sind es nicht viele‹?«

»Ihre Eliminierung bedeutet keine Gefahr für die Spezies.«

Anna traute ihren Ohren nicht. Dieser Mann wollte doch nicht etwa fünfzehn Gorillas auf einen Schlag umbringen, Männchen, Weibchen, Kinder?!

»Du bist ja völlig verrückt geworden! Keiner fasst mir die Gorillas an, und wenn du es wagen solltest ...«

»He, beruhige dich. Bisher war alles nur reine Spekulation.«

»Spekulation, ja?«

Lazarus schwieg. Wie alle anderen auch. Anna war entsetzt, doch der Arzt war es nicht weniger.

»Hör zu, Anna, ich habe einige Proben an das Labor von Masaka geschickt, wo es ein hervorragend ausgestattetes Aids-Forschungszentrum gibt. Ein guter Freund von mir arbeitet dort und ich habe ihm äußerste Vorsicht und äußerste Diskretion ans Herz gelegt. Ich sage dir: Wenn seine Antwort so ausfällt, wie ich befürchte, wenn wir es also mit einem neuen letalen Virusstamm zu tun haben, werde ich so verfahren wie gesagt und unverzüglich den EIS informieren.«

»Was zum Teufel ist der EIS?«, fragte Marco.

Anna kam Lazarus' Antwort zuvor. »Der Epidemic Intelligence Service des CDC in Atlanta. Der Viren-Rambo. Die Elitetruppen für Krankheiten. Nenn sie, wie du willst. Aber Lazarus, selbst wenn sich deine Vermutung bestätigt, beweist das noch lange nicht, dass die Gorillas irgendetwas damit zu tun haben.«

»Das ist dann auch nicht mehr mein Problem. Darum werden sich die Leute vom CDC kümmern. Sie reagieren innerhalb von vierundzwanzig Stunden. Anna, bitte versteh mich, das darf man wirklich nicht auf die leichte Schulter nehmen.«

»Wann bekommst du Nachricht aus Masaka?«

»Wenn es schnell geht, ist wohl alles normal, doch wenn es länger dauert, suchen sie nach etwas, was sie nicht kennen.«

Lazarus stand auf und ging zum Piloten, um mit ihm den Rücktransport von Normans Leiche abzuklären. Trotz Joffes Anweisungen, Augen und Ohren offen zu halten, hatte der Pilot nicht viel von dem mitbekommen, was im Camp besprochen worden war, doch hoffte er, auf dem Rückflug noch einiges zu erfahren. Was Ken und Bob betraf, würden sie am nächsten Tag zu Fuß nach Kilemi zurückkehren.

»Was habt ihr jetzt vor?«, erkundigte sich Lazarus bei Anna.

»Wir warten hier, bis Teo Blasti zurückkommt, um die letzten Dinge zu regeln. Dann brechen wir das Camp ab und gehen nach Hause.«

Der Arzt sah ihr direkt in die Augen. »Ich kenne dich, Mädchen. Mach keine Dummheiten, das könnte sehr gefährlich werden.«

»Was für Dummheiten?«

»Du weißt genau, was ich meine.«

»Wer hat dir eigentlich den Hubschrauber geliehen? Was hat die TEC mit alldem zu tun?«, fragte sie ausweichend.

»Ein Freund in Kilemi, ein Franzose. Er hat sich auch sehr interessiert nach dir erkundigt.«

»Nach mir, ein Franzose? Wie sieht er aus?«

»Zu alt für dich, Anna.«

»Schade.«

Er war noch immer besorgt. »Was wirst du die nächsten Tage hier mit Marco tun?«

»Ich habe eine Schimpansenkolonie entdeckt, ganz in der Nähe. Ich glaube, ich werde mich in ihre Verhaltensstudien stürzen.«

»Braves Mädchen.«

»Du weißt doch, dass ich ein braves Mädchen bin.«

Lazarus schüttelte den Kopf und machte sich für den Rückflug bereit. Es würde bald dunkel werden und der Pilot wartete ungeduldig. Und so wurde zum zweiten Mal an diesem Tag ein Mann in einem großen Leinensack aus dem Camp getragen. Zwei Beerdigungen an nur einem Tag. Afrika hatte es heute schlecht mit ihnen gemeint.

Der Hubschrauber erhob sich in die Luft, erreichte die notwendige Höhe, senkte die Schnauze wie ein angriffslustiger Stier und verschwand über den Baumwipfeln.

Lazarus Boma beobachtete, wie Anna immer kleiner wurde und schließlich als grünes Pünktchen in der Ferne verschwamm. Ihm wurde klar, dass dies erst der Anfang der Geschichte war.

LARAS NACHT

Kilemi, Lichtung TEC, Basiscamp, Gorillahügel

In seinem Zimmer im Elephant Hotel hatte Teo Blasti zum dritten Mal Maris Aufzeichnungen durchgelesen. Dabei war ihm bewusst geworden, dass er mit diesen Seiten sein Schicksal in den Händen hielt. Vor ihm lagen nun zwei Wege. Einerseits konnte er nach Florenz zurückkehren und seinen angesehenen Posten als Abteilungsleiter bei der Pharmacon wieder einnehmen. Martino würde entsprechend der firmeninternen Personalpolitik durch einen anderen Mitarbeiter ersetzt werden und er würde sich einen neuen Partner für sein mittwöchliches Tennismatch suchen. Niemand käme auf die Idee, ihm die Schuld am Scheitern des Afrika-Projekts zu geben. Die Risiken waren allseits bekannt gewesen. Afrika vergessen, alles hinter sich lassen. Das wäre sicherlich der einfachste Weg und der nächstliegende. Um ihn einzuschlagen, musste er lediglich die Aufzeichnungen und die Probe vernichten und das Geheimnis für immer begraben.

Aber auch der zweite Weg tat sich klar und deutlich vor ihm auf. Er führte in einen dunklen Tunnel voller Hinterhalte, in eine Welt, wo er auf ewig ein Fremder wäre. Er würde sich von allem verabschieden müssen: von der Arbeit, von der Karriere, von der Pharmacon, von Florenz. Er wäre mit einem Schlag reich, doch verband sich mit diesem Reichtum das Bewusstsein, ein Verräter zu sein. Das Geheimnis, das er in den Händen hielt, diese Seiten, die er dem Computer im Kentrax-Lager geraubt hatte, konnte Milliarden wert sein.

Auch um diesen Weg zu gehen, brauchte er nicht viel tun: Er musste lediglich den letzten Teil der Akte LARA neu schreiben.

Noch bevor er eine Entscheidung treffen konnte, wurde er vom Schlaf übermannt. Es war ein anstrengender Tag gewesen.

Er träumte von Martino, der mit einer großen Waldfrucht Tennis spielte. Mari saß auf einem Baum und stritt lautstark mit einem Schimpansen. Außerdem träumte er von dem Labor im Kentrax-Lager und einem Menschen, der Tierkadaver sezierte, unzählige, grauenhaft übereinander gestapelte Kadaver. Als die Person sich umdrehte, war es Anna, die ihn aus blutverschmiertem Gesicht anlächelte. Er wollte auf sie zugehen, doch starke Arme hielten ihn zurück. Er versuchte, sich loszureißen, aber er war wie ans Bett gefesselt.

Mit einem Schrei wachte er auf. Die vier Arme, die ihn niederdrückten, waren real, ebenso das grelle Licht, das seine Augen blendete. Vergeblich versuchte er, sich zu befreien.

»Ruhig, ruhig. Wenn du tust, was wir dir sagen, passiert dir nichts. Du sollst nur eine kleine Reise mit uns machen.«

Wer waren diese Männer? Er konnte nur die Umrisse ihrer Gesichter erkennen, ansonsten war alles dunkel.

»Wer seid ihr? Was wollt ihr von mir?«

»Heb dir deine Fragen für später auf. Jetzt zieh dich an, wir haben's eilig.«

Er spürte kaltes Metall an der Wange. Zum ersten Mal in seinem Leben wurde er mit einer Waffe bedroht, doch er begriff sofort, dass es sich um den Lauf einer Pistole handelte.

»Ist das ein Überfall?«

Jemand lachte. »Eine Entführung, kein Überfall.«

»Was ...«

»Genug jetzt!« Die Pistole bohrte sich schmerzhaft in sein Gesicht. »Wir haben keine Zeit zu verlieren. Komm mit und mach keinen Lärm.«

Eilig zog er sich an, während die Männer ihn keinen Moment aus den Augen ließen. Die Gruppe huschte leise durch die Flure des Elephant Hotels, die um diese Uhrzeit menschenleer dalagen. Teo hoffte, dass wenigstens der Portier in Militäruniform auf seinem Platz in der Halle sitzen würde, aber auch hier war niemand zu sehen. Allein die Stoßzähne hielten Wache. Er wurde in einen Landrover gestoßen, der schnell in der Nacht verschwand.

Marcel Joffe las noch einmal die Nachricht aus Singapur, die er gerade entschlüsselt hatte.

SICHERHEITSLEVEL: CANOE
CODE 21 314 988876 010100
An: Marcel Joffe, Sicherheitschef, Uganda
Von: Mr Song Ho, Präsident der Timber East Company
Betreff: Entwicklungen in Kilemi

Anlässlich Ihres Schreibens ordne ich umgehend Nachforschungen über das Kentrax-Lager an, insbesondere über den Tod der sechs Männer. Schnellstmöglich tödlichen Erreger identifizieren. Diesbezügliche Informationen direkt an mich schicken unter dem Code 315 999999. Keine anderen Organe der Gesellschaft dürfen informiert werden, örtliche eingeschlossen.
Song Ho

»Die Holländer sind mit ihrer Beute zurück.«

Der Franzose schob den Zettel in die Schublade des Schreibtischs und erhob sich. Da wurde Teo Blasti auch schon unsanft in das Zimmer gestoßen.

»He, Jungs, habt ihr keine Manieren? Guten Abend, Signor Blasti, nehmen Sie doch bitte Platz.«

»Kennen wir uns?«, fragte Teo.

»Nicht persönlich, aber Sie sind mir durchaus bekannt.«

»Wer seid ihr?«

»Möchten Sie sich nicht setzen? Glauben Sie mir, es besteht nicht die geringste Gefahr für Sie. Mein Name ist Marcel Joffe, ich bin der Sicherheitschef der Timber East Company. Beruhigt Sie das?«

Die Holzfäller. Was zum Teufel konnten die bloß von ihm wollen mitten in der Nacht? Er schaute sich um. Sie waren allein im Raum, doch bestimmt hatten seine Schergen vor der Tür Stellung bezogen. Sicher war es am klügsten, erst einmal zuzuhören, was der Franzose ihm zu sagen hatte.

»Sie müssen unsere etwas rüden Umgangsformen entschuldigen. Ich hatte nun mal große Eile, mit Ihnen zu sprechen.«

»Über was?«

»Über sechs Leichen.«

Das saß wie ein Schlag in die Magengrube. Dann wusste also noch jemand, was im Kentrax-Lager geschehen war. Das warf ein gänzlich neues Licht auf die Angelegenheit.

»Welche Leichen? Haben Sie den Verstand verloren?«

Joffe lachte herzlich. »Aber nein. Bisher hatte ich Glück, was das angeht ... Ich rede von den sechs Leichen, in deren Anwesenheit Sie heute Morgen über eine Stunde im Lager der Kentrax verbracht haben.«

Teo wurde klar, dass er es nicht länger abstreiten konnte. »Wart ihr das?«

»Wären wir das gewesen, säßen Sie jetzt nicht hier vor mir. So einfach ist das. Und nun, Signor Blasti, rate ich Ihnen in aller Freundschaft, uns alles zu erzählen.«

Alles. Das sagt sich so leicht, dachte er. Wie weit durfte er sich vorwagen? Diese Männer konnten ihm sehr nützlich sein, wenn es ihm gelänge, das Gespräch in seine Richtung zu lenken. In den nächsten Minuten musste er blitzschnell entscheiden, was er erzählen durfte und was nicht. Allein davon hing sein Leben ab.

»Es stimmt, ich war heute Nachmittag da.«

»Nein, so geht das nicht. Von Anfang an. Wer ist die Pharmacon und was genau wollt ihr hier in Afrika?«

»Wir hatten vor, einen Dokumentarfilm über Gorillas zu drehen, mit einem englischen Fernsehteam und zwei italienischen Fachberatern.«

»Das wissen wir. Aber was hat dieses hochmoderne Labor mit einem Tierfilm zu tun?«

Teo legte ihm in groben Zügen die Geschichte der Doktorgorillas und die Grundlagen der Tierpharmazie dar. Das Laboratorium erklärte er mit der Notwendigkeit, in der Nähe des Camps Analysen durchzuführen, mit deren Hilfe sich die Suche besser eingrenzen ließ. Das entsprach schließlich der Wahrheit, und er sah keinen Grund, sie zu verschweigen.

»Die anderen Mitglieder der Expedition sind über die Existenz dieses Labors informiert?«

»Nein«, gab Teo zu. »Ich wollte es ihnen später sagen.«

»Doch dann ist etwas dazwischengekommen ...«

Auch hier sah Teo keinen Grund, zu lügen. Er erzählte von Martino und Norman, der eine Krankheit eingeschleppt hatte, und von den erkälteten Gorillas. Damit kam er dem Punkt, den er unter allen Umständen umgehen wollte, gefährlich nah.

»Mmmmh«, machte Joffe zweifelnd. »Bleiben immer noch die sechs Leichen. Was ist da drin vorgefallen, und warum haben Sie nicht Alarm geschlagen, sondern sich über eine Stunde dort aufgehalten?«

Es gibt Augenblicke, in denen das ganze Leben an einer einzigen Antwort hängt. Für Teo traf das in diesem Moment zu, an einem unbekannten Ort und vor einem geheimnisvollen Franzosen, der ihn verhörte. Er traf seine Entscheidung.

»Hören Sie zu, Monsieur Joffe. Wir haben keinen Grund, uns als Gegner zu betrachten. Ich habe in nichts die Interessen Ihres Arbeitgebers durchkreuzt. Es war reiner Zufall, der uns zur selben Zeit an denselben Ort geführt hat.« Während er sprach, dachte er fieberhaft nach. Er musste geschickt Wahrheit und Lüge miteinander verweben. »Ich weiß nicht genau, woran diese Männer im Labor gestorben sind, und ich habe vergeblich versucht, es herauszufinden. Alarm habe ich nur deshalb nicht geschlagen, weil ich nicht mit den ugandischen Behörden in Konflikt geraten wollte. Offiziell haben wir nämlich nichts in der Lagerhalle zu suchen. Und ich werde Ihnen noch etwas sagen: Wir sind nicht nur keine Gegner, wir könnten sogar zusammenarbeiten, zu beiderseitigem Nutzen.«

Das Blatt wendete sich. Schließlich hatte er ja auch die besseren Karten.

Joffe sah ihn erstaunt an. »Erklären Sie mir das.«

»Ich bin im Besitz von wichtigen Informationen, die für Ihr Unternehmen von großem Interesse sein könnten. Allerdings habe ich nicht vor, mit Ihnen darüber zu sprechen. Ich möchte direkt mit Ihren Vorgesetzten reden.«

Endlich war es heraus, aber das Risiko musste er eingehen. Er wusste, die Entscheidung lag nun bei Joffe. Wenn er wollte, könnte er ihn zum Reden bringen, sei es durch Argumente oder durch Drohungen, und er könnte ihn auch gleich umbringen lassen. Doch Teo vertraute darauf, dass dieser Mensch hier im tiefsten ugandischen Dschungel nur ein kleiner, unbedeutender Spielstein war, der gewiss wichtigeren Leuten der Gesellschaft unterstellt war. Er durfte sich nicht erlauben, eigenmächtig über Entwicklungen zu entscheiden, die der TEC nutzen konnten. Deshalb hatte er diesen kleinen Bluff gewagt und seine Chancen standen gut.

Teo Blasti kehrte zwei Stunden später unversehrt ins Elephant Hotel zurück. Anstatt sich wieder hinzulegen, schrieb er einen großen Teil der Akte LARA neu. Maris Notizen waren eine wahre Fundgrube an Informationen. Die Tierpharmazie, die Doktorgorillas, die Erkältungsarznei – alles Schnee von gestern, ebenso die Pharmacon und ihr Überleben auf dem Markt. LARA wurde nun sein ganz persönliches Match, das er allein und auf völlig neuem Feld würde austragen müssen, an den Randbereichen der Wissenschaft, wo nur selten Licht hinkam und keine verbindlichen Regeln herrschten. Ebenso wie das Virus sich auf dem Gorillahügel von einem harmlosen Erreger in einen bösartigen Killer verwandelt hatte, erfuhr die Akte LARA in jener Nacht, in jenem Hotelzimmer in Kilemi, eine grundlegende Verwandlung: von einem verrückten, aber weitgehend harmlosen Projekt hin zu einem teuflischen Instrument des Todes. Teo Blasti, der scharfsinnige Forscher, den die Wissenschaftsgemeinschaft vor Jahren aus ihrem Kreis ausgeschlossen hatte, würde nun seine Chance zur Revanche erhalten.

Als die neue Version der Akte fertig geschrieben war, verbrannte er Maris Aufzeichnungen und vernichtete alle Spuren. Nun war die Arbeit ganz allein sein Werk. Natürlich bewahrte er die Probe im Reagenzglas auf und überlegte, wo er sie sicher verstecken konnte. Er fühlte schon den heißen Atem der Holzfäller im Nacken.

Als Anna am nächsten Morgen aufwachte, waren Ken Travis, Bob Loneghy und eine Gruppe von Trägern schon aufbruchbereit. Sie hatten lange über den Misserfolg der Mission diskutiert. Zu spät erkannte Anna Kens überragende Menschlichkeit, und sie warf sich vor, in den letzten Tagen nicht mehr Zeit mit ihm verbracht zu haben. Vergessen waren ihre Auseinandersetzungen um die Quarantäne. Nun begriff sie, dass dieser Mann, der überall auf der Welt Abenteuer bestanden hatte, sich letztlich nicht vom Geschäft des Fernsehens und seinen überheblichen Regeln hatte kompromittieren lassen und immer das Leben über alles gestellt hatte. Nun trennte sich Ken von ihnen, doch ließ er ein positives Gefühl zurück, das noch einige Tage in Anna nachhallen würde.

Sie umarmten sich. Dann wurde auch die kleine Gruppe, einer nach dem anderen, vom Urwald verschluckt. Anna fühlte sich wie eine Schauspielerin in einem absurden Theaterstück, in dem sie am Ende allein auf der Bühne zurückblieb.

»Gut«, sagte sie zu Marco. »Jetzt sind wir also nur noch zu zweit. Es ist Zeit, etwas zu unternehmen.«

»Was meinst du?«, fragte er alarmiert.

»Das ist doch klar. Wir steigen zu den Gorillas hoch. Wir sind jetzt nicht mehr ansteckend, im Gegenteil, es geht uns blendend, und ich sehe nicht, was uns hier noch hält.«

»Aber du hattest Lazarus doch versprochen ...«

»Versprochen, versprochen ...« Sie ging auf Bic zu. »Du weißt doch, was die Versprechen einer Frau wert sind. Was ist mit dir, kommst du mit?«

Marco war verunsichert. »Natürlich komme ich mit. Ich würde dich niemals alleine gehen lassen. Allerdings könnte es gefährlich werden. Du hast ja gesehen, was die Gorillas bei Martino und Norman angerichtet haben ...«

»Ach, jetzt hör endlich auf«, gab Anna ungeduldig zurück. »Es gibt keinerlei Beweise, dass die Gorillas für irgendetwas verantwortlich sind. Und genau deshalb gehe ich zu ihnen. Hör zu, wir werden ein Minimum an Vorsorge treffen: zwei Paar Handschuhe und Kleider, die jedes Stückchen Haut bedecken. Wir ziehen uns alle Schutzmasken über Mund und Nase, davon habe ich genug, keine Sorge, und mit den Augen passen wir einfach gut auf. Wir nehmen einen Wasserkanister mit nach oben und werden uns regelmäßig waschen. Wir dürfen einfach nichts anfassen, was nicht unbedingt nötig ist, verstehst du?«

»Du bist verrückt!«

»Los, uns passiert nichts, du wirst schon sehen. Ich bedaure nur, dass wir keine Proben von den Gorillas nehmen können.«

»Was denn für Proben?«

»Blutproben, doch ich wüsste wirklich nicht, wie wir das anstellen sollen. Ich werde wohl darauf verzichten müssen, so wichtig ist es auch wieder nicht.«

»Wieso nicht?« Marco hatte Schwierigkeiten, ihren Gedankengängen zu folgen.

»Nasenschleim wäre viel besser. Den muss man auch nicht mühsam abzapfen.«

»Anna, ich kann mich nur wiederholen: Du bist verrückt.«

»Warum? Weil ich einem Gorilla die Nase putzen will? Was ist denn schon dabei? Los, beeil dich!«

Eilig machten sie sich an den Aufstieg. Bic, der von Anna über alles informiert worden war, wirkte ganz gelassen. Ihn schien die ungewöhnliche Mission sogar zu erheitern. Im Stillen jedoch beglückwünschte er sich dazu, dass seine Frau, die in Kilemi auf ihn wartete, einen ganz anderen Charakter hatte: sanft und untergeben. Er mochte diese Italienerin, doch er hätte sich lieber den Löwen zum Fraß vorgeworfen, als mit ihr unter einem Dach leben zu müssen.

Anna wusste nicht, wie und wann es passierte, aber gegen Ende ihres Aufstiegs durchströmte sie plötzlich ein merkwürdiges, wenn auch angenehmes Gefühl. All ihre Sinne begannen, in einzigartiger Übereinstimmung Nachrichten an ihr Gehirn zu senden, die zum ersten Mal seit langem wieder beruhigend waren. Sie spürte deutlich, dass Afrika ihr nun wieder freundlich gesinnt war. In solchen Momenten, unter dem massiven Einfluss der Endorphine, verfiel sie mit Haut und Haaren der Magie des Urwalds.

Ihre Intuition bestätigte sich, als sie den Platz der Weibchen erreichte. Sie hatte gefürchtet, alle Gorillas tot oder zumindest in einem erbärmlichen Zustand vorzufinden, niedergestreckt von dem geheimnisvollen Virus. Doch die Tiere waren höchst lebendig und wirkten auf den ersten Blick bei bester Gesundheit.

»Sieh nur«, sagte sie zu Marco, »sehen so gefährliche Mörder aus, die man eliminieren muss?«

Eine Mutter lauste ihr Kleines, das in ihrem dichten Fell Trost suchte. Zwei andere Tiere fraßen friedlich an einer Lobelie, wobei sie sorgfältig die jüngeren Triebe aussuchten. Das ganze Bild erweckte den Eindruck tiefen Friedens. Anna nahm ihr Fernglas und entdeckte unter den fressenden Weibchen Sventola. Sie stellte schärfer und bemerkte um ihre Nasenlöcher noch ein wenig Schleim, allerdings viel weniger als vor einigen Tagen. Das Tier war sichtbar auf dem Weg der Besserung.

Plötzlich wurde sie zu Boden geworfen, und als sie sich gerade aufrappeln wollte, fiel sie wie ein Kegel erneut um. Die beiden Jungtiere waren hinter ihr aufgetaucht, rannten nun in die Mitte der Lichtung und stießen dabei eine Frucht vor sich her, die sie zu packen versuchten. Sie wurden durch wildes Grollen seitens der Weibchen empfangen, von denen sich eines auf drei Beine aufrichtete und sie zwang, ins Dickicht abzubiegen. Kurz danach ertönte ein schrecklicher Schrei, und die beiden Tiere erschienen wieder, um sich in eine andere Ecke zu flüchten. Sie waren mit ihrem Ball in die Nähe eines großen Männchens geraten, das sich gerade privaten Geschäften widmete.

Beruhigt durch den Anblick, beschloss Anna, sich zu der Webcam zu begeben. In den ereignisreichen letzten Tagen hatte sie sich nur einmal auf die Internetseite der Kamera einloggen können und niemanden entdeckt. Dieses Mal hingegen sah sie Nostril, der am Rand der Lichtung kauerte. Sie hob das Fernglas vor die Augen, um ihn genauer zu beobachten. Auch er erfreute sich bester Gesundheit und war zur Abwechslung mal am Fressen. Der mächtige Silberrücken betrat geräuschvoll die Szenerie und ließ sich etwas entfernt von Nostril nieder, der nun, wie die Hierarchie es gebot, einige Meter zurückwich. Zu fressen fand er dort schließlich auch genug.

Marco und Bic kamen hinter ihr her.

»Habt ihr das gesehen? Es ist alles in Ordnung. Jetzt folgt der schwierigste Teil. Wir müssen uns die Proben besorgen.«

Marco grinste. »Möchte die große Wissenschaftlerin uns vielleicht mitteilen, wie sie das zu tun gedenkt?«

Sie hatte nicht die leiseste Ahnung. Nostril hatte sich ihnen inzwischen auf etwa zehn Meter angenähert und musterte sie gleichgültig. Bic riet ihnen, sich nicht zu rühren und den Blick zu senken. Anna nutzte die Zeit, um zu überlegen, wie sie aus dieser Sackgasse herauskommen konnten.

»Weißt du was, Marco?«, flüsterte sie plötzlich. »Du bist ein Genie.«

»Was für eine Teufelei hast du denn nun schon wieder vor?«, murmelte er ihr als Antwort zu. »Glaub ja nicht, dass ich zu Nostril gehe, ihn frage, ob er sich vielleicht mal kurz schnäuzen könnte, und ihm dabei ein Kleenex vor die Nase halte.«

»Nein, nein. Aber du hast mich auf eine Idee gebracht.«

»Tatsächlich? Wann genau soll das gewesen sein?«

»Vor Tagen in Varese, als du sagtest, Nostril sei lediglich das jüngste Opfer des Fernsehens, weil er der Videokamera nicht widerstehen könne. Siehst du, wie nahe er ihr kommt? Ich werde einfach diesen Geißkraut-Zweig direkt vor das Objektiv schieben. Ich habe schon gesehen, dass Nostril gerne davon frisst, und er wird ihm so nahe kommen, dass er unvermeidlich die Kamera berührt und hoffentlich ein kleines Souvenir zurücklässt. Das ist zwar kein großartiger Plan, doch etwas Besseres fällt mir in der Eile nicht ein.«

Bic mischte sich ein, obwohl er wusste, dass es sinnlos war. »Dann musst du aber zu nahe heran. Er könnte es als Beleidigung auffassen und auf dich losgehen.«

»Komm schon, Bic. Du weißt doch, dass Gorillas erst angreifen, wenn sie sich direkt bedroht fühlen. Ich will ihm ja nur etwas zu fressen anbieten.«

Resigniert gab der Parkwächter auf, konnte sich jedoch eine letzte Frage nicht verkneifen. »Wenn ich gesagt hätte, dass es kinderleicht und idiotensicher sei, hättest du die Idee dann vielleicht aufgegeben?«

Da schlich Anna längst auf Nostril zu, der grunzte und die Zähne fletschte. Kein aggressives Verhalten, fand sie, und wagte sich noch ein paar Schritte weiter an ihn heran. Dann verschwand sie aus dem Blickfeld des Gorillas, der sich wieder beruhigte.

Marco und Bic warteten schweigend ab. Kurz darauf beobachteten sie etwas Merkwürdiges. Obwohl sich kein Lüftchen regte, wedelte ein Zweig vor der Webcam. Deutlicher ging es nicht und Nostril war auch prompt aufmerksam geworden. Er tat einige Schritte auf die Kamera zu und hielt inne. Ein paar Minuten blieb er unschlüssig stehen, bevor er sich einen Ruck gab.

Alles dauerte nur wenige Sekunden. Er kam mit der Schnauze heran, packte mit den Fingern den Zweig und streifte die Blätter ab, um sie zu fressen. Danach wich er zurück und ließ sich auf der anderen Seite der Lichtung nieder.

Anna kam zurück. »Menschenskinder, wie der stinkt ... Er ist bis auf wenige Meter an mich herangekommen, aber ich konnte es nicht genau erkennen – ihr?«

Bic und Marco sahen sich fragend an.

»Es ging alles zu schnell. Ich glaube, er hat die Videokamera berührt, allerdings mit den Fingern, nicht mit der Schnauze.«

»Umso besser«, erwiderte Anna.

»Wolltest du nicht Nasenschleim?«

»Das ist egal. Die Finger sind der wichtigste Übertragungsweg des Erkältungsvirus, häufiger noch als die Luft. Wenn zwei Meter vor dir jemand kräftig niest, passiert dir nichts, doch wenn du ihm die Hand drückst, bist du erledigt. Los, wir müssen die Webcam abschrauben!«

»Was hast du vor?«

»Ganz einfach: Wir nehmen das Objektiv mit. Wenn das Virus Spuren hinterlassen hat, dann darauf. Wenn nicht, heißt das, dass die Gorillas aller Wahrscheinlichkeit nach nicht infiziert sind und nichts mit dem Ganzen zu tun haben.«

»Aber dann funktioniert die Kamera ja nicht mehr.«

»Das kann ich leider auch nicht ändern. Es gibt wichtigere Dinge. Marco, jetzt hör auf, dir Sorgen zu machen, wir holen nur ein Stück Glas und bringen es weg. Vielleicht fällt mir ja noch etwas Besseres ein, wie wir an Untersuchungsmaterial kommen können, dann montieren wir sie wieder zusammen, okay?«

Angesichts dieser Aussicht wagte keiner, ihr zu widersprechen. Im Moment stellte Anna eindeutig eine größere Gefahrenquelle dar als die friedlichen Tiere um sie herum.

Eine halbe Stunde später waren sie mitsamt ihrem kostbaren Schatz wieder auf dem Weg zum Camp. Niemals war ein Teil einer Videokamera sorgfältiger behandelt worden als dieses Objektiv.

Basiscamp

Im Camp erfuhr Anna, dass der Arzt versucht hatte, sie über Funk zu erreichen. Getreu ihren Anweisungen hatten die Wachen behauptet, die Italiener seien in den nahen Wald gegangen, um die Schimpansen zu beobachten.

Sie erreichte Lazarus bei der Rollbahn der Cessna.

»Anna, wo warst du?« Trotz des störenden Rauschens der Verbindung war der misstrauische Unterton in seiner Stimme nicht zu überhören.

»Schimpansen beobachten, das sagte ich doch. Was gibt's denn Dringendes? Hast du die Laborergebnisse?«

»Nein, aber andere interessante Neuigkeiten. Hier in Kilemi wurden sechs tote Männer in einer Lagerhalle gefunden.«

»Verflucht! Warum erzählst du mir das?«

»Weil eine sehr merkwürdige Sache dahinter steckt. Es handelt sich um ein altes Lager draußen vor der Stadt, das man für verlassen hielt. Drinnen befindet sich nicht nur verdorbene Ware, sondern auch gut versteckt ein hochmodernes Laboratorium.«

»Ein was?«

»Ein Labor. Ich habe es mit eigenen Augen gesehen. Neueste Instrumente und ein Raum mit Sicherheitsstufe Drei, der nur bei sehr gefährlichen Viren vorgeschrieben ist. Du wusstest davon nichts, oder?«

Anna war fassungslos. »Nicht das Geringste, Lazarus. Red weiter.«

»Die sechs Leichen lagen im Labor, unter ihnen auch ein

Weißer. Keinerlei Hinweise auf Gewalt. Ich weiß nicht, was sie getötet hat, aber der Verdacht liegt nahe, dass es etwas mit unserem Virus zu tun hat. Weißt du, was mich besonders stutzig macht?«

»Ich kann es mir, vorstellen.«

»Teo und Martino waren von der Pharmacon. Sie kommen nach Kilemi, wo ganz überraschend ein geheimnisvolles Labor auftaucht. Auch wenn im Innern nichts auf den italienischen Pharmakonzern hindeutet, ist das doch ein komischer Zufall, findest du nicht?«

»Allerdings. Wo ist Teo jetzt?«

»Jedenfalls nicht mehr im Elephant Hotel.«

»Was hat man im Labor gefunden?«

»Die Polizei hat mich für eine erste Begutachtung hinzugerufen. Ich habe nichts Auffälliges entdecken können, nur teure Geräte, unter anderem auch ein Elektronenmikroskop. Außerdem drei Computer, doch da hat sich bereits jemand die Mühe gemacht, sämtliche Speicher komplett zu löschen. Ich habe erst mal alles versiegeln lassen. Ich kann nur hoffen, dass das Virus nicht schon irgendwie entkommen ist. Das wäre wirklich unerfreulich, wo wir nicht einmal genau wissen, um welches es sich eigentlich handelt.«

»Verstanden, danke für die Informationen.«

»Anna?«

»Ja, was noch?«

»Wie geht es den Gorillas?«

Warum sollte sie es leugnen? Vor allem, da die Angelegenheit allmählich völlig neue Dimensionen annahm.

»Gut, sehr gut. Sie sind bei bester Gesundheit. Mach dir keine Sorgen, wir waren ganz vorsichtig, wir sahen aus wie einem Film entsprungen. Hör mal, Lazarus, ist dieses Labor funktionsfähig?«

»Ich glaube schon, lediglich eine Zentrifuge war kaputt.«

»Fantastisch. Ich habe hier nämlich eine Probe, die dringend analysiert werden müsste.«

»Was für eine Probe?«

»Das erkläre ich dir später. Wir kommen so bald wie möglich nach Kilemi. Sonst noch was?«

»Nein, das war's fürs Erste. Ende.«

Dies sollte nicht die letzte Überraschung bleiben. Eine Stunde später, als sie ihre Pläne für die nächsten Tage besprachen, stand Teo plötzlich im Camp. Sie hatten ihm viel zu erzählen und er schuldete ihnen nicht minder viele Erklärungen.

Die Nachricht, dass Ken und Bob abgereist waren und die Dreharbeiten damit zu Ende waren, ließ Blasti völlig kalt. »Das dachte ich mir schon.« Er verlor auch nicht ein einziges Wort über Normans Tod.

»Mehr fällt dir nicht dazu ein?«

Teo machte wortlos eine wegwerfende Handbewegung.

»Also, Teo, was hat es mit dem Labor auf sich?«

Anna war auf die Schlacht vorbereitet, doch nichts von dem, was sie erwartet hatte, trat ein. Stattdessen wurde der Mann bei diesem Thema erstaunlich redselig.

»Ach ja, das Labor. Ich wollte euch sowieso irgendwann davon erzählen. Für unsere Forschungen im Bereich der Tierpharmazie hielten wir es für ratsam, vorsichtshalber ein paar Geräte zur Verfügung zu haben. Du wusstest ja, was unser eigentliches Ziel bei der Sache war.«

»War es denn auch euer Ziel, den Gorillas eine Krankheit anzuhängen?«

Teos frostige Antwort ließ sie erstarren. »Ja, auch das.«

»Das glaube ich einfach nicht! Ihr habt tatsächlich allen Ernstes geplant, die Gorillas zu infizieren?«

»Ja. Und das haben wir nicht nur geplant, sondern auch getan.«

Das war einfach verrückt.

»Und wie?«

»Indem wir Bob Loneghy als Wirt für das Virus benutzt haben.«

Anna fühlte sich allmählich wie von einem anderen Stern. Das durfte einfach nicht wahr sein. »Entschuldige, Teo, vielleicht habe ich da etwas missverstanden. Von welchem Virus redest du?«

»Von einem normalen Erkältungsvirus. Doch, Anna, du hast richtig verstanden. Bob war der Träger des Rhinovirus. Wir dachten, er würde damit die Gorillas anstecken, und unsere Absicht war, herauszufinden, mit welchen Substanzen die Tiere sich kurieren würden. Stell dir vor, es gab eine realistische Chance, die Grundlage für ein Medikament zu finden, das den gesamten Arzneimittelmarkt erschüttert hätte.«

»Wusste Bob denn davon?«

»Natürlich nicht. Er wurde ohne sein Wissen in London infiziert.«

»Wie das?«

»Wir haben jemanden beauftragt, ihn zu betäuben und das Virus direkt in seine Nase einzuführen. Das war alles.«

Marco schwieg.

Anna fühlte heiße Wut in sich aufsteigen. »Du willst also sagen, dass du uns alle für deine schmutzigen Pläne missbraucht hast?«

»Schmutzig? Ach Anna.« Mit irritierender Sanftheit, gemischt mit einer Spur Sarkasmus, machte Teo sich über sie lustig. »Dieses Virus war völlig harmlos, eines von vielen, mit denen wir uns jedes Jahr anstecken. Du selbst hättest es haben können, ohne es zu wissen. Auf der anderen Seite: Wenn unser Projekt erfolgreich gewesen wäre, hätten wir einem Großteil der Menschheit einen riesigen Gefallen getan. Ein Medikament gegen Erkältung, der pure Wahnsinn. Hast du eine Vorstellung von den ungemeinen Kosten, die der Gesellschaft entstehen, wenn Arbeitnehmer wegen einer banalen Erkältung zu Hause bleiben? Oder von den vielen Komplikationen, die daraus erwachsen können, manchmal mit tödlichem Ausgang?«

»Und den Gefallen, den ihr euch und der Pharmacon damit getan hättet, den wirst du doch wohl nicht vergessen wollen?«

»Geschäft ist Geschäft.«

»Nun hat dieses Virus also die Gorillas infiziert, und vielleicht hat es sich in eine tödliche Abart verwandelt. Ist das auch Teil des Geschäfts?«

Teo ließ sich nicht aus der Ruhe bringen. »Noch ist nichts bewiesen, Anna. Das weißt du genau. Das Virus, das wir verwendet haben, lebt seit Jahrtausenden mit dem Menschen zusammen und ist mittlerweile ziemlich schwach. Dasjenige, das Martino und Norman getötet hat, kann wer weiß woher stammen. Zwischen den beiden besteht nicht die geringste Verbindung.«

»Das behauptest du, mein Lieber.«

»Und du kannst mir nicht das Gegenteil beweisen. Übrigens, warst du mal wieder bei den Gorillas?«

»Ja, und es geht ihnen gut.«

»Siehst du also, wie Recht ich habe?«

Darauf fiel Anna keine Erwiderung ein. Sie hätte diesen Kerl am liebsten erwürgt, doch gleichzeitig hoffte sie, dass die beiden Fälle tatsächlich nicht zusammenhingen. Sie wollte, dass Teo Recht hatte.

»Die Gorillas ...«, setzte er nun wieder an. »Hast du jemals an den Vorteil gedacht, den sie aus dem Ganzen gezogen haben? Denk doch nur an die Werbung! Ein Forschungsprojekt in Afrika, das dank der Gorillas zu einem erfolgreichen Ende geführt werden kann. Niemand hätte mehr gewagt, eines der Tiere anzurühren. Du selbst hättest für deine Arbeit Vorteile daraus ziehen können.«

»Du bist vollkommen verrückt geworden, Teo.«

»Das finde ich nicht und du sicher auch nicht, wenn du einmal deinen Verstand benutzt und alles andere aus dem Spiel lässt. Allerdings sind die Dinge dann leider ziemlich schlecht gelaufen.«

Damit waren sie am springenden Punkt.

»Was hast du jetzt vor?«

Nun zog Teo endlich das Ass aus dem Ärmel, das er die ganze Zeit versteckt gehalten hatte. Auch das war Teil der neuen Akte LARA.

»Ich werde abreisen, aber wir bleiben in Kontakt. Ich möchte euch für alle Unannehmlichkeiten entschädigen. Auch dafür, dass ich euch, wie ich offen zugebe, in gewisser Weise benutzt habe. Mit Bic und den Trägern waren drei Wochen vereinbart, ebenso lange ist die Ausrüstung gemietet. Daher schlage ich Folgendes vor: Ich lasse dir zwei Wochen lang freie Bahn. Du kannst die Gorillas beobachten, deine Studien fortsetzen und alles tun, was du willst. Das scheint mir doch ein vernünftiger Vorschlag.«

Anna hätte ihn gern zum Teufel geschickt, aber dafür brauchte sie diese zwei Wochen zu dringend. Sie hatte da so eine Idee und in vierzehn Tagen konnte man eine Menge erreichen. »Hast du Angst, dass ich nach Italien zurückkehre und ein paar Dinge ausplaudere?«

Teo grinste und sah alles andere als eingeschüchtert aus. »Wer würde dir schon glauben? Ja, vielleicht wäre das nicht gerade die beste Werbung für die Pharmacon, aber auch wir, das versichere ich dir, haben da unsere Methoden. Mein Angebot steht. Schlag ein oder lass es sein.«

Die Antwort kam spontan, obwohl Anna sehr wohl wusste, dass sie sich ihrer schämen würde. »Einverstanden, Teo, ich akzeptiere dein Angebot.«

Marco sah sie entsetzt an, wagte jedoch nicht, einzugreifen. Sie zu einer Meinungsänderung zu bewegen, wäre schwieriger als alles andere auf der Welt.

»Und was wirst du jetzt tun?«

Er hob die Arme. »Ich habe ein paar Dinge in Kilemi zu regeln und werde eine Menge Fragen beantworten müssen. Ich werde versuchen, das schnell hinter mich zu bringen, und anschließend nach Italien zurückkehren. Auch in der Pharmacon erwarten mich Fragen.«

Es entging Anna keineswegs, dass er den reuigen Sünder nur spielte, dennoch fühlte sie sich von ihm angezogen. Als sie das Camp aufgebaut hatten, waren noch berechtigte Zweifel erlaubt gewesen, ob dieser Mann ein Mörder war. Dann war eine neue Wahrheit aufgetaucht, und nun hatte sie hingegen die Gewissheit, dass er ein Verrückter ohne Sinn und Verstand war, der mit voller Absicht Tiere für ein irrsinniges Projekt infiziert hatte. War es diese unerklärliche Anziehungskraft oder etwas anderes, was sie dazu trieb, auch noch die letzten Fragen auszusprechen?

»Luisa Mori.«

»Wie kommst du jetzt auf Luisa?« Teos Miene verwandelte sich in Sekundenschnelle. Das getroffene Tier von vor einigen Augenblicken war nun wieder bereit zum Angriff.

»Es gibt da etwas, was du nicht weißt. Deine Sekretärin Luisa Mori, die ich nie kennen gelernt habe, hat mir vor ihrem Tod eine E-Mail geschickt, in der sie schrieb, dass sie wichtige Informationen für mich habe. Leider habe ich nie mehr darüber erfahren, weil sie in jener Nacht ermordet wurde. Was wollte sie mir sagen, Teo? Weißt du es?«

All das war für ihn Schnee von gestern.

»Vielleicht war sie hinter die Geschichte mit dem Virus und den Gorillas gekommen und wollte dich warnen. Aber ich möchte nicht über sie reden.«

Anna gab sich noch nicht geschlagen. »Bleibt eine letzte Frage, die du noch nicht beantwortet hast.«

»Schieß los. Heute ist der Tag der Bekenntnisse.«

»Wer ist Lara?«

Seine Miene versteinerte sich wie damals kurz nach Martinos Tod.

»Das ist eine lange Geschichte, eine sehr lange Geschichte. LARA lag schon im Sterben, aber nun erblüht sie zu neuem Leben.«

Er sagte das im Brustton der Überzeugung, so dass sie lieber nicht weiterfragte. Außerdem war ihre Gefühlslage nicht gerade dazu angetan, mehr über diese Frau zu erfahren.

»Wirst du die Nacht hier bleiben?«

»Heute schaffe ich es wohl kaum mehr bei Tageslicht zurück. Ich breche morgen in aller Frühe auf.«

»Verstehe.«

Marco hingegen verstand nichts, doch vielleicht verstand er auch nur zu gut.

Sie hatte sofort gewusst, was passieren würde, von dem Moment an, als sie Teo ins Camp hatte zurückkommen sehen. Die ganze erregte Diskussion hatte ihren Entschluss nicht beeinflusst, ebenso wenig wie die Reihe von Lügen, die dieser Mann ihnen aufgetischt hatte. Es war kurz nach zehn, als sie sein Zelt betrat.

»Ich habe auf dich gewartet«, sagte Teo.

»Bin ich so berechenbar?«, erwiderte sie, während sie ihre Bluse aufknöpfte.

»Nein, ich habe nur auf dich gewartet, mehr nicht. Ich wusste nicht, ob du kommen würdest.«

»Er lügt immer noch«, dachte Anna.

Teo zog sie zu sich herunter und streichelte ihre Brüste. Diese Zärtlichkeit genügte, damit innerhalb kürzester Zeit alle Anspannung der letzten Stunden von ihr abfiel und sie sich völlig leer fühlte.

»Wir werden uns nicht wiedersehen, Teo. Diese Geschichte lebt und stirbt in Afrika.«

»Sterben und Tod. Kann es sein, dass in diesem verfluchten Land von nichts anderem geredet wird?«

»Verfluche Afrika nicht. Dies ist seine Natur. Ich glaube, dass der erste Mensch auf der Erde hier gelebt hat, denn es ist ein wunderbarer Ort. Das Paradies auf Erden, weißt du? Ich habe mir immer vorgestellt, dass das Paradies ein realer Ort sein müsse, kein Fantasieprodukt. Und schau, was daraus geworden ist. Es ist erschüttert von Gewalttätigkeiten, von Kriegen, Raubzügen, von Krankheiten und wilden Tieren. Ohne Hoffnung und manchmal auch ohne Würde. Aber das ist nicht Afrika, das sind wir. Der Mensch zerstört das irdische Paradies systematisch.«

In dieser Nacht kam der Leopard nicht zurück. Er hatte im Innern des Waldes leichte Beute gefunden und verzehrte in aller Ruhe sein Mahl. Die Schimpansen schliefen in ihren Verstecken auf den Bäumen, aber ihre Sinne waren auf der Hut. Auch der Urwald dämmerte vor sich hin. Er schien mit sich selbst Frieden geschlossen zu haben.

Wie immer wurden sie von einem dunstigen Morgengrauen geweckt. Anna suchte die Wärme von Teos Körper, doch er stieß sie schroff zurück, stand auf und zündete die kleine Lampe an.

»Kann ich noch bleiben?«, fragte sie.

»Wie du willst. Ich ziehe mich an. Ich darf keine Zeit verlieren, wenn ich am frühen Nachmittag in Kilemi sein will.«

Sie musste wieder eingenickt sein, denn als sie die Augen das nächste Mal öffnete, war es viel heller und Teo so gut wie fertig. Er verstaute gerade die letzten Sachen in seinem Rucksack.

»Lacoste«, murmelte sie.

»Was sagst du?«

»Lacoste. Weißt du noch, wie wir uns das erste Mal begegnet sind, in Florenz? Du hast gut gerochen, Lacoste eben.«

»Aha.«

Sie erhob sich vom Bett und stand vollkommen nackt vor ihm. Die Kälte spürte sie nicht.

»Du benutzt diesen Duft nicht mehr, stimmt's?«, sagte sie und hielt ihm den Flakon eines anderen Parfüms hin, dasselbe, das sie vor zwei Tagen aus den Augenwinkeln gesehen hatte, als sie aus dem Zelt geschlüpft war. »Lass mich mal riechen.« Sie schraubte den Verschluss auf und schnupperte.

Eisige Kälte kroch ihr in die Knochen.

Sie kannte diesen Duft. Dann war es also nicht Martino gewesen, der sie in Florenz überfallen hatte.

Basiscamp, Singapur, Washington

Zwei Stunden nachdem Teo aufgebrochen war, ertönte das Knattern des Hubschraubers über dem Lager.

Anna und Marco waren noch im Camp und überlegten, wie sie die nächsten vierzehn Tage am besten nutzen sollten. Ihre Meinungen darüber gingen deutlich auseinander. Während sie weiter die Gorillas beobachten wollte, zog Marco es vor, den Forschungschwerpunkt auf die Schimpansenkolonie in ihrer Nähe zu verlagern. Für das CMM wäre dies sicherlich die lohnenswertere Lösung, da diese Tiere, wie Bic am ersten Tag erwähnt hatte, noch nie mit Menschen in Berührung gekommen waren und daher ein ideales Studienobjekt darstellten. Anna stimmte dem zwar zu, war aber im Geiste noch immer oben auf dem Hügel. Seit sie nicht mehr über die Bilder der Webcam verfügte, fühlte sie sich den Gorillas ferner denn je. Es war, als hätte sie mit dem Entfernen des Kameraobjektivs eine innige Verbindung gekappt.

Als Erstes setzten sie Lazarus von Teos beunruhigenden Neuigkeiten in Kenntnis und berichteten, dass er die Gorillas absichtlich infiziert hatte. Seiner Reaktion zufolge hatte der Arzt nichts anderes erwartet.

»Hör zu, Anna, wir haben ganz andere Probleme. Nach dem, was ich bisher weiß, sind Martino, Norman und die sechs Männer wahrscheinlich an derselben Sache gestorben. Wir kennen den Krankheitserreger noch nicht, doch die Symptome und die Autopsieergebnisse sind sich auffallend ähnlich. Irgendetwas hat den Verlauf der Krankheit rasant beschleunigt und innerhalb weniger Tage zu Lungen-Komplikationen geführt. Sie sind allesamt erstickt, bekamen keine Luft mehr. So etwas habe ich noch nie zuvor gesehen. Es ist, als wäre ihre Immunabwehr auf einem Schlag völlig zusammengebrochen.«

»Dann ist es also wirklich ein Virus ...«

»Unsere erste und immer noch wahrscheinlichste Hypothese. Da im Kentrax-Lager mit Pflanzenteilen vom Gorillahügel hantiert wurde, muss es eine Verbindung geben zwischen den Toten im Camp und denen im Labor. Aber ich muss noch einmal auf Blasti zurückkommen. Hat er wirklich von einem Rhinovirus gesprochen?«

»Ja, ganz sicher.«

»Er hat jedoch nicht gesagt, welches Rhinovirus? Es existieren über hundert davon.«

»Nein, hat er nicht. Er sagte nur, dass es eines von vielen gewesen sei und nicht das aggressivste.«

Lazarus schüttelte den Kopf. »Diese Viren haben unendlich viele Angriffstaktiken. Sie sind weitaus schlauer als wir, verändern sich ständig und können sich problemlos ihrer Umgebung anpassen, um zu überleben. Wie einige Bakterien, die bei ihrem Tod Wächter zurücklassen, um herauszufinden, wie die Antibiotika-Fallen zu umgehen sind. Je kleiner der Ausschnitt, den du betrachtest, umso schneller und effizienter der Informationsaustausch. Aber immerhin, es ist schon ein großer Gewinn, dass er das Rhinovirus erwähnt hat.«

»Wieso?«

»So haben wir zumindest einen Anhaltspunkt. Wenn meine Vermutung stimmt und das Virus während der Replikation im Leib der Gorillas mutiert ist, hilft es uns schon enorm, wenn wir seine, ich nenne sie mal Matrix, kennen. RNA-Viren, wie eure Kollegen sie benutzt haben, weisen von Natur aus eine hohe Mutationsrate auf.«

»Ich war ja selbst auf dem Hügel. Und ich kann dir versichern, dass es den Gorillas gut geht. Warum sind sie nicht gestorben?«

Der Arzt hob lächelnd die Arme. »Dafür kann es viele Gründe geben, Anna. Was wissen wir schon über Gorillas? Welche Informationen tragen diese beiden zusätzlichen Chromosomen, die sie von uns unterscheiden? Natürlich ist unser genetisches Erbgut quasi identisch, doch hast du eine Vorstellung, wie viele ›Lebensinstruktionen‹ sich auf diesen winzigen zwei Prozent DNA befinden? Am wahrscheinlichsten ist, dass das Virus sich in einen Typus verwandelt hat, gegen den die Gorillas spezifische Antikörper besitzen und wir nicht.«

»Kann es denn sein, dass ein weitgehend harmloses Virus eine derart drastische Veränderung durchmacht und zum Killer mutiert?«

»In diesem Bereich ist nichts unmöglich. Auch das genaue Gegenteil kann geschehen. Von einem völlig bedeutungslosen Virus zu einem sehr nützlichen. Wenn wir das Problem mal von einer anderen Seite aus betrachten, entdecken wir, dass wir es mit hoch komplexen Maschinen zu tun haben, die womöglich kostbare Arbeit für uns leisten. An der Cornell University wurde ein mutiertes Rhinovirus zur Bekämpfung von Mukoviszidose eingesetzt, indem man sich seine außergewöhnliche Fähigkeit zu Nutze machte, in Zellen einzudringen. Stell dir einen Lkw vor: Man kann ihn für verschiedene Zwecke nutzen, um Drogen zu transportieren oder Hilfsgüter für Krisenregionen. Der Vergleich ist vielleicht etwas weit hergeholt, aber er trifft den Sachverhalt genau. Unser Problem ist es jetzt, herauszufinden, was zum Teufel der Lkw transportierte, der Martino, Norman und die anderen überfahren hat. Und dazu brauchen wir den Wirt, den Gorilla.«

»Mist! Ist das wirklich so wichtig?«

»Mit Hilfe des Wirts kannst du feststellen, wie das Virus sich in der Natur ernährt hat, und wenn du das weißt, kannst du besser die Gegenmittel erforschen. Um es kurz zu machen, ich brauche eine Blutprobe.«

Marco stöhnte auf. »Oh nein, jetzt fang du nicht auch noch an!«

»Es führt kein Weg daran vorbei.«

»Wir haben ein wenig Nasenschleim, wie gesagt.« Anna erzählte ihm, was sie auf dem Hügel erlebt hatten.

»Ehrlich gesagt, glaube ich nicht, dass das ausreicht. Eure Beute kann mir ein grobes Bild liefern, wie ein Foto, doch die Bilderklärung kann ich nur dem Blut entnehmen.«

»Und wie sollen wir vorgehen?«

»Wir werden ein Betäubungsmittel einsetzen.«

»Hast du das schon einmal gemacht?«

»Ich selbst nicht«, gab Lazarus zu. »Ich habe zwar schon mal recht große Tiere betäubt, aber nie Wesen dieses Ausmaßes. Wir könnten es an einem der Jungen versuchen.«

»Ausgeschlossen. Die Weibchen passen zu gut auf sie auf und würden das niemals zulassen. Lieber würden sie selbst sterben, was auch die Wilddiebe ganz genau wissen. Nein, wenn es sein muss, dann such dir einen Erwachsenen aus.«

»Den Anführer der Herde?«

Da sie wusste, worauf es hinauslaufen würde, machte sie selbst den Vorschlag. »Nein, aber ich kenne ein Exemplar, das für deine Zwecke geeignet wäre. Es ist ein erwachsenes Männchen, wenn auch nicht der Silberrücken. Ein Gorilla, der andauernd mit Fressen beschäftigt ist.«

Armer Nostril, jetzt wurde er also auf dem Altar der Wissenschaft geopfert.

»Hör zu, Lazarus«, fuhr Anna fort, die alles andere als überzeugt von seinen Plänen war, »ein Betäubungsmittel kann uns eine Menge Scherereien bringen. Es ist absolut ungewiss, wie die Gruppe auf so etwas reagiert. Wahrscheinlich würde eine Panik ausbrechen. Außerdem darfst du nicht vergessen, dass diese Tiere sehr geschickt sind, sie könnten die Spritze packen und herausziehen, sobald sie den Stich spüren. Wir müssen da sehr vorsichtig vorgehen.«

»Na, dann rück mal raus mit deiner Idee, damit wir's kurz machen können.«

»Wenn wir das Narkotikum Nostril, also diesem einen Gorilla, ins Fressen geben, schläft er vielleicht von selbst ein.«

Marco sprang wie von der Tarantel gestochen auf. »Hast du sie noch alle? Und wenn er plötzlich aufwacht, was sagen wir dann? ›Los Junge, nur Mut, was ist schon eine kleine Spritze‹?«

Anna war nicht zum Lachen zu Mute. »Das ist dann dein Problem, mein Lieber. Denn du wirst derjenige sein, der neben ihm sitzt, Händchen hält und ihn beruhigt. Oder machst du dir schon vor Angst in die Hose?«

»Bitte ...« Lazarus versuchte, die beiden zu beruhigen, ehe der Streit ausartete. »Dein Vorschlag ist wirklich zu riskant, Anna. Welche Sicherheit haben wir, ob die Dosis ausreicht? Keine. Aber die Richtung stimmt. Keine Sorge, mir wird schon noch was einfallen.«

Sie war weniger zuversichtlich. »Beantworte mir noch eine Frage, Lazarus, eine ganz einfache. Für wen machen wir das eigentlich alles?«

Der Arzt wurde ernst.

»Für dich, Anna. Ich tue das nur, damit du eine letzte Chance bekommst. Wenn wir den CDC einschalten, kannst du dich von deinen Gorillas verabschieden. Diese Leute fackeln nicht lange, wenn sie hören, dass womöglich ein letales Virus im Spiel ist. Daher möchte ich ihnen zuvorkommen und selbst die Antwort herausfinden. Dann entwickeln sich die Dinge vielleicht anders. Gleichzeitig versichere ich dir, dass ich bei dem geringsten Anzeichen von Gefahr augenblicklich Atlanta informiere. Habe ich mich klar genug ausgedrückt?«

»Lazarus, du bist ein Schatz. Also, bist du bereit zur Blutabnahme?«

Als Antwort schenkte der Arzt ihr ein breites Lächeln, das seine strahlend weißen Zähne zeigte. »Nein, mein Mädchen, wir haben uns wohl noch nicht ganz verstanden. Du wirst die Blutabnahme durchführen.«

»Ich? Du bist doch der Arzt.«

»Eben, deshalb werde ich dabei sein und Puls und Atmung des Patienten im Auge behalten. Oder möchtest du, dass er aufwacht, während du noch mit der Spritze in seiner Vene hantierst?«

Damit saß sie in der Falle.

Nachdem sie sich für den kommenden Tag verabredet hatten, eilte Lazarus zum Hubschrauber. Der Pilot machte ihm schon wild gestikulierend Zeichen, dass sie keine Zeit zu verlieren hätten.

Während der Arzt abhob und Anna zum Abschied zuwinkte, erstarb das Lächeln auf seinen Lippen. Er war nicht ganz ehrlich zu ihr gewesen, oder besser gesagt, er hatte ihr einige seiner Bedenken verschwiegen. Denn selbst wenn sie dem CDC in dem Wettlauf um das Virus zuvorkamen, hieß das noch lange nicht, dass sie die Ersten wären. Und als Zweite das Ziel zu erreichen, konnte in diesem Falle tragische Folgen haben.

Am Nachmittag desselben Tages startete ein elegant gekleideter Italiener vom Flughafen Entebbe in der DC9 einer südafrikanischen Fluggesellschaft in Richtung Kapstadt. Von dort aus würde er mit einem Anschlussflug wieder zum Äquator zurückkehren, jedoch um einiges weiter östlich. Sein Flugziel war Asien – Singapur.

Joffe hatte ihn persönlich zum Flughafen gebracht. Nach einem intensiven E-Mail-Wechsel mit dem Raffles Hotel hatte Mr Song Ho, höchster Gott der Timber East Company, zum Erstaunen des Franzosen angeordnet, ihm den Italiener so schnell wie möglich vorbeizuschicken. Joffe konnte sich den Grund für die Eile und die Heimlichtuerei denken und die Sache gefiel ihm ganz und gar nicht.

Im Jahr 1995, als das Drama um die Ebola-Epidemie in Zaire seinen Höhepunkt erreichte, kursierte weltweit ein Vertrag, der nicht nur die Polizei aller möglichen Länder, sondern auch die Schaltstellen des internationalen Terrorismus, das Pentagon, das organisierte Verbrechen sowie die Geheimdienste in helle Aufregung versetzte. Wie so oft in solchen Fällen warben Vertreter beider Seiten um ihn. Japans neobuddhistische Aum-Sekte des heiligen Asahara, verantwortlich für den Gasanschlag auf die Tokioter U-Bahn, war bereit, fünfzig Millionen Dollar zu zahlen, um in den Besitz einer Probe mit dem Virus zu kommen. In ihren Händen wäre das Virus zur tödlichen Waffe geworden, fähig, Terror zu säen und einen Großteil des Planeten zu vernichten, oder aber ein kostbares Handelsgut, um mit Regierungen ins Geschäft zu kommen, die ihre Arsenale an bakteriologischen Waffen aufstocken wollten. Auch die Timber East Company hatte sich an dem gefährlichen Spiel beteiligt. Ihr Einfluss in Afrika und ihre Präsenz selbst in den hintersten Winkeln des Urwaldes, dessen unendliche Artenvielfalt an Tieren und Pflanzen eine ideale Brutstätte für bekannte und unbekannte Viren darstellte, Ebola eingeschlossen, bargen interessante Möglichkeiten. Die Verhandlungen hatte Song Ho persönlich in seinem streng bewachten Hotelzimmer im Raffles geführt. Sämtliche Mitarbeiter auf den Lichtungen der TEC wurden angewiesen, nach dem geheimnisvollen Wirt zu suchen, der am Anfang der tödlichen Ebola-Kette stand.

Offiziell war er nie gefunden worden und der Vertrag demnach nie zustande gekommen.

Dies wusste Song Ho und so hatten ihn bereits die ersten Nachrichten des Sicherheitschefs von der TEC in Uganda alarmiert. Wahrscheinlich handelte es sich nicht um das Ebola-Virus, doch solche Angelegenheiten waren nur eine Frage des Preises. Der Markt für tödliche Viren war immer offen. Dann hatte er die Nachrichten des Italieners erhalten, der den Berichten aus Kilemi zufolge direkt in die Geschichte verwickelt war. Der Mann hatte offenbar wichtige Neuigkeiten, und eine innere Stimme sagte Ho, dass es sich lohnen würde, ihn anzuhören.

Richard Allen hatte das Talent, stets den richtigen Ansprechpartner bei der NASA ausfindig zu machen, denn er kannte ihr Gefüge bis in die kleinsten Verzweigungen. In jenen Tagen schwelgte die gesamte Behörde noch in dem außergewöhnlichen Erfolg der Mission mit dem alten Astronauten und das Büro für Public Relations feierte wahre Triumphe. Die wissenschaftlichen Forschungen wurden zum Vehikel einer riesigen »Imagekampagne«, mit der das Interesse für die Weltraumorganisation wieder neu belebt werden sollte.

Er wählte die Nummer eines seiner zahlreichen alten Freunde dort.

»Hier ist Dick.«

»Wie schön, dich mal wieder zu hören! Wir feiern hier gerade den Monat des Alten.«

»Dachte ich mir. Ich möchte dich um einen kleinen Gefallen bitten ...«

»Nur zu, Dick. Ich weiß, worauf du hinauswillst. Die Aufnahmen, die der X-SAR2 von Uganda gemacht hat.«

»Genau. Könntest du sie bei der Analyse bitte vorziehen? Alles andere hat doch gewiss Zeit bis nach den Feierlichkeiten.«

»Stimmt. Wie könnte ich einem alten Freund etwas abschlagen? Übrigens liegen sie sowieso schon auf meinem Tisch, zumindest die zweidimensionalen Aufnahmen. Für die 3-D-Bilder müssen wir auf die Computer warten, das liegt nicht an mir.«

»Du sitzt schon dran? Unglaublich!«

»Ich wusste, dass du mich anrufen und so lange nerven würdest, bis du sie in den Händen hältst. Deshalb habe ich mich beeilt. Ich lasse sie dir sofort zukommen.«

»Genau das hat uns als Erste auf den Mond gebracht: die Fähigkeit, Dinge vorauszusehen. Ich schulde dir einen Gefallen.«

»Den kannst du sofort einlösen.«

»Nur zu, sag mir, wie.«

»Ruf mich bitte nie wieder an.«

Von: dickal@mail1.jpl.nasa.gov
An: gioelbe@cmm.edu
Betreff: Aufnahmen Discovery

Lieber Gioele,
als Anhang erhältst du die erste Serie der beiden Aufnahmen, um die du mich gebeten hattest. In einer anderen Datei findest du alle notwendigen Er-

läuterungen. Falls du weitere Informationen benötigst, lass es mich wissen.
Ich hoffe, dir damit geholfen zu haben.
Richard Allen

Gelobt sei das Kommunikationsmittel E-Mail! Hier konnte sich einer der klügsten Köpfe der NASA auf dieselbe Ebene mit einem völligen Ignoranten stellen, der seinen Ausführungen nicht mal zwei Minuten folgen könnte. Treiber öffnete den Anhang auf seinem Computer.

Die Ruhe des afrikanischen Abends stand im krassen Gegensatz zu Annas Gemütszustand.

»Hör zu, Marco, wir müssen uns auf alle Eventualitäten einstellen.«

Als genügte nicht das, was sie sowieso schon taten.

»Was meinst du mit ›alle Eventualitäten‹?«

»Nehmen wir einmal an, die Untersuchungsergebnisse sind positiv und die Gorillas da oben tragen wirklich das tödliche Virus mit sich herum. Was machen wir dann?«

»Ich denke, Lazarus hat sich da klar genug ausgedrückt. Wir übergeben die ganze Sache dem CDC.«

Anna schwieg.

»An was denkst du, Schwesterchen? Du treibst mich noch in den Wahnsinn.«

Keine Reaktion.

»Du machst mir nichts vor. Du planst doch etwas und hast nur Angst, es auszusprechen.«

Endlich rührte sie sich wieder. »Nein, nein. War nur so eine Idee, aber es wäre zu früh, darüber zu reden. Ich leg mich jetzt schlafen.«

Er konnte das Thema auf viele Arten ansprechen und

entschied sich für die einfühlsame Variante. »Fehlt er dir sehr?«

»Wer? Teo?«

»Ja.«

»Er fehlt mir überhaupt nicht, und weißt du, warum? Weil er nicht leibhaftig vor mir steht. Ich habe niemals auch nur die leiseste Spur eines Gefühls für diesen Mann empfunden.« Sie sah ihn zärtlich an und schwieg.

Wieder wurde sie von Hubschrauberlärm geweckt. Sie öffnete die Augen und merkte, dass es schon heller Tag war. Noch nie hatte sie im Camp so lange geschlafen. Eilig wusch sie sich im eiskalten Wasser und war innerhalb einer Minute angezogen.

Marco trat gerade aus seinem Zelt, die übrigen Männer standen etwas abseits. Sie waren schon länger auf und unterhielten sich, während sie auf die Anweisungen für den Tag warteten.

Anna lief zu dem Helikopter der TEC, der gerade unter einem Wirbelsturm aus Gras und Erde auf dem Boden aufsetzte. Der große Tag war also gekommen. Sie würden auf den Hügel steigen und Nostril betäuben, um ihm eine Blutprobe zu entnehmen.

Lazarus' Blick verhieß nichts Gutes. Der Arzt packte sie am Arm und zog sie vom Hubschrauber weg, um mit ihr zu reden.

»Du tust mir weh! Darf man wissen, was los ist? Hast du etwa deine Meinung geändert?«

»Anna, es hat alles keinen Sinn mehr. Wir brauchen die Blutprobe nicht mehr.«

»Wieso?«

»Die Laborergebnisse aus Masaka sind gekommen. Virus-RNA Level Vier, also absolut tödlich. Wahrscheinlich eine Abart des normalen Rhinovirus, mit dem Unterschied, dass es sofort das gesamte Immunsystem lahm legt. Es dringt in die Zelle ein und zerstört alles. In der Natur gibt es nichts Vergleichbares.«

Basiscamp, Singapur, Gorillahügel

Sie wusste, dass es nicht einfach war, ihr zu widerstehen, selbst für einen Mann wie Lazarus, und so bot sie alle Waffen auf, von Arroganz über Dickköpfigkeit, Aufdringlichkeit, Drohen, Schmeicheln bis hin zum Sarkasmus. Schließlich gelang es ihr durch geschicktes Umgarnen, ihm eine Reihe von Versprechen abzuringen. Sie würden auf den Berg steigen und dort eine Blutprobe nehmen. Was die Nachrichten aus Masaka betraf, würden sie zunächst einmal die endgültigen Ergebnisse abwarten, bevor sie Atlanta alarmierten. Das beruhigte Anna, denn für ihren Plan musste sie unbedingt Zeit gewinnen. Mit viel Mühe gelang es ihr, Lazarus genau sieben Tage abzuringen, nicht einen mehr.

Teo landete pünktlich in Singapur und fuhr trotz des Verkehrs wenige Minuten später vor dem Raffles Hotel vor. Hier wurde er im Garten von Song Ho höchstpersönlich empfangen. Sie übersprangen alle Formalitäten, was der Chinese sehr begrüßte.

»Nun, Signor Blasti, ich höre.«

Teos Strategie war denkbar einfach. Er wollte die Wahrheit sagen, die ungeschminkte Wahrheit. Schließlich war er alles andere als naiv und konnte sich denken, dass die Timber East Company über zahlreiche Informanten in Uganda verfügte und somit längst über das Camp und die damit verbundene Expedition Bescheid wusste. Deshalb erzählte er alle Einzelheiten, ohne jedoch die Akte LARA ausdrücklich zu erwähnen. Zweck des Dokumentarfilms war es, so erklärte er, möglichst unauffällig die Gorillas zu infizieren und mit ihrer Hilfe die Substanz zu finden, aus der sie eine Arznei gegen Erkältung entwickeln konnten. Er ließ nichts aus: ihre Sammlung von Proben auf dem Gorillahügel, die Quarantäne, zu der ihre Beraterin sie gezwungen hatte und wie sie diese umgangen hatten, um an mehr Material zu gelangen. Er ließ sich ausführlich über Martinos Tod und die Symptome aus, die er im Verlauf der Krankheit gezeigt hatte. Zuletzt kam er auf das Kentrax-Lager zu sprechen und beschrieb in allen Einzelheiten, wie sie das Labor eingerichtet hatten und welche Aufgabe Mari zugekommen war.

Ho nickte unmerklich, so als würden Teos Worte lediglich das bestätigen, was er sowieso schon wusste. Ihm gefiel dieser Italiener, der sich nicht in überflüssigen Details verlor, aber gleichzeitig ein sicheres Gespür dafür hatte, welche Einzelheit, und sei sie auch noch so klein, eine wichtige Rolle in der Geschichte spielte.

»Wir brauchen uns nichts vorzumachen, Signor Blasti«, lächelte er und entblößte dabei eine gelbe Zahnreihe. »Wir gehören derselben Spezies an. Biopiraten nennt man uns. Wir führen einen Freibeuterkrieg, der nicht auf den Meeren, sondern in den Tropenwäldern ausgetragen wird. Wir suchen nicht nach Schatzkisten voll Gold und Silber, sondern lebende Reichtümer. Ich nach billigem Holz, Sie nach Molekülen, das macht keinen Unterschied. Über unserem Unternehmen weht keine Piratenflagge und wir haben weder Haken noch Holzbeine oder schwarze Augenbinden. Und doch sind wir in gewisser Weise die Nachfahren von Morgan und L'Ollonois. Wir rauben nicht, wir plündern. Ganz legal, wie Drake, der in der Gunst der Königin stand ... Aber nun lassen Sie mich hören, was Sie mir anzubieten haben.«

Teo setzte sich in seinem Stuhl zurecht. »In dem Labor des Kentrax-Lagers habe ich die Ergebnisse der ersten Analysen entdeckt, die unser Techniker vorgenommen hat. Ich kann nicht genau sagen, was wir dort oben ausgelöst haben, doch das Ergebnis weist auf ein Virus mit Letalitätsfaktor Vier hin. Ein unbekanntes Virus, das innerhalb von zwei, drei Tagen tötet.«

Eine lange Pause entstand. Song Ho musterte ihn aufmerksam. »Warum kommen Sie damit zu mir?«

»Eigentlich sind Sie zu mir gekommen. Ich hatte keine andere Wahl, als alles zu erzählen, sonst hätten mich Ihre Männer wahrscheinlich nicht lebend aus Uganda herausgelassen. Ich arbeite in der Pharmaindustrie, daher weiß ich, dass viele Menschen sich sehr für diesen Virustyp interessieren – wenn auch nicht aus wissenschaftlichen Gründen. Es ist vollkommen undenkbar, dass die TEC mit ihren über ganz Afrika verstreuten Aktivitäten nicht über diesen Parallelmarkt informiert ist. Ich bin überzeugt, dass Sie mich mit einem passenden Kunden in Kontakt bringen können.«

Der Tonfall des Chinesen veränderte sich. »Wir sind keine Agenten, Signor Blasti, wir stellen keine Kontakte her. Ich habe nicht die geringste Ahnung, auf welche Kunden sie anspielen, auch wenn der Markt, von dem Sie reden, mir sehr wohl bekannt ist. Wenn wir also irgendwie ins Geschäft kommen wollen, dann nur auf einem Weg: Sie verhandeln mit uns oder gar nicht.«

»Von mir aus ist das kein Problem.«

»Gut. Sie sind im Besitz des Virus-Materials?«

»Ja.«

»Ich vermute, dass Sie es nicht mit nach Singapur gebracht haben.«

»Selbstverständlich nicht.«

»Es befindet sich an einem sicheren Ort?«

»Ganz sicher.«

»Sie müssen uns natürlich Beweise dafür liefern, dass Ihre Worte der Wahrheit entsprechen. Aber ich werde ihnen erst einmal Glauben schenken. Und nun, da wir schon dabei sind: Welche Summe versprechen Sie sich von dem Verkauf?«

Teo liebte es, mit solchen Leuten Geschäfte zu machen.

»Dreißig Millionen Dollar.«

Song Ho zeigte nicht die geringste Reaktion, kein Lächeln, kein Atemholen, kein Anzeichen von Irritation.

»Für dreißig Millionen Dollar, Signor Blasti, kann ich ein kleines afrikanisches Land erstehen.«

»Nur weiter so«, dachte Blasti, »der Ball ist immer noch in deinem Feld«.

»Aber Sie haben Glück, Italiener. Ich biete Ihnen drei Millionen Dollar.«

Mehr als ein zwanzigstel der Summe, die die Japaner vor drei Jahren für das Ebola-Virus bezahlt hätten.

Teo Blasti überlegte einen Augenblick, ob er feilschen sollte, doch dann sagte er sich, dass er Song Ho nicht mit einem beliebigen Händler verwechseln durfte. Also schlug er ohne weitere Diskussion ein.

Die Akte LARA erblühte zu neuem Leben.

Zwei Stunden lang wurde ihre Geduld auf eine harte Probe gestellt, bis Nostril sich endlich allein auf der Lichtung befand. Sie hatten einen wahren Schlachtplan ausgearbeitet. Bic, Lazarus und Anna würden in der Nähe ihres Opfers bleiben, während Marco und die anderen Träger den Rest der Gruppe in Schach hielten. Anna hatte im Computer eine ältere Datei ausgewertet, in der alle Beobachtungsdaten der Webcam aufgezeichnet waren, und festgestellt, dass um zwölf Uhr herum die Lichtung fast immer leer war bis auf Nostril, der sich einer seiner zahlreichen Mahlzeiten widmete. Deshalb hatten sie die Mittagszeit zum besten Zeitpunkt auserkoren.

Natürlich schien ausgerechnet an diesem Tag Punkt zwölf die Lichtung vor Gorillas geradezu zu bersten, und es dauerte ein paar Stunden, bis sie sich wieder lichtete. Endlich konnten sie mit ihrer Aktion beginnen.

Lazarus besaß kein Gewehr. Stattdessen hatte er ein langes Blasrohr und eine Schachtel mitgebracht, aus der er vorsichtig eine rot gefärbte Metallspitze herauszog.

»Gütiger Himmel, Lazarus, was ist das denn?«

»Du vergisst, dass ich hier geboren bin. Willst du die Wahrheit wissen? Ich habe nicht die geringste Ahnung, was das ist, aber es stammt von einem meiner Zauberkollegen. Es legt für ein paar Sekunden das Nervenzentrum lahm, so dass man das Betäubungsmittel injizieren kann. Wir bedienen uns folglich einer Mischtechnik. Geheimnisvolles afrikanisches Gift und moderne Medizin, dreißig Milligramm Ketavet pro Kilo Körpergewicht. Das dürfte genügen. Und mit dem Blasrohr fühle ich mich sicherer als mit einem Gewehr. Du weißt ja nicht, wie genau ich damit treffen kann. Als Junge habe ich das tausend Mal gemacht.«

Anna witterte ihre Chance. »Sehr gut, du spritzt also das Betäubungsmittel und nimmst dann die Blutprobe.«

»Nein, meine Liebe, mach dir keine Hoffnung. Wenn das Tier erst einmal von dem Ketavet eingeschlafen ist, muss es ständig überwacht werden. Und zwar von mir.«

Nostril saß in aller Ruhe ein paar Schritte von ihnen entfernt und ahnte nichts Böses.

»Bist du bereit?«

Ohne ihre Antwort abzuwarten, lud Lazarus das Blasrohr, pustete mit aller Kraft hinein und hoffte, gut gezielt zu haben. Der Pfeil bohrte sich genau richtig in das Fleisch des Tieres, das unmittelbar zu Boden stürzte.

»Wirkt es sofort?«, fragte Anna, die merkte, dass sie zitterte. Eine überflüssige Frage, denn der Arzt kniete schon neben dem Gorilla und spritzte ihm das Mittel. Fünfzehn Sekunden später näherte sich auf ein Zeichen hin Bic und bedeckte Nostrils Augen mit einem Tuch. Das Tier rührte sich nicht bis auf die langsamen, gleichmäßigen Atemzüge.

»Jetzt gehört er dir. Wir haben nicht viel Zeit.«

Sie zitterte und war ihrerseits wie gelähmt.

»Anna, los!« Lazarus ließ nicht locker.

»Ich kann das nicht.«

»Dieser Riese kann jeden Moment wieder aufwachen. Reiß dich jetzt zusammen, das hast du doch schon unzählige Male im Labor gemacht.«

»Aber an Mäusen, Lazarus!«

»Na eben. Der hier hat viel größere Venen. Das schafft sogar ein Blinder.«

Am liebsten hätte sie vor Wut geheult. Sich so zu blamieren und vor aller Augen in Panik zu geraten ...

Dieser eitle Gedanke rettete sie. »In Ordnung, ich komme. Ist er ruhig?«

»Ein wahrer Engel.«

Entweder war Lazarus sehr unvorsichtig oder er wusste genau, was er tat. Sie hoffte auf Letzteres, auch weil ihr nichts anderes übrig blieb.

»Pass auf, dass du dich nicht stichst. Denk an die Abmachung. Wenn etwas passiert, vergiss die Spritze und hau ab. Versuche auf keinen Fall, sie herauszuziehen, verstanden?«

»Auf keinen Fall herausziehen, okay.« Das Zittern hatte aufgehört. Sie kniete nun neben dem Tier, das einen unerträglichen Gestank ausdünstete.

»Der bringt uns um, ohne uns auch nur anzufassen.« Sie

versuchte, eine Vene unter dem dichten Beinfell ausfindig zu machen. »Was wird er wohl dazu sagen, wenn er plötzlich aufwacht und entdeckt, wo ich da gerade herumfummele?«

»Bete zu Gott, dass das nicht geschieht.«

Bic beobachtete sie schweigend, ohne irgendein Anzeichen von Nervosität zu zeigen.

»Hier, ich hab sie.«

»Atmung und Puls normal. Er schläft wie ein Murmeltier, hoffentlich habe ich es nicht übertrieben mit dem Ketavet.«

»Mir wäre es ganz lieb, wenn du übertrieben hättest.« Anna raffte sich auf und stach die Nadel in die Vene. Die Reaktion des Tieres war minimal, aber sie war da. »Nostril, du bist ein Schatz«, murmelte sie, während sie langsam und gleichmäßig die Spritze aufzog. »Das werde ich wieder gutmachen, das kannst du mir glauben.«

»Beeil dich, Anna, der Herzschlag hat sich verändert. Er kann jetzt jederzeit aufwachen.«

»Bin gleich fertig, bin gleich fertig.«

»Sehr gut. Pass auf, wenn du die Nadel rausziehst.«

Einen Moment später war sie schon in sicherer Entfernung. Auch Bic und Lazarus suchten schnell das Weite. Die drei brachten sich auf der Lichtung in Sicherheit.

»Hier ist deine Probe, Herr Doktor.«

Mit äußerster Vorsicht führte Lazarus die notwendigen Handgriffe aus.

Marco kam heran. »Seid ihr fertig? Hatte Anna Angst?«, fragte er Lazarus.

»Kein bisschen. Ruhige Hand, großer Mut.«

»Aber sie zittert ja.«

Sie sah ihn trotzig an. »Jetzt ja, jetzt zittere ich. Weil die Anspannung nachlässt, Dummkopf! Das nächste Mal kannst du es ja machen.«

Bic hatte sich inzwischen mit ein paar Trägern an den östlichen Rand der Hügelkuppe begeben. Ihm war dort in den letzten Tagen etwas Merkwürdiges aufgefallen, von dem er den anderen nichts gesagt hatte und das er nun überprüfen wollte. Einige Bäume wiesen leichte Anomalien auf, die dem ungeübten Auge entgehen mochten, nicht aber seinem. So etwas hatte er in der Gegend noch nie gesehen. Gut zehn Minuten betrachtete er eingehend Rinde und abgebrochene Äste. Irgendjemand hatte dort seine Unterschrift hinterlassen.

»*Tembo*«, murmelte er. Elefanten.

Wie waren sie nur so hoch hinaufgelangt?

Sobald die Italiener weg waren, würde er sich darum kümmern. Er kehrte zu den anderen zurück.

Sie stiegen schnell zum Camp hinab und Lazarus flog mit seiner Blutprobe davon. Sieben Tage Schonfrist, so lautete ihre Abmachung.

Nun waren sie wieder allein, die Situation, die Marco am meisten fürchtete. Er wollte gerade zu seinem Zelt gehen, als er hinter sich Annas Stimme hörte.

»Wir müssen reden. Sofort.«

Auf das Schlimmste gefasst, kehrte er um. »Was gibt's denn noch, Anna?«

»Wir gehen hier weg.«

Er traute seinen Ohren nicht. Hatte sie endlich Vernunft angenommen? »Das ist mal eine gute Idee. Vielleicht ist es besser, auf die Schimpansenstudien zu verzichten und nach Varese zurückzukehren.«

»Du verstehst mich nicht, Marco. Wir gehen weg von hier, aber nicht allein.«

»Und wen nehmen wir mit?«

»Rate mal.«

»Lustiges Spielchen. Doch mir fällt wahrlich niemand ein, den wir nach Italien mitnehmen können.«

»Ich habe gesagt, wir gehen hier weg, nicht, dass wir nach Italien zurückkehren.«

»Es reicht jetzt, Anna.«

»Ich werde die Gorillas von dem Hügel wegführen.«

Es glich dem Sprung in einen eiskalten See. Marco war einige Sekunden wie gelähmt. »Was wirst du?«

»Wie ich gesagt habe. Die Gorillas nehmen und an einen anderen Ort in Sicherheit bringen.«

»Gütiger Himmel, Anna, jetzt hast du völlig den Verstand verloren! Wie willst du denn fünfzehn Gorillas transportieren?«

»Ich transportiere sie ja nicht. Sie laufen selbst.«

»Ja klar, mit ihren kleinen Rucksäcken auf den Schultern wie frisch gebackene Pfadfinder. Hör doch auf!«

»Du glaubst mir nicht? Ich werde sie auf keinen Fall hier zurücklassen. Hast du sie gesehen? Es geht ihnen blendend.«

»Die Sache mit Nostril hat dich sehr aufgeregt, das verstehe ich gut. Schlaf jetzt erst mal eine Nacht darüber und dann reden wir weiter.«

»Ich habe bereits darüber geschlafen. Ich habe meine Entscheidung schon getroffen, bevor wir auf den Gorillaberg gestiegen sind. Warum, glaubst du, habe ich mir von Lazarus sieben Tage Zeit geben lassen?«

Dieser Alptraum schien niemals zu enden. »Denk doch mal nach, Schwesterchen. Du kannst nicht zu deinen Gorilla-Lieblingen gehen und sagen: ›Auf, Freunde, los geht's! Wir machen einen schönen Ausflug durch den Urwald.‹ Will das denn nicht in deinen Kopf rein?«

»Doch, natürlich.«

Diese Frau machte ihn fertig. »Und was also hast du vor?«

»Ich werde sie davon überzeugen, mir zu folgen. So weit gehen wir ja gar nicht. Wir müssen nur auf einen Berg weiter östlich. Dort findet sie garantiert niemand. Leider gibt es keinen Weg dorthin, aber dafür wird uns auch noch eine Lösung einfallen.«

»Aber wie, verflucht, willst du sie dazu bringen, dir zu folgen wie dem Rattenfänger höchstpersönlich?«

»Hör mir zu, Marco, nur eine Minute. Weißt du, über Gorillas werden unendlich viele Untersuchungen angestellt, denk nur mal an die Sprachforschungen oder die Experimente der Patterson mit Koko. Höchst interessante Forschungen, keine Frage, doch sie haben alle denselben Ansatz, den ich nicht teile. Wir versuchen, ihnen unser Zeichensystem aufzudrängen. Gorillas kommunizieren untereinander, das wissen wir, und wir wollen sie dazu zwingen, *wie wir* zu reden, sei es mit Worten oder Gesten, und erst dann sagen wir: ›Schau nur, wie intelligent sie sind!‹«. Koko kennt *unsere* Zeichensprache und kann selber über fünfhundert Zeichen bilden, sie beherrscht sogar ein Minimum an Syntax. Sehr schön, aber welche Syntax? Unsere. Um ihre hat sich noch nie jemand geschert. Wir gehen sogar so weit, dieses arme Gorillaweibchen in einen Chatroom zu schicken, mit dem enttäuschenden Resultat, dass es sich zu Tode langweilt. Kein Wunder, ich finde diese Chatrooms auch zum Gähnen.«

Sie hielt kurz inne, jedoch nicht lang genug, als dass er hätte intervenieren können.

»So gibt es immer etwas, was uns von ihnen trennt. Auch wenn wir sie studieren und lieben, der Zaun wird niemals eingerissen, weil wir die dominierende Spezies sind. Sie sind dumm und wir müssen ihnen etwas beibringen. Jetzt denk doch mal dagegen an den Mann, der mit den Vögeln sprach. Er erwartete keine Antworten, er wollte nicht ihre Intelligenz messen oder sie anderweitig erforschen. Vielleicht war er verrückt, aber er wurde ein Heiliger. – Kannst du mir folgen?«

»Mehr oder weniger.«

»Ich möchte diesen Zaun überspringen. Wenn ich sie überreden will, mir zu folgen, und dabei auf meiner Seite bleibe, habe ich schon verloren, das stimmt. Doch wenn ich mich in ihre Logik eindenke, wenn ich ihre Sprache verwende, ihren Gedankengängen folge, dann könnte es durchaus anders ausgehen. In *ihrem* Code, verstehst du, nicht in meinem. In *ihrer* Welt, nicht in meiner. Auf *ihrer* Entwicklungsstufe, nicht auf meiner.«

Ihm fiel keine Antwort ein, zumal er wusste, dass sie ihm argumentativ überlegen war. Dennoch war es eine wahnwitzige Idee und er musste sie unbedingt irgendwie stoppen.

»Einverstanden, Anna. Zugegebenermaßen klingt das alles ganz plausibel. Methodisch ein interessanter Ansatz, um nicht zu sagen edel. Aber es gibt da einen Haken. Dieser Sprung zurück in der Evolution, von dem du redest, ist nicht so leicht zu bewerkstelligen. Ihre Welt ist nicht deine, das sagst du selbst, und ihr Code ist nicht einfach zu entschlüsseln. Wage deinen Sprung, Anna. Der Zaun, von dem du redest, ist nicht nur sehr hoch, sondern auch sehr breit. Wie willst du das machen? Wie willst du werden wie sie?«

Er sah, wie ein Strahlen über ihr Gesicht huschte, und wusste, dass sie es wieder einmal geschafft hatte. Es war offensichtlich, dass sie die Antwort kannte und ihn geschickt dazu gebracht hatte, die entscheidende Frage zu stellen.

»Wie ich das mache? Ganz einfach, mein Lieber: mit dem Gorilla-Simulator.«

Basiscamp, Kilemi

»Es gibt aber keinen Gorilla-Simulator!«

»Das glaubst *du*. Natürlich gibt es einen, nämlich im Zoo von Atlanta, in den Vereinigten Staaten. Mein Plan ist ganz einfach. Ich fliege dorthin und unterziehe mich einem Training von drei Tagen. Dann komme ich hierher zurück, wo du in der Zwischenzeit auf mich gewartet hast, wir steigen hoch und führen die Gorillas weg.«

Marco versuchte verzweifelt, sich an den letzten Rest von Logik zu klammern.

»Und im Zoo von Atlanta haben sie vermutlich auch nichts Besseres zu tun, als Dottoressa Cheli mit offenen Armen zu empfangen.«

»Du vergisst, dass mein Exmann dort arbeitet, sofern man das arbeiten nennen kann. Du wirst es nicht glauben, aber dem Quarterback der Falcons schlägt man keinen Gefallen aus. Weißt du, was ich mache? Ich maile ihm sofort, damit er schon einmal alles vorbereiten kann.«

»Na, der wird sich aber freuen, dich wieder auf der Pelle sitzen zu haben!«

»Machst du Witze? Wir verstehen uns prächtig, was glaubst du denn? Wir haben uns getrennt, weil wir nicht zueinander passten. Er war einfach unerträglich. Außerdem kannst du ruhig zugeben, dass du froh bist, mich eine Weile los zu sein.«

Da konnte er nur zustimmen.

Anna ging in ihr Zelt und fuhr den Computer hoch. Sie hatte eine E-Mail aus Varese, die sie gleich öffnete.

Anna!
Wo steckt ihr? Die Webcam reagiert nicht mehr. Ich hoffe bloß, dass du nichts angerührt hast. Könntest du das bitte prüfen? Im Übrigen fummele nicht an ihr herum, ohne es vorher mit mir abzusprechen.
Ich hoffe, es geht euch allen gut, inklusive Gorillas.
Agente Molderi hat nichts mehr von sich hören lassen, seit du den Fall für ihn gelöst hast.
Du fehlst mir sehr.
Du weißt nicht, wie sehr.
Gioele

PS: Ich vergaß zu berichten, dass die NASA schon geantwortet hat. Im Anhang findest du zwei Dateien, in einer sind die Bilder. Irgendjemand scheint Magenprobleme gehabt zu haben, erschrick also nicht, wenn du sie siehst. In der anderen befinden sich eine Menge ziemlich undurchschaubarer Erläuterungen. Sieh selbst. Du fehlst mir immer noch.

»Was ging in diesem Typen bloß vor?«, fragte sich Anna, als sie die Foto-Datei öffnete. Eins der Bilder beeindruckte sie besonders: leuchtendes Magenta, klares Grün, grelles Gelb. Es ergab auf den ersten Blick überhaupt keinen Sinn, und einen Moment lang dachte sie an eine spektakuläre Verwechslung, die ihr die Abbildung des von allen gejagten, geheimnisvollen Virus zugeführt hatte. Doch es handelte sich tatsächlich um eine Luftaufnahme der Erde, obwohl sie nichts Vertrautes darauf erkennen konnte. Nur eine winzige Spur, rechts oben in der Ecke, eine andersfarbige Zone, die vielleicht die Reste des Feuers von Ngoa darstellte.

Das zweite Foto war nicht aufschlussreicher als das erste.

Schließlich öffnete sie doch die Datei mit den Erklärungen, in der Hoffnung, dadurch dem Rätsel auf die Spur zu kommen.

»Das Radarbild wurde mit dem Shuttle Imaging Radar C/X-Band Synthetic Aperture Radar 2 (SIR-C/X-SAR2) aufgenommen, mit Einstellung auf 1° südliche Länge und 34° östliche Breite. Die Aufnahme bildet ein Gebiet von etwa 50 x 100 Kilometern ab, das entspricht 31 x 62 Meilen. Die Farben werden den verschiedenen Frequenzen und Polarisationen des Radars wie folgt zugeordnet: Rot = L-Band, horizontal übermittelt, horizontal aufgenommen; Gelb = L-Band, horizontal übermittelt, vertikal aufgenommen. Die verschiedenen Langwellen reagieren sensibel auf Vegetation. Das Bild zeigt einen Urwald und ähnelt Aufnahmen aus Zentralamerika, wo die Vegetation nach Maya-Orten der Antike abgesucht wurde. Auffällig ist ein weitflächiges pinkfarbenes Gebiet, bei dem es sich um den Brand handeln könnte, der in der Anfrage erwähnt wurde. Dieser Brand ist zurzeit sicherlich nicht mehr aktiv. Weiterhin fällt eine horizontale Linie oben mittig auf, die der Radar durch die gesamte Vegetation hindurch registriert. Deutlicher zu erkennen sind weiter unten die Verbindungswege mit der Ortschaft Kilemi.«

Wie einen Röntgenbericht las Anna noch einmal aufmerksam den zweiten Teil, ohne weiter auf die technischen Details zu achten. Sie stolperte über die »horizontale Linie oben mittig«. Was sollte das bedeuten? Soweit sie die Gegend kannte, gab es keinen anderen Weg als den von ihrem Camp nach Kilemi.

Sie öffnete ein geeigneteres Bildbearbeitungsprogramm und rief das Foto erneut auf, passte die Proportionen an und vergrößerte einzelne Ausschnitte des oberen mittleren Randes. Bei der vierten Vergrößerung wurde das Bild durch die Pixel unscharf und sie zoomte wieder eine Ebene zurück. Als sie genau hinsah, erkannte sie tatsächlich eine sehr undeutliche, horizontale Linie. Nun versuchte sie, die Farbkanäle zu trennen sowie Grün und Blau zu reduzieren, während sie Rot verstärkte. Nach einer Viertelstunde hatte sie die Linie perfekt isoliert und deutlich sichtbar gemacht.

Das war ohne Frage eine Straße, und ihrer Geradlinigkeit nach zu urteilen, musste sie sogar größer sein als ein einfacher Pfad.

Sie versuchte, den Ort anhand ihres eigenen Standorts zu lokalisieren. Leider war auf dem Foto keiner dieser schönen roten Punkte mit der Aufschrift »Sie befinden sich hier« eingezeichnet, was ihr die Orientierung enorm erleichtert hätte, aber das wäre nun wirklich zu viel verlangt gewesen. So ortete sie zunächst einmal Kilemi, wo sich verschiedene Straßen und Wege kreuzten, und nahm es als Bezugspunkt. Anschließend öffnete sie eine Datei mit einer Landkarte der Gegend, die sie selbst für ihre letzte Mission angefertigt hatte. Leider hatte der NASA-Mann nicht den genauen Maßstab genannt, doch seine Angaben zum Bildausschnitt, fünfzig mal hundert Kilometer, würden hoffentlich genügen. Sie glich den Maßstab ihrer Karte dem des Spaceshuttle-Fotos an und schob die beiden Bilder dann übereinander. Eine empirische Methode, die dennoch funktionieren konnte, wenn sie Maßstäbe und Orientierungspunkte halbwegs in Übereinstimmung brachte.

Als Ergebnis der Überschneidung beider Karten bekam sie nun eine dritte. Undeutlich erkannte sie den zentralen Berg, aber der »Busen« und damit der Pfad, auf dem sie ihn umrundet hatten, war zu groß und sie musste die Karte noch einmal verkleinern und den ganzen Vorgang wiederholen. Es brauchte einige Anläufe, bis sie endlich mit dem Ergebnis zufrieden war. Etwas weiter den Pfad entlang entdeckte sie eine anders gefärbte Zone: Das mussten die Sümpfe sein. Dann wurde alles sehr undeutlich, doch sie bildete sich ein, zumindest vage den Gorillahügel ausmachen zu können.

Der Weg, der auf dem NASA-Foto zu sehen war, begann genau dort.

Sie konnte ihr unverschämtes Glück kaum fassen. Sie hatte einen Fluchtweg gefunden.

Hastig rief sie Marco und Bic herbei.

Mit knappen Worten erklärte sie ihnen die Geschichte mit dem Radarbild, las ihnen die Erläuterung der NASA dazu vor und führte ihnen vor, was sie am Computer herausgefunden hatte. Sie erwartete sprachloses Erstaunen.

Stattdessen ergriff Bic das Wort. »Na, schau mal einer an! Das ist vielleicht eine Überraschung! Ich weiß nichts von diesem Weg, er muss ganz neu sein. Aber ich hatte schon merkwürdige Veränderungen auf dem Hügel festgestellt, von denen ich dir nichts gesagt habe, weil wir schon genug Probleme hatten. Dort gibt es Elefantenspuren.«

Sie sah ihn überrascht an. »Elefanten? Wie sollen die denn hier heraufgekommen sein?«

Bic kaute auf einem seiner bunten Kugelschreiber herum. »Ich kann es mir auch nicht erklären, doch ich kenne die Spuren eines Elefanten und irre mich bestimmt nicht. Wir müssen davon ausgehen, dass die Dickhäuter bis auf den Berg gelangt sind.«

»Ach komm schon, Bic, sie können doch nicht hinaufgeklettert sein.«

»Sieh mal, Anna, vielleicht verwendest du ja das falsche

Wort. Hinaufklettern trifft für uns zu, die wir am Fuß des Hügels stehen. Aber du musst bedenken, dass der Hügel im Osten, wo wir noch nicht waren und uns nicht auskennen, vielleicht viel sanfter ansteigt. Urwaldelefanten sind in ihrem Verhalten häufig unberechenbar und ganz anders als diejenigen, die man in den großen Savannen trifft.«

»Meinst du damit, dass sie über einen anderen Weg dorthin gelangt sind? Etwa über einen, den wir nicht kennen?«

»Nein, wiederum falsch. Ich würde eher sagen, dass sie sich selbst eine Straße gebaut haben. Du hast ja an unserem Ankunftstag gesehen, wozu sie fähig sind.«

»Stimmt, ich erinnere mich noch gut an den langen Abschnitt, der breit und bequem zu begehen war.«

»Genau. Und wir haben bereits zwei Hinweise: einen, den ich dort oben fand, und jetzt die Bilder aus dem Weltraum. Vorausgesetzt, sie sind korrekt, denn normalerweise traue ich nur meinen eigenen Augen. Mit einem dritten Indiz werden wir den Nachweis erbringen.«

Sie sah ihn amüsiert an. »Kennst du Agatha Christie, Bic?«

Der Schwarze ließ sich nicht aus der Ruhe bringen. »Stell dir vor, auch in Uganda gibt es schon Bücher.«

Anna dachte für einen Moment, dass von all den Menschen, mit denen sie in den letzten Wochen zu tun hatte, allein Bic ihr immer wieder eine Lektion verpasste. Sie würde ab jetzt vorsichtiger sein.

»Ich brauche kein drittes Indiz«, sagte sie. »Mir genügt das, was uns bisher vorliegt. Ich habe eine Aufgabe für euch zwei. Während ich in Atlanta bin, macht ihr einen Erkundungsgang auf dem Hügel. Sucht diesen Pfad und findet heraus, wo er hinführt.«

Bic, der nichts von ihren Plänen in Amerika wusste, sah sie neugierig an. »Wohin fährst du?«

»In die USA, nach Atlanta, für drei Tage.«
»Und was tust du da, wenn ich fragen darf?«
»Ich werde am Gorilla-Simulator trainieren.«
»Ah, verstehe.«
Dieser Mann überraschte sie immer wieder.

Als sie in ihrem Zelt war, schrieb sie endlich die Nachricht an ihren Exmann.

Lieber Greg,
ich hoffe, dass es dir und der Mannschaft gut geht. Vermutlich seid ihr mitten in der Meisterschaft. Ich habe dich ein paar Mal im italienischen Fernsehen gesehen, und ich muss gestehen, dass ich gerührt war, auch wenn ich einigen deiner Kollegen am liebsten in den Hintern getreten hätte, wenn sie deine wunderbaren Pässe vermurkst haben. Besonders gegen die Dallas Cowboys warst du großartig, und du kannst dir vorstellen, wie glücklich ich darüber war. Du weißt ja, dass ich sie überhaupt nicht leiden kann.
Zurzeit bin ich in Afrika und laufe wie üblich hinter irgendwelchen Affen her. Ich muss aber dringend nach Atlanta und einige Versuche mit dem Gorilla-Simulator durchführen, den sie dort im Zoo haben. Deshalb komme ich bereits übermorgen an. Ich weiß, das ist ziemlich knapp, aber ich bin sicher, dass du es schaffst, mir ein paar (möglichst viele) Unterrichtsstunden zu vermitteln. Mobilisiere jeden, den du kennst. Mensch, du bist doch der große Greg Hostler von den Falcons, dir können sie doch nichts abschlagen.
Wenn ich ankomme, werde ich bei dir vorbeischau-

en. Priscilla kannst du vorab schon mal beruhigen. Ich sehe völlig fertig aus und stelle bestimmt keine Versuchung für dich dar. Ich weiß, dass sie immer darum besorgt ist, nicht krank zu werden, also verschweige ihr bitte, dass ich vielleicht einen tödlichen afrikanischen Virus mit mir herumtrage.
Ciao ciao!
Honey Anne

Grinsend schickte sie den Brief ab. Den letzten Satz hätte sie sich sparen können, doch sie konnte diese Priscilla einfach nicht leiden. Greg hätte sich wirklich einen besseren Ersatz für sie suchen können.

Seit Teo Blasti das Raffles Hotel verlassen hatte, herrschte reger Nachrichtenfluss von und nach Singapur. Der Italiener wurde beschattet, wie schon seit seiner Entführung. Eine erste Nachricht war von Marcel Joffe angekommen.

Zugang zum Kentrax-Labor mittlerweile völlig verriegelt. Rund um die Uhr bewacht. Durchsuchung von Blastis Zimmer im Elephant Hotel ergebnislos. Bis zur Abreise von Entebbe wurde er permanent beschattet, kann nichts versteckt haben. Hat keine Bank betreten, kann also kein Schließfach gemietet haben.

Die Nachricht enthielt nicht die ganze Wahrheit, denn sie verschwieg, dass der Italiener für eine Nacht in das Camp am Fuß des Gorillahügels zurückgekehrt war.

Dafür gab es einen guten Grund. Auch wenn er die übliche Selbstsicherheit ausstrahlte, so fürchtete Marcel Joffe doch die Entwicklung, die die Dinge nahmen.

Am selben Tag ging in Singapur eine zweite Nachricht ein, diesmal aus Südafrika, wo Teo auf seinen Anschlussflug wartete. Doch sie enthielt keinerlei Neuigkeiten.

Eine dritte E-Mail kam aus Japan. Der Virus-Markt war wieder eröffnet.

Im Labor des Kentrax-Lagers war Lazarus Boma, unter den wachsamen Blicken zahlreicher bewaffneter Männer, in eine lange Reihe von Analysen vertieft. Die Labortechniker hatten die Computer inzwischen wieder funktionstüchtig gemacht. Natürlich war alles verloren, was sich im Speicher befunden hatte, doch hatten sie die Programme neu auf den Geräten installiert. Die kaputte Zentrifuge war ersetzt worden und das Elektronenmikroskop funktionierte bestens. Aus Masaka hatte er das Genom des Virus erhalten.

```
336 BP; 103 A; 57 C, 69 G; 107 T;

AATATGTTTT ACCATTTTTT GGGTAGGAGT GGGTACACAG TGCATGTTCA    50
GTGCAATGCA AGTAAATTTC ATCAAGGTAC TCTGATTGTT GTAATGATTC   100
CAGAACATCA ATTGGCATCT GCTTCAACAG GAAATGTTAC AGCTCTTGAC   150
AATTTAACTC ATCCTGGTGA ACAAGGTAGA GATGTAGGTA TAACGCGAGT   200
GGAGGATTTG TTGAAGCAAC CTAGTGATGA TAGCTGGCTT AACTTTGATG   250
GTACTCTATT GGGGAACATA ACCATCTTTC CACTCTATTT CATCAACTTA   300
AGAAGTAATA ACTCAGCAAC AATTATAGTT CCATAT                  336
```

Er wusste, dass das Originalvirus zu der Familie der Rhinoviren gehörte. Dies engte das Untersuchungsfeld enorm ein, und mit Geduld begann er, die Reihenfolge der Nukleotide mit der von bereits bekannten Varianten zu vergleichen.

Nach zahlreichen Versuchen stieß er endlich auf eine interessante Datei.

```
HRV21VP2 standard; RNA; VRL; 336 BP.
12-JAN-1995 (Rel. 42, Created)
16-OCT-1995 (Re. 45, Last updated, Version 4)
Human rhinovirus serotype 21 viral coat protein
VP2 RNA.
viral coat protein; VP2.
Human rhinovirus
Viruses; ssRNA positive-strand viruses, no DNA
stage; Picornaviridae;
Rhinovirus.
1-336
Stanway G.;
Submitted (12-JAN-1995) to the EMBL/GenBank/
DDBJ databases.
Stanway G., University of Essex, Biology, Wiven-
hoe Park, Colchester,
Sequence 336 BP; 104 A; 57 C; 71 G; 104 T; 0 other;

AATATGTTTT ACCATTTTTT GGGTAGGAGT GGGTACACAG TGCATGTTCA   50
GTGCAATGCA AGTAAATTTC ATCAAGGTAC TCTGATTGTT GTAATGATTC  100
CAGAACATCA ATTGGCATCT GCTTCAACAG GAAATGTTAC AGCTGGCTAC  150
AATTTAACTC ATCCTGGTGA ACAAGGTAGA GATGTAGGTA TAACGCGAGT  200
GGAGGATTTG TTGAAGCAAC CTAGTGATGA TAGCTGGCTT AACTTTGATG  250
GTACTCTATT GGGGAACATA ACCATCTTTC CACATCAGTT CATCAACTTA  300
AGAAGTAATA ACTCAGCAAC AATTATAGTT CCATAT                 336
```

Vielleicht war er am Ziel. Es handelte sich um das menschliche Rhinovirus 21, eine der verbreitetsten Varianten. Ihm war nicht entgangen, dass sein Genom fast genau mit dem des neuen Virus übereinstimmte, bis auf zwei entscheidende Unterschiede in der Reihenfolge an den Positionen 145 und 284. Die Originalsequenz von Position 145 bis 148 lautete:

Guanin, Guanin, Cytosin, Thymin,

während sie in dem modifizierten Virus so aussah:

Cytosin, Thymin, Thymin, Guanin.

Dasselbe weiter hinten. Die Positionen 284 bis 288 lauteten ursprünglich:

Adenin, Thymin, Cytosin, Adenin, Guanin

und wurden im neuen Virus zu:

Thymin, Cytosin, Thymin, Adenin, Thymin.

Das ließ darauf schließen, dass Bob Loneghy durch das Rhinovirus 21 infiziert worden war, was auch seine zwar starke, aber ansonsten völlig durchschnittliche Erkältung erklären würde. Damit hatte er die Gorillas angesteckt, die das Virus leicht verändert weitergegeben hatten. Zwei kleine Variationen, deren Befehle in den menschlichen Zellen verheerende Auswirkungen gehabt hatten.

Nicht jedoch in denen der Gorillas. Aus völlig unbekannten Gründen, die nun niemand mehr würde nachvollziehen können, verfügte zumindest ein Teil der auf dem Hügel lebenden Kolonie über die notwendigen Antikörper, die das Virus ganz offensichtlich unschädlich gemacht hatten. Sie stellten daher keine Gefahr mehr dar, dafür aber ein umso interessanteres Studienobjekt.

Inzwischen war ihm jedoch noch ein anderer Verdacht gekommen. Hatte schon jemand vor ihm, vielleicht sogar hier in diesem Labor, das Virus isoliert? Und wenn ja, wo war dieser Jemand jetzt? In diesem Fall waren die Gorillas nämlich mehr als ein Studienobjekt, sie konnten dazu benutzt werden, schnell ein Gegenmittel zu finden.

Es war eine schwierige Entscheidung. Er hatte Anna sieben Tage Schonfrist versprochen und wollte sein Versprechen auch halten. Daher beschloss er, sofort am Morgen des achten Tages den CDC in Atlanta zu Hilfe zu rufen.

Als er am Abend vom Labor nach Hause ging, hörte er, wie aus dem Halbschatten des Elephant Hotels jemand nach ihm rief. Er erkannte den Franzosen und trat zu ihm.

»Kann ich Sie einen Augenblick sprechen, Doktor?«

Unschlüssig setzte sich Boma zu ihm auf die Terrasse. Er konnte diesen Mann, dem er nun gegenübersaß, nicht so recht einschätzen. Seine Arbeit und vor allem das Unternehmen, das ihn bezahlte, gehörten zu etwas, was er am meisten auf der Welt verabscheute: Gewalt, gepaart mit der Arroganz von Nichtafrikanern, seien sie nun weiß oder gelb. Etwas in Joffes Verhalten jedoch wollte überhaupt nicht in dieses Schema passen: Er strahlte so eine entwaffnende Offenheit aus, die Lazarus faszinierte.

»Wenn wir von diesem Tisch aufstehen, Doktor, werden weder Sie noch ich der Gleiche sein. Sind Sie bereit für ein paar Überraschungen?«

Eine höchst zweideutige Eröffnung, die keine Antwort erforderte.

»Ich habe Grund zu der Annahme, Doktor Boma, dass wir beide hinter etwas äußerst Gefährlichem her sind. Ich bitte Sie, mich zuerst ausreden zu lassen. Ich weiß nicht genau, was auf dem Gorillahügel oder im Innern des Kentrax-

Labors geschehen ist, aber es deutet einiges darauf hin, dass am Anfang von alldem ein unbekanntes Virus steht.«

Dann wusste also tatsächlich noch jemand Bescheid. Lazarus ging unverzüglich in die Defensive, was sein Gegenüber sofort bemerkte.

»Keine Sorge, nichts von dem, was wir hier besprechen, wird an Dritte weitergeleitet, zumindest was mich betrifft, und Sie werden auch gleich verstehen, warum. Aber vorab noch eine Frage: Schwebt irgendjemand im Camp in Lebensgefahr, ich meine, hat sich jemand mit dem Virus infiziert?«

Eine ehrliche Antwort würde nichts verraten, dennoch wollte er nicht zu viel preisgeben. »Nein.«

»Ich verstehe Ihre Zurückhaltung und das genügt mir. Kommen wir zu unserem geheimnisvollen Virus. Angenommen, ich befürchtete, dass jemand versucht, es auf dem Schwarzmarkt zu verkaufen, befände mich selbst aber mitten auf diesem Markt und könnte die Transaktion deshalb nicht verhindern – können Sie mir folgen?«

»Absolut.«

Allmählich wurde beiden klar, dass es ihnen nicht weiterhalf, sich hinter Andeutungen zu verschanzen, und sie kamen wortlos überein, die Karten auf den Tisch zu legen. Doch erst als der undurchschaubare Marcel Joffe seine letzte Karte ausspielte, wurde Lazarus wirklich unruhig. Der Franzose hatte ihn zu Beginn der Unterhaltung gefragt, ob er bereit für Überraschungen sei. Für solche bestimmt nicht.

Atlanta, Singapur

Nach einer mörderischen Reise, die sie vom Camp durch den Urwald nach Kilemi, dann im Auto bis zur Hauptstadt, von dort mit dem Flugzeug nach New York und schließlich nach Georgia geführt hatte, kam Anna Cheli in Atlanta an. Sie hatte kein Gepäck außer ihrem Computer dabei, über den sie mit Marco in ständigem Kontakt bleiben wollte. Afrika zu verlassen war diesmal fast eine Befreiung gewesen, so als erwache sie aus einem Alptraum, doch sie wusste natürlich nur zu gut, dass sie bald schon wieder zurückkehren musste. Aber erst einmal hatte sie genug von dem feuchten Klima und dem ewigen Lärm des Urwalds.

In Georgia herrschten siebenunddreißig Grad, die Luftfeuchtigkeit betrug neunzig Prozent und der Verkehrslärm war überwältigend.

»*This is America.*«

Wie hätte sie diese Stimme nicht wiedererkennen können?

Bevor sie auch nur den Mund aufmachen konnte, hoben zwei riesige Pranken sie in die Luft. Greg drückte ihr einen Kuss auf die Stirn und begann sie kräftig durchzuschütteln.

Ein Gorilla, dachte sie, das hat mir gerade noch gefehlt. Eigentlich ist alles wie in Afrika.

»Lass mich runter, Greg!«

»Anna, du siehst toll aus.« Nicht ohne eine gewisse Anmut stellte er sie wieder auf den Boden. »Du kannst dir gar nicht vorstellen, wie sehr ich mich freue, dich wiederzusehen. Lang, lang ist's her, wie? Müssen bald zwei Jahre sein.«

Einige Blitzlichter zuckten auf. Greg Hostler war in Atlanta immer eine Schlagzeile wert.

»Priscilla wird eifersüchtig sein.«

Er erwiderte nichts, da er voll und ganz mit dem Verteilen von Autogrammen beschäftigt war. Er musste eine lange Reihe von Kindern abarbeiten, bevor sie den Parkplatz erreichten.

»Weißt du schon, wo du wohnst? Ich würde dich ja gerne zu uns nach Hause einladen, aber Priscilla macht sich ernsthaft Sorgen wegen dieser Sache mit dem Afrika-Virus.«

Das hat man von seinen kleinen Gemeinheiten, dachte sie, nun muss ich wohl ins Hotel gehen. »Ein Ort ist so gut wie der andere – je näher am Zoo, desto besser.«

Annas Exmann fädelte den Wagen in den Verkehr ein und sie unterhielten sich die ganze Fahrt über. Um Greg nicht zu verstimmen, hatte sich der Präsident der Falcons persönlich um die Angelegenheit gekümmert. Er hatte das »Projekt virtueller Gorilla« selbst zur Hälfte finanziert und daher nicht einmal Überredungskünste aufbieten müssen. Anna Cheli war sozusagen Ehrengast, was ihr nur recht sein konnte, da sie zu einem Wettlauf gegen die Zeit angetreten war.

Viele Wochen lang waren im Zoo von Atlanta sechs Gorillas rund um die Uhr beobachtet worden: Willie B., achtunddreißig Jahre alt und zweihundertachtzehn Kilo schwer, der Silberrücken und Anführer der Gruppe, drei erwachsene Weibchen, die Kinynai, Mia Moja und Choomba hießen, und zwei Junge, der zweijährige Kudzoo, Choombas Sohn, und die erst ein paar Monate alte Olympia, Tochter von Mia Moja. Videokameras hatten jede einzelne ihrer Bewegungen aufgezeichnet, Messgeräte sämtliche Abstände zwischen den sechs Tieren festgehalten, während hoch sensible Rekorder jedes Seufzen, Gähnen, Grunzen oder Schreien aufzeichneten. So wurde das Leben der kleinen Gemeinschaft Tag für Tag auf Videokassetten, Bänder und in Diagramme gebannt.

Gleichzeitig war das Gelände Zentimeter für Zentimeter vermessen und sämtliche Bäume, Büsche, Blätter, Gräser und Steine aus verschiedenen Winkeln mit einer Digitalkamera fotografiert worden, um alle Positionen aus jeder Richtung pedantisch einander zuordnen zu können.

Zuletzt wurden die Angestellten des Zoos ausführlich nach jeder kleinsten Reaktion der Gorillas befragt, falls den Videokameras etwas entgangen sein sollte. Besondere Vorkommnisse der letzten Zeit wurden durchgesprochen und genau analysiert.

Schließlich hatte man weitere Daten zum Verhalten von Gorillas aus anderen Zoos hinzugenommen und unzählige Wissenschaftspublikationen über Tiere in freier Wildbahn ausgewertet.

Anschließend war das gesammelte Material an den Supercomputer des Georgia Institute of Technology übermittelt worden, der daraus eine dreidimensionale Animation entworfen hatte, eine von Gorillas bewohnte virtuelle Welt, in der die Verhaltensweisen der künstlichen Tiere haargenau mit denen der realen Exemplare übereinstimmten. Im sprichwörtlichen Schweiße ihres Angesichts hatten die Informatiker des GIT ein natürliches Ambiente von überaus komplexer Beschaffenheit entworfen. Denn anders als sonst handelte es sich hierbei nicht um ein 3-D-Szenarium in eng begrenzten Räumen mit vier Wänden und geraden

Linien, für die weit weniger Berechnungen, kürzere Entwurfszeiten und kleinere Prozessoren nötig waren. Die zusammengetragene Datenmenge war so groß, dass die virtuelle Welt des GIT mit zwölf Gorillas bevölkert werden musste. Zu dem Silberrücken und den beiden Weibchen mit ihren Jungen gesellten sich zwei erwachsene, hierarchisch unterlegene Männchen, außerdem zwei Weibchen ohne Nachwuchs, ein jugendliches Tier und ein Einzelgänger. Sie bildeten eine Gemeinschaft, die nur im Computer existierte, sich aber genauso verhielt wie in der Natur. Kein Fell, keine Organe, keine Zellen und keine DNA. Die Gorillas bestanden lediglich aus Zehntausenden von Pixeln, handelten jedoch auf Grundlage von detaillierten Informationen, die man den echten Tieren abgeschaut und in die binäre Sprache übertragen hatte.

Das Außergewöhnliche daran war, dass diese virtuelle Welt nicht abgeschlossen war, sondern jedem offen stand, der sich beim Eintreten seinerseits in einen binären Code verwandelte und damit seine Bewegungen dem Computer anvertraute. Und da die Forscher ausschließlich die Verhaltensweisen von Gorillas untersucht hatten, konnte der Neuankömmling auch keiner anderen Spezies angehören. Wenn das Programm funktionieren sollte, musste auch er ein Gorilla sein, den die Tiere erkennen und in ihre Welt einbeziehen konnten.

Der letzte Schritt war der schwierigste und spannendste. In diese Welt gelangte man nämlich nicht, indem man sich als Gorilla verkleidete, sondern indem man zu einem der Ihren wurde und ihren Regeln folgte.

»Der ist ja noch abgedrehter als Treiber«, stellte Anna mit einem Blick auf Jimmy fest, den Techniker, der ihr das System erklärte. Der junge Mann um die zwanzig hatte grün gefärbte Haare, und seine flinken Hände flogen bei seinen Worten nur so durch die Luft und zeichneten, konstruierten, verschoben, klickten an und tippten, als jongliere er mit nur für ihn sichtbaren Objekten (Papier, Bleistift, irgendwelche Teile, Maus und Tastatur). Er sprach ein fast unverständliches Englisch, so dass Anna den Ausführungen nur mühsam folgen konnte, was ihn allerdings nicht davon abhielt, seine Erklärungen in Rekordtempo abzuspulen und mit ständig neuen, mysteriösen Größen um sich zu werfen.

Schließlich sah Jimmy sie lange schweigend an und machte ihr dann geheimnisvolle Zeichen, ihm zu folgen.

Als wollte er mir Haschisch anbieten, dachte Anna.

Er brachte sie in einen Raum, der mit Computern voll gestopft war.

»Hättest du Lust, die neue BEU zu testen?«

Sie zögerte. »Gern, wenn ich vorher erfahren dürfte, was eine BEU ist.«

»Die neue Behavioural Equipment Unit, die ich entwickelt habe.«

»Entschuldige, das sagt mir gar nichts.«

»Hör zu. Das offizielle Programm sieht zurzeit lediglich vor, dass du dir vor Eintritt in die virtuelle Welt einen 3-D-Helm aufsetzt und dich dann mit zwei Joysticks fortbewegst – oder besser gesagt fliehst.« Er lachte aus vollem Halse. »Aber das ist doch ein bisschen dürftig, findest du nicht?«

»Keine Ahnung.« Dieser Typ war ihr irgendwie unheimlich. Jetzt zeichnete er schon wieder geheimnisvolle Figuren ins Leere.

»Ich meine, dort einzutreten und dann in seinen Bewegungen vollkommen eingeschränkt zu sein. Ich habe deshalb mit Hilfe einiger Komponenten, die ich hier und da abmontiert habe und die sonst eh auf dem Müll gelandet wären, die Sensoren erweitert. Es gibt Knieschützer, damit du dich niederkauern kannst, dazu ein Spezialgürtel zum Hinlegen. Ich würde dir auch einen GV anziehen.«

Allmählich begann Anna, Spaß an der Sache zu haben. »Mein Freund, sag mir bitte zuerst, was ein GV ist und was du damit bezweckst.«

»Ein GV ist ein Gorilla-Vokalisator, ebenfalls eine Erfindung meiner Wenigkeit. Du hast dich ja selbst lange genug mit diesen Tieren beschäftigt und weißt also, wie wichtig es ist, mit ihnen zu kommunizieren. Deshalb habe ich die Software überarbeitet und ihr die Ohren geöffnet. Jetzt sind die Tiere in der Lage, nicht nur auf Bewegungen, sondern auch auf Geräusche zu reagieren. Wenn du einverstanden bist, klemme ich einen GV in deinen Helm.«

»Warum die Heimlichtuerei?«

Der Grünschopf ließ endlich die Hände sinken. »Weil offiziell niemand davon erfahren darf. Die Erweiterung ist auf meinem eigenen Mist gewachsen und hat quasi nichts gekostet, weil ich nur gebrauchtes Material verwendet habe. Das Problem ist, dass man hier immer Geld ausgeben und Projekte auf dem Papier entwerfen muss, um an neue Finanzierungen heranzukommen. Wenn du hingegen etwas machst, ohne einen Dollar Unterstützung dafür zu verlangen, bist du erledigt. Du weißt, das ich dafür den Rausschmiss riskiere?«

Komischer Typ. Doch vielleicht war er gar nicht so abgedreht, wie sie gedacht hatte. »Und das soll funktionieren?«

»Passieren kann dir jedenfalls nichts. Im Notfall benutzt du einfach wieder die Joysticks.«

»Einverstanden.«

Jimmy wirkte erleichtert. »Du bist super, Italienerin.

Aber wie gesagt, kein Wort zu den anderen. Niemand wird dich sehen, wir sind allein im Simulator.«

Das war wiederum keine sehr verlockende Aussicht.

Der weiß gekleidete Mann kam unterwürfig heran.

»Sie haben mich gerufen, Mister?«

Song Ho bedeutete ihm, sich zu setzen. »Es kann nicht spurlos verschwunden sein.«

Nähere Erklärungen waren nicht notwendig. Seit Tagen raubte die geheimnisvolle Virus-Probe im Besitz des Italieners, der ihn im Raffles besucht hatte, dem reichen Chinesen den Schlaf.

»Entweder er hat sie sehr gut versteckt oder – es gibt gar keine Probe.«

»Unmöglich, dann hätte sich dieser Typ niemals hierher gewagt und diesen Bluff versucht. Seid ihr an ihm dran?«

»Tag und Nacht.«

»Wo hält er sich gerade auf?«

»Am Strand von Mombasa, in Kenia. Er scheint ein wenig Urlaub zu machen, als hätte er keine anderen Sorgen. Er wartet auf Nachricht von uns.«

»Haben die Japaner von sich hören lassen?«

»Noch nicht, bisher ist es bei unserer letzten Forderung geblieben. Wir liegen zehn Millionen Dollar auseinander.«

»Sie werden schon noch zu Kreuze kriechen. Sag mir sofort Bescheid, wenn es Neues von dem Italiener gibt.«

Der Mann in Weiß verschwand so leise, wie er gekommen war. Song Ho genoss die letzten Sonnenstrahlen und fragte sich, ob irgendjemand in seiner näheren Umgebung ihn hinterging. Danach kehrte er in sein Zimmer zurück und stellte eine Verbindung zu seinen Abnehmern in Tokio her.

Anna zog ihre Jeans und den Pulli aus und zwängte sich mühsam in eine eng anliegende schwarze Strumpfhose. Einen Augenblick lang kam ihr Teo in den Sinn und sie fragte sich, ob sie ihn jemals wiedersehen würde. Das Gefühl jenes Vormittages, als sie die Gewissheit erhalten hatte, dass ausgerechnet er in Florenz vor Luisa Moris Haus über sie hergefallen war, hatte sie verdrängt. Seitdem interessierte er sie nicht mehr. Teo wollte fraglos sein Geheimnis für sich behalten, koste es, was es wolle. Sie dachte an Lara. Diese Frau war der letzte unklare Punkt in der ganzen Geschichte, und es gelang ihr einfach nicht, sie in irgendein Szenarium einzubauen.

Als sie endlich in dem Anzug steckte, betrachtete sie sich im Spiegel. Sofort kam ihr Treiber in den Sinn und sie musste lächeln. Er hätte wahrscheinlich alles gegeben, um sie so zu sehen. Grünschopf hingegen, der draußen auf sie wartete, war in dieser Hinsicht offenbar völlig unempfänglich, ganz und gar von seinen Computern eingenommen.

Sie ging zu ihm.

»Perfekt.« Der junge Mann half ihr, den etwa zehn Zentimeter breiten, elastischen Gürtel umzuschnallen, und kniete sich dann vor ihr nieder, um ihr die Knieschützer anzulegen. Obwohl sie versuchte, an etwas anderes zu denken, konnte sie doch den Gedanken nicht vertreiben, dass Jimmy sich scheinbar gar nichts daraus machte, sie in diesem Moment völlig in seiner Gewalt zu haben.

Von ihrem Körper hingen nun zahlreiche Kabel herab, die eins nach dem anderen an die Geräte angeschlossen wurden.

»Nicht dass ich einen Stromschlag bekomme.«

»Keine Sorge, ich bin gleich fertig. Denk daran, dass du in der Gruppe ein Männchen bist. Verhalt dich also entsprechend.«

Er gab ihr zwei Joysticks in die Hände, die wie Pistolen ohne Lauf aussahen. »Okay, hiermit bewegst du dich vor und zurück, nach rechts und links. Sie haben zwar keinen Steuerknüppel, aber du wirst dich schnell daran gewöhnen. Mit dieser Taste bleibst du stehen, mit dieser gehst du weiter. Du kannst dich dreihundertsechzig Grad um die eigene Achse drehen, doch ich würde den Tieren nicht zu oft den Rücken zuwenden.« Er nahm einen Helm vom Bord. »Wenn du den aufsetzt, ist es erst mal ein paar Minuten dunkel. Das lässt sich leider nicht vermeiden, weil ich ein bisschen Zeit brauche, um die Stromkreise zu schließen.«

Sie unterbrach ihn mit einer Handbewegung. »Warte. Was passiert, wenn ein Gorilla mich angreift?«

Jimmy schien die Frage zu belustigen. »Keine Angst. Dann wird der Bildschirm sofort schwarz und eine Schrift zeigt an, dass die Partie zu Ende ist, wie bei einem Videospiel. Der Angriff eines Gorillas ist trotzdem ein beeindruckendes Gefühl. Passieren kann dir nichts. In diesem Raum bin ich der Einzige, der dir gefährlich werden könnte.«

»Sehr witzig«, dachte sie.

Jimmy, der sie nicht hatte erheitern, sondern beruhigen wollen, setzte ihr den Helm auf.

Totale Dunkelheit. Immerhin konnte sie noch die Stimme des Mannes hören.

»Ich schließe nur schnell die Kabel an, dann aktiviere ich die Software. Ich gebe dir einen Countdown von zehn bis null – na ja, das merkst du dann schon. Die ersten fünf Minuten wirst du immer versucht sein zu laufen, da muss ich dich an den Knöcheln festhalten. Erschrick also nicht, du gewöhnst dich schnell dran. Danach macht es richtig Spaß.«

»Siehst du dasselbe, was ich sehe?«

»Genau dasselbe. Diese und die nächsten Sitzungen werden wir komplett aufnehmen, damit du sie dir anschließend in Ruhe auf Video anschauen kannst. Schon jetzt wirst du von einer Kamera aufgenommen, die an einen zweiten Videorekorder angeschlossen ist. Anhand des Bandes kann ich dann die Instrumente perfektionieren.«

Anna versuchte sich zu entspannen, doch sie merkte, dass sie leicht zitterte.

»Noch ist alles im Stand-by-Modus. Sobald du bereit bist, gib mir ein Zeichen, dann beginne ich den Countdown.«

Das Zittern ließ nach. »Fang an.«

Plötzlich war um sie herum alles still. Jimmy hatte die Audioverbindung zum Zimmer unterbrochen. Sie betrat eine andere Welt.

»Zehn – neun – acht.«

Verflucht, sie begann wieder zu zittern.

»Drei – zwei – eins – los!«

Vor Schreck verschlug es ihr den Atem. Sie befand sich wieder auf dem Gorillahügel, obwohl der Wald um sie herum merkwürdig aussah, irgendwie blass und ohne die vielen Grünschattierungen, die sie gewöhnt war. Deutlich hörte sie die Schreie der Vögel. Dann kapierte sie, warum ihr die Natur so karg vorkam: Die Gerüche fehlten. Zwanzig Sekunden lang blieb sie einfach reglos stehen und drehte den Kopf hin und her. Vor ihr saß ein Gorilla und fraß.

»Jimmy, wenn ich ...«

Im selben Moment landete etwas auf ihr und sie stieß einen Schrei aus.

Dunkelheit.

GAME OVER.

Sie war wie gelähmt, dann hörte sie die beruhigenden Geräusche aus dem Zimmer. Der junge Mann hatte die Audioverbindung wieder hergestellt.

»Was habe ich getan?«, erkundigte sie sich aufgeregt.

»Ganz ruhig, Anna. Du hast geredet. Der Gorilla hat dich gehört und gemerkt, dass du eine Gefahr darstellst, so schön bedrohlich genau vor seinen Füßen. Er hat dich angesprungen und – wie soll ich sagen – platt gemacht. Rede also lieber nicht, du kannst grunzen, wenn du willst, gähnen oder einen Schrei ausstoßen wie sie. Du bist in ihrer Welt, nicht in meiner. Willst du es noch einmal versuchen?«

»Klar«, meinte sie. »Diesmal werde ich aufpassen.«

»Roger. Der Countdown kommt sofort.«

Die Stille war ihr jetzt schon vertrauter, und ruhig wartete sie, bis sie wieder den Urwald betreten konnte.

»Drei – zwei – eins – los!«

Der dicke Gorilla war nicht mehr da, stattdessen turnte ein Jungtier vor ihr herum, ohne sie zu bemerken. Sie versuchte sich klein zu machen und kniete nieder. Keine Reaktion. Langsam wandte sie den Kopf nach rechts, wo ziemlich nahe zwei Weibchen hockten. Als sie einen Schrei hinter sich hörte, bewegte sie den Joystick schnell nach vorn.

Alles wurde grün.

Dunkelheit.

GAME OVER.

Sie war wieder mit dem Raum verbunden.

»Was ist jetzt los, Jimmy? Was habe ich diesmal falsch gemacht?«

»Hast du den Silberrücken gesehen?«

»Nein, wo war er?«

»Hinter dir. Du warst zu dicht an den Weibchen dran. Du hättest dich sofort entfernen müssen, dann hätte er dich wahrscheinlich in Ruhe gelassen.«

Sie wusste all diese Dinge nur zu gut, und in der Realität

hätte sie auch niemals gewagt, so nahe heranzugehen, ohne vorher die Lage zu klären oder zumindest nachzusehen, wo der Anführer sich aufhielt. Aber in der Realität war sie eine Frau, kein Gorilla. Noch dazu ein Gorillamännchen. Das war das Problem.

»Wie dumm von mir.«

»Keine Sorge. Am Anfang ist es für alle schwer, und du musst bedenken, dass ich die höchste Schwierigkeitsstufe eingestellt habe.«

»Na prächtig, vielen Dank!«

»Du bist schließlich nicht zum Spaß hier, oder? Bist du müde?«

»Ein bisschen. Aber ich möchte weitermachen.«

»Wie du willst. Nach der nächsten Runde gibt's einen Pit stop zum Energietanken.«

»Danke, Jimmy.«

»Hier kommt der Countdown.«

Fünfzehn Sekunden später befand sie sich wieder im Urwald. Dieses Mal hatte sie sich vorsorglich auf alle viere niedergelassen. Der Silberrücken saß vor ihr (sie zwang sich immer wieder, daran zu denken, dass sie gerade ein Gorillamännchen war), aber er würdigte den Rivalen keines Blickes. Schnell kontrollierte sie ihre Umgebung. Keiner da. Sie entfernte sich einige Schritte mit dem Joystick und stieß ein Grunzen aus.

Unglaublich! Der Silberrücken drehte sich sofort zu ihr um, prüfte den Abstand zwischen ihnen, stieß seinerseits ein Grunzen aus und fraß weiter.

Sie hatte es geschafft. Während sie noch ihren Erfolg genoss, nahm sie links von sich einen Schatten wahr. Hastig fuhr sie herum.

Er stand praktisch direkt vor ihr. Ein anderes Männchen erhob sich auf die Hinterfüße, trommelte sich auf die Brust und ließ sich wieder auf alle viere sinken. Sie wich einen Schritt zurück, der Gorilla folgte ihr.

Noch einen Schritt zurück.

Sie beschloss, einen Schrei auszustoßen, um ihm ein wenig Angst einzujagen.

Wieder alles grün.

Dunkelheit.

GAME OVER.

»Wer hat mich dieses Mal platt gemacht, Jimmy?«

»Wieder der Silberrücken. Warum schreist du auch direkt neben ihm herum?«

»Wieso? Er war doch weit weg!«

»Zuerst ja. Aber dieses Männchen hat dich provoziert und dich dabei zurück in seine Richtung getrieben. Ich nehme dir jetzt den Helm ab.«

Sie spürte, wie er an ihrem Kopf hantierte, dann tauchte sie endlich aus der Dunkelheit auf und war wieder in Atlanta.

Jimmy lächelte sie an. »Versuch sie zu verstehen, sie sind nun mal, wie sie sind.«

»Die Sache ist die«, sagte sie und ließ sich vorsichtig auf einem Stuhl nieder, darauf bedacht, keines der Kabel abzureißen, die sie mit dem Computer verbanden. »Ich war noch nie so direkt unter ihnen.«

»Du warst eben noch nie ein Gorilla. Denk daran, dass die Spielregeln sich damit ändern.«

»Ich bin erledigt.«

»Kann ich gut verstehen. Du warst gut, du lernst schnell.«

»Ist das dein Ernst?«

»In drei Tagen bist du ein perfekter Gorilla, das spüre ich.«

Sie hätte ihn dafür küssen können, aber sie war sicher,

dass er das nicht sehr geschätzt hätte. Sie schwiegen eine Weile.

»Du bist ein netter Kerl, Jimmy.«

»Das sagen meine Freunde auch immer.«

»Los, versuchen wir's noch mal!«

»Du gibst nicht so schnell auf, was?«

Sie stülpte sich den Helm über.

Dunkelheit umgab sie.

Die erste Sitzung war nahezu unerträglich. Der ständige Wechsel zwischen Urwald und Atlanta und die ununterbrochene Konzentration stellten ihre Ausdauer auf eine harte Probe. Jimmy war erstaunt, wie rasch sie Fortschritte machte. Sie war nun schon in der Lage, sich einige Minuten frei innerhalb der Gruppe zu bewegen, und hatte sogar bereits ein paar Freundschaften geschlossen, wenn auch nur virtuelle. Die Weibchen, ein erwachsenes Männchen und zwei Jugendliche erwiesen sich als besonders aufgeschlossen und in ihrer Begleitung war sie nicht mehr in Gefahr. Der Silberrücken ignorierte sie immer noch und hielt sie auf Distanz. Zwei Männchen waren besonders aggressiv und sahen in ihr wahrscheinlich einen potenziellen Rivalen.

Zurück im Hotel, legte sie sich mit ihrem Laptop auf das Bett und versuchte, eine Verbindung zum Camp in Afrika herzustellen. Sie hatten eine bestimmte Uhrzeit vereinbart, um die Computer nicht den ganzen Tag laufen zu lassen und Batterien zu sparen.

Die Verbindung kam zustande und sie tauschte sich mit Marco aus.

Er und Bic waren auf den Hügel gestiegen, hatten aber den Elefantenpfad nicht gefunden. Stattdessen hatte der Parkwächter zahlreiche Hinweise entdeckt, die auf eine Anwesenheit der Dickhäuter in der Gegend schließen ließen, so dass sie am nächsten Tag weitersuchen würden. Die Gorillas, diesmal die echten, hatten sich offenbar völlig erholt und Nostril zeigte keine Nachwirkungen von dem Eingriff. Von Lazarus hatten sie nichts mehr gehört. Teo war gänzlich untergetaucht. Die beiden Engländer hatten sich per E-Mail gemeldet und berichtet, dass sie gut in London angekommen waren. Bob hatte seine Erkältung auskuriert, und sie hüteten sich davor, ihn zum jetzigen Zeitpunkt darüber aufzuklären, dass er mit Absicht infiziert worden war.

Atlanta, Florenz

»Der Countdown läuft.«

Anna hatte in ihrem Hotelbett so gut geschlafen wie lange nicht mehr. Seit drei Stunden saß sie nun wieder an dem Simulator. Es war ihre zweite Trainingseinheit und sie hatte nicht mehr viel Zeit.

»Drei – zwei – eins – los!«

Mittlerweile war ihr die grüne Welt vertraut, die sie mit Hilfe des Helms virtuell betrat. Gerade hielt sie sich bei den Weibchen auf, nachdem sie vorher sichergestellt hatte, dass der Silberrücken weit genug weg war. Alles wirkte ruhig, dennoch hielt sie sich (besser gesagt er – sie war ganz in die Rolle des jungen Männchens eingetaucht) lieber in sicherer Entfernung von den Jungen. Als sie nach rechts und links blickte, sah sie die beiden Rivalen näher kommen. Sie machte ein paar Schritte auf drei Füßen, um so das eigene Territorium abzustecken, dann schlug sie lautstark mit den Händen auf den Boden. Dabei stieß sie einen Ton aus, der an ein starkes Röcheln erinnerte, woraufhin die beiden erst innehielten und dann schnell eine andere Richtung einschlugen. Auf dem Weg zu einem der befreundeten Männchen, das sie in der Ferne entdeckt hatte, merkte sie plötzlich, dass eines der Jungtiere neben ihr herlief. Mit jeder Bewegung des Joysticks veränderte sich das Bild um sie herum. Sie war nun von dichter Vegetation umgeben. Hier traf sie auf den fressenden Gefährten.

So machte sie zwanzig Minuten weiter, bewegte sich innerhalb der Gruppe, bis sie im wahrsten Sinne des Wortes mit dem Rudelführer zusammenstieß.

Der Bildschirm wurde schwarz und die übliche Schrift erschien.

»Pause, Jimmy«, bat sie.

Der junge Mann half ihr aus dem Helm und löste die Kabel.

»Wirklich erstaunlich, Anna. So lange hast du noch nie durchgehalten. Wie üblich haben dich die zwei mal wieder drangekriegt. Sie haben sich ins Dickicht geschlagen, sind dann aber sofort abgebogen, während du in die Falle gerannt bist. Du müsstest sie doch mittlerweile besser kennen.«

»Ich neige eben dazu, ihnen immer wieder zu trauen.«

Jimmy, dem sie ausführlich von ihren Plänen erzählt hatte, wurde ernst. »In zwei Tagen wirst du es nicht mehr mit Pixel-Gorillas zu tun haben, und wenn es dann schwarz vor deinen Augen wird, kann das weitaus unangenehmere Folgen für dich haben als hier.«

»Ob ich es jemals schaffe?«

»Du bist auf dem besten Wege«, antwortete er und strich ihr sanft über den Arm. »Ich bin sicher, dass die Wirklichkeit wesentlich leichter sein wird, wenn auch etwas anstrengender. Du schaffst das, sie von dort wegzubringen, du wirst schon sehen.«

»Warum liegt dir so viel an dieser Geschichte, Jimmy?«

»Los, wir fangen noch mal von vorne an. Ich gebe dir eine neue Ausgangssituation. Pass auf.«

Die folgende Sitzung dauerte kaum zehn Minuten. Der junge Mann hatte die Charaktere einiger Rudeltiere verändert, indem er hier und da einige Programmfunktionen ausgetauscht hatte.

»Warum hast du das gemacht?«, fragte sie frustriert wegen des schlechten Ergebnisses.

»Weil du ihnen nicht vertrauen darfst. Selbst das sanftmütigste Exemplar kann plötzlich zur Bestie mutieren, wenn es schlechte Laune hat ...«

Am selben Tag wurde auf der anderen Seite des Erdballs unverhofft das Projekt LARA enttarnt. Der Staatsanwalt von Florenz, der seit Monaten wegen verdächtiger Finanztransaktionen ins Ausland ermittelte, hatte eine Reihe von Hausdurchsuchungen bei einigen örtlichen Firmen angeordnet. Auch die Pharmacon stand aufgrund ihrer mehr oder weniger legalen Tricks im Rahmen von Börsenspekulationen auf den Märkten des Ostens auf der Liste, wenn auch nicht an oberster Stelle. Tagelang hatte die Steuerfahndung sämtliche Akten der Buchhaltung überprüft und war schließlich durch Zufall im Terminkalender des Vorsitzenden auf den Namen LARA gestoßen, der sich auf die berühmte Versammlung bezog, in der Teo Blasti die Details seines Projekts vorgestellt hatte. Einer der Beamten hatte Bekannte bei der Polizei und wusste, dass Agente Molderi sich im Zusammenhang mit dem Mord an Luisa Mori den Kopf über eine geheimnisvolle Lara zerbrach.

Der Name blieb daher nicht unbemerkt. Zu seiner Bedeutung befragt, hatte der Pharmacon-Vorsitzende ausweichend geantwortet, was das Misstrauen der Ermittler erst recht geschürt hatte. Außerdem war im Tresor ein chiffriertes Aktenbündel gefunden worden. Obwohl verschlüsselt, sah es mehr nach einem Text als nach Rechnungen oder Statistiken aus. Es wurde den Fachleuten übergeben.

Der Code war innerhalb kürzester Zeit geknackt und aus der Umschrift tauchte wieder der Name LARA auf. Endlich wurde Molderi informiert.

Das Training hatte sie so sehr mitgenommen, dass sie völlig zerschlagen war. Sie hatte Jimmy um eine Verschnaufpause gebeten und war ins Hotel zurückgekehrt, um früh schlafen zu gehen. Ihr blieben nur noch wenige Übungsstunden und die wollte sie mit wachem Geist und voller Energie nutzen.

Sie stand unter der Dusche, als das Telefon klingelte.

Erst beim siebten Klingeln nahm sie den Hörer ab. Zum Glück hatte der Anrufer nicht die Geduld verloren und aufgelegt.

»Hallo?«

»Bist du das, Anna?«

Diese Stimme erkannte sie sofort. »Federico! Woher weißt du, wo ich bin?«

»Ich habe unseren gemeinsamen Freund in Varese angerufen und er hat mir deine Nummer gegeben. Außerdem hat er irgendwas von einem Gorilla-Simulator gefaselt – dieser Typ scheint wirklich nicht ganz dicht zu sein.«

»Ja – also nein, eigentlich hat er ausnahmsweise mal Recht. Weshalb rufst du an?«

»Ich habe wichtige Neuigkeiten. Wir haben LARA gefunden.«

»Aha«, meinte sie enttäuscht. Sie hatte gehofft, diese Geschichte sei endgültig abgeschlossen und Molderi rufe vielleicht einfach nur um ihretwillen an. »Und wer ist diese Lara?«

»Was ist sie?, müsste die Frage richtiger lauten. LARA ist keine Frau, sondern ein Projekt. Die Abkürzung steht für Linea Avanzata di Retroricerca Animale. Es handelt sich dabei um ein Dossier über Tierforschung, das von der Pharmacon stammt und ein vollkommen wahnwitziges Projekt darstellt, in dem du, meine Liebe, mitten drinsteckst.«

Ihre Müdigkeit war wie weggeblasen, alle ihre Sinne signalisierten Alarmstufe Rot. »Ein Dossier? Hast du es gelesen?«

»Natürlich. Es ist der pure Wahnsinn, Anna. Weißt du, was deine Freunde von der Pharmacon gemacht haben?«

Als Antwort brachte sie ihn auf den neusten Stand der Entwicklungen, ohne allerdings ihre eigenen Pläne und die Gefahr zu erwähnen, die von dem Virus ausging. Ihr Gespräch dauerte noch lange, aber am Ende wusste Anna kaum mehr über die Akte LARA, als sie vorher selbst herausgefunden hatte. Das Dokument war zu spät aufgetaucht.

»Es gibt da noch eine Kleinigkeit, Federico, von der du nichts weißt. Ich vermute, dass es Teo Blasti war, der mich damals abends vor der Wohnung der Mori überfallen hat.«

»Wie kommst du darauf?«

»Das würde jetzt zu weit führen, aber es ist auch nicht mehr wichtig. Ist Teo übrigens in Florenz?«

»Nein, er ist verschwunden. Keiner hat mehr von ihm gehört.«

»Schau einer an! Steht sonst noch was in der Akte?«

»Nein. Das war alles. Reicht dir das nicht?«

Nachdem sie aufgelegt hatte, versank Anna in langes Grübeln. Sie spürte, dass die Geschichte entgegen allen Versicherungen noch lange nicht zu Ende war. Ihr fiel wieder eine der vielen rätselhaften Antworten ein, mit denen Teo sie abgespeist hatte, als sie ihn nach der geheimnisvollen Lara gefragt hatte: *LARA lag schon im Sterben, aber nun erblüht sie zu neuem Leben.*

Da steckte doch etwas hinter diesen Worten. Hatte Teo etwa den unbekannten Wirkstoff gefunden, mit dem er sein Medikament gegen Erkältung entwickeln konnte? Oder etwas viel Schlimmeres?

Eines war jedenfalls gewiss: Die Akte LARA, die Agente Molderi gelesen hatte, hatte eine radikale Veränderung durchgemacht.

In dieser Nacht schlief sie zwölf Stunden am Stück.

Mombasa, Atlanta, Basiscamp, Lichtung TEC

Auf der kleinen Fähre, die ihn von Mombasa zurück in den Touristenort an der Südküste kurz vor der Grenze zu Tansania brachte, dachte Teo Blasti über die Ereignisse nach. Die TEC hatte sein Angebot angenommen. Offensichtlich hatten sie einen Käufer gefunden, doch es interessierte ihn nicht im Geringsten, wer es war. Ihn interessierten lediglich die drei Millionen Dollar, die demnächst auf seinem Schweizer Bankkonto eingehen würden, das er vor langer Zeit aus ganz anderen Gründen eingerichtet hatte. Von der Pharmacon musste er sich verabschieden. Er wollte alles hinter sich lassen und seinen Reichtum in irgendeinem Winkel der Erde genießen, vielleicht ganz hier in der Nähe, in Malindi, wo es eine wohlhabende italienische Kolonie gab. Blieb nur noch ein letztes, wenn auch nicht ganz unbedeutendes Problem: Er musste die Probe mit dem Virus wieder aus ihrem Versteck holen, das er, nebenbei bemerkt, für eine wahre Meisterleistung hielt. Sie hatten praktisch jeden seiner Schritte verfolgt, sei es in Kilemi, in Kapstadt oder in Singapur, vielleicht beobachteten sie ihn sogar in gerade diesem Moment. Und dennoch hatten sie nicht die leiseste Ahnung, wo er sie versteckt hatte. Alles verlief genau nach Plan, wie die neue Version der Akte LARA es vorsah.

Nur eins bereitete ihm Sorgen. Die Webcam gab seit einiger Zeit kein Lebenszeichen mehr von sich.

Nun war schon der dritte und letzte Tag des Trainings erreicht, der entscheidende. Gut ausgeschlafen und erfrischt schlüpfte Anna behände in die schwarze Strumpfhose und ließ sich helfen, die verschiedenen Geräte anzuschließen. In weniger als einer Viertelstunde befand sie sich wieder in der virtuellen Welt bei ihren Gorillafreunden.

»Pass auf«, hatte Jimmy sie diesmal gewarnt, »die Dinge liegen heute ein bisschen anders, entsprechend deinen Zwecken. Es genügt nicht, wenn die Gemeinschaft dich akzeptiert oder du dich richtig verhältst. Du musst noch einen Schritt weitergehen. Du musst sie überzeugen, auf dich zu hören, ohne dabei den Silberrücken zu reizen, obwohl er dich bereits schätzen gelernt hat.«

»Komm schon, Jimmy, diese virtuellen Gorillas haben doch sowieso kein Gedächtnis. Sie sind genau wie am ersten Tag – wie kannst du da sagen, sie hätten mich schätzen gelernt?«

Der junge Mann hatte gelächelt. »Ich habe die Nächte damit verbracht, das Programm umzuschreiben. Ich habe mir die Videokassetten noch einmal angesehen und die Charaktere an die Veränderungen der letzten zwei Tage angepasst. Es stimmt nicht, dass diese Gorillas kein Gedächtnis besitzen. Sie haben das des Computers und der hat meine Befehle.«

Erstaunt und erleichtert zugleich stürzte sie sich hochkonzentriert in die neue Sitzung. Sie stellte tatsächlich deutliche Veränderungen im Verhalten ihrer Gefährten fest. Die Weibchen ließen sie nun an die Kleinen heran, ohne unruhig zu werden, und die Jungtiere rissen sich um den neuen Spielkameraden. Sie fühlte sich stark, und mehr als einmal gelang es ihr, auch den feindseligen Männchen ihren Willen aufzuzwingen. Nur der Anführer des Rudels wollte nichts von ihr wissen.

»Keine Chance«, sagte sie in einer Pause, »trotz all deiner Eingriffe hat er immer noch einen unleidlichen Charakter.«

»Du irrst dich, Anna. Du denkst eben immer noch wie ein Mensch und nicht wie ein Gorilla.«

»Was meinst du damit?«

Sie gingen zu dem Videorekorder und Jimmy spulte das Band zurück. »Ich habe mir einige Stellen gemerkt. Schau hier.« Er spielte ihr eine Szene aus der virtuellen Welt vor, an die sie sich noch gut erinnerte. »Und hier – und dann noch mal weiter vorn.«

Sie sahen sich drei Ausschnitte an.

»Ja, und?«

»Du hast Angst vor ihm, deshalb ist deine einzige Sorge, dich ihm zu unterwerfen und ihn bei Laune zu halten. Du bist immer noch in deinen menschlichen Reaktionen gefangen. Dabei gehörst du mittlerweile zur Gruppe, und der Silberrücken ist kein Feind für euch, sondern einer, der euch Sicherheit gibt. Dafür verlangt er Respekt und manchmal auch Geselligkeit. Es ist fast so, als wäre er dein Vater.«

Klar, mein Vater, dachte sie. Wo der sich wohl gerade herumtrieb? Sie hatte ihn seit zehn Jahren nicht mehr gesehen.

Sie versuchten es wieder und wieder, sieben Stunden ohne Pause, und es funktionierte immer besser, so dass Anna nicht einmal ihre Müdigkeit spürte. Jimmys Ratschläge waren wirklich Gold wert. Selbst der grimmige Silberrücken duldete sie nun in seiner Nähe. Sie fragte sich, ob es in der Realität genauso sein würde.

Die letzte Sitzung dauerte fast eine Stunde ohne Unterbrechung – eine wahre Spitzenleistung. Sie fühlte sich vollkommen sicher, und selbst die rivalisierenden Männchen hatten gelernt, sie in Ruhe zu lassen. Bis plötzlich einer der beiden sich ihr näherte, die Zähne fletschte und mit den Handflächen rhythmisch auf den Boden zu trommeln begann.

»Gütiger Himmel!«, dachte sie erschrocken. »Das kenne ich aus den Büchern. Er bietet mir Sex an. Das ist ja noch nie passiert, außerdem bin ich hier doch ein Männchen. Was soll ich nur machen?«

»Jimmy, Jimmy«, rief sie mit lauter Stimme, »halt das Ding an!«

Dunkelheit.

GAME OVER.

Sie nahm den Helm ab und löste lachend die Kabel.

»Mensch, Jimmy, was war das denn?«

Auch er lachte.

»Ein einfacher *if-then*-Befehl, der nach Ablauf einer vorher festgelegten Zeit ausgeführt wird. Wenn du so lange durchhältst ...«

»... erfolgt eine Einladung zum Homosex. Was soll das sein, eine Belohnung?«

»Für mich wäre es das.«

Das Training war beendet. Drei Tage des Leidens, aber sie hatten es geschafft. Sie umarmten sich, Anna ein bisschen behindert durch die Instrumente, Jimmy durch seine angeborene Zurückhaltung.

»Nun bist du ein perfekter Gorilla.«

»Und du«, erwiderte sie und begann, Gürtel und Knieschützer auszuziehen, »bist ein großartiger Lehrer. Ohne dich hätte ich das nie geschafft. Deine Programme funktionieren einfach klasse.«

»Tja, schade nur, dass sie unser Geheimnis bleiben müssen.«

Sie hatte noch die Strumpfhose an und dehnte sich. Sie dachte daran, dass sie sich in zwei Tagen, weit entfernt von Jimmy und seinen Geräten, einer ganz anderen Situation stellen musste. Gedankenverloren schwieg sie ein paar Minuten.

Jimmy beobachtete sie. »Du machst das für das Leben, stimmt's?«

Anna schreckte hoch. »Entschuldige, was hast du gesagt?«

»Du machst das für das Leben, ich meine, deshalb bringst du die Gorillas weg und versteckst sie?«

Dieser Junge mit den grünen Haaren, seinen fuchtelnden Händen und immer ein wenig in einer anderen Welt, ganz seinen Computern ergeben, der die Nächte durchmachte, um ihr zu helfen und die Charaktere eines Gorillarudels zu verändern, das nur in der virtuellen Welt existierte – ausgerechnet er hatte sie durchschaut. Er musste außergewöhnlich sensibel sein, um ihre eigentlichen Motive zu erahnen. Fast erschreckte sie das. Jimmy hatte bewiesen, dass er den Schlüssel zu ihrem Herzen besaß.

Schweigend blickte sie ihm in die Augen und nickte.

Zur gleichen Zeit trafen Marco und Bic in dem Camp am Fuße des Berges die letzten Vorbereitungen für Annas Rückkehr. Sie waren noch einmal bei den Gorillas gewesen und hatten endlich den Elefantenpfad gefunden. Damit waren alle Zweifel beseitigt, dies war ein wunderbarer Fluchtweg. Bic hatte außerdem andere Fährten entdeckt, die vermuten ließen, dass noch mehr Menschen den Weg kannten, wenn auch keine Weißen. Wer dort hinaufgelangt war, war im Urwald zu Hause. Später hatte er tatsächlich einen Pfeil auf dem Boden gefunden, wie ihn die herumziehenden Pygmäen zur Jagd benutzten. Er beschloss, Marco erst einmal nichts zu sagen. Es war nicht sehr wahrscheinlich, dass sie auf ihrer Expedition jemandem begegnen würden. Leider konnten sie den Weg nicht weiterverfolgen, da ein heftiger Regenschauer sie zur Umkehr zwang.

Etwas weiter östlich, jenseits des zentralen Berges, las Marcel Joffe im Lager der TEC noch einmal die letzten Anweisungen durch, die er aus Singapur erhalten hatte. Ein höhnisches Lächeln huschte über sein Gesicht, denn wie erwartet war eine neue Partie mit bizarren Regeln eröffnet worden. Nun waren Song Ho, die große Spinne, die von ihrem luxuriösen Hotel in Singapur aus ihr Netz webte, und er, die kleine Fliege am Rand des afrikanischen Urwaldes, zugleich Verbündete und Gegner. Der Chinese hatte endlich den Befehl ausgegeben, das zu finden, wonach er selbst schon lange suchte.

Er rief die Holländer zu sich und diktierte ihnen eine Reihe von Aufträgen. Sie sahen ihn verwundert an, denn was sie da hörten, passte so gar nicht zu dem, was sie von ihrem Chef erwartet hatten. Selbst ihr minderbemitteltes Gehirn begriff, dass etwas Merkwürdiges im Gange war.

Noch weiter östlich, an der Ostküste Kenias am Indischen Ozean, packte Teo Blasti gerade seine Koffer. Es war Zeit, die stillen Stunden in Mombasa hinter sich zu lassen und sich wieder auf den Weg zu machen. Er dachte an Anna und die merkwürdige Beziehung, die sie verband, und er bereute keinen Moment, sie hintergangen zu haben. Auch sie war letztlich nicht mehr als eine der zahlreichen Figuren, die er geschickt über das Spielbrett schob.

Nun war der Augenblick gekommen, schachmatt zu sagen.

Es ging zurück nach Kilemi.

LARAS REISE

Basiscamp, Kilemi

Wegen einer ungünstigen Flugverbindung, die Anna auf ihrem Weg nach Kampala zum Umsteigen in Paris zwang, hatte sie einen Tag verloren. Es blieben ihr also nur noch achtundvierzig Stunden bis zum Ablauf von Lazarus' Ultimatum. Sie war sicher, dass der Arzt trotz ihrer alten Freundschaft keinen Moment zögern würde, das CDC in Atlanta von dem Auftauchen des unbekannten Virus in Afrika in Kenntnis zu setzen. Er hatte sich nicht mehr bei Marco gemeldet, was nur bedeuten konnte, dass es schlechte Nachrichten gab. Sie musste sich also beeilen.

Anna erreichte das Camp am Mittwochabend. Die verbleibenden Stunden brachte sie damit zu, die Einzelheiten ihres Plans auszuarbeiten.

»Morgen bei Sonnenaufgang brechen wir auf. Bic und zwei Träger begleiten mich. Mir wäre lieber, wenn du, Marco, mit den beiden anderen Trägern hier bliebest, für alle Fälle. Ich brauche eine sichere Anlaufstation, falls etwas schief geht. Wir halten die ganze Zeit über Funkkontakt. Den Computer nehme ich mit, weil auf der Festplatte Dateien zu den Verhaltensweisen von Gorillas gespeichert sind, die ich vielleicht brauchen werde.«

»Was genau hast du vor?«

»Wie schon gesagt, ich werde die Gorillas von dem Hügel weglocken und über den Elefantenpfad zu einem Ort bringen, der weit genug entfernt ist, damit sie nicht so schnell gefunden werden.«

»*Wie* weit?«

»Das weiß ich noch nicht, sagen wir mal drei, vier Kilometer Luftlinie.«

»Wie willst du das schaffen? Normalerweise bewegen Gorillas sich höchstens zwei- bis dreihundert Meter am Tag fort. Und du willst sie die ganze Strecke laufen lassen?«

»Ich habe da so meine Methoden, verlass dich drauf. Was hältst du davon, Bic?«

Dem Parkwächter war seine Unschlüssigkeit deutlich anzusehen. »Marco hat Recht, theoretisch bräuchte man acht oder zehn Tage, um mit den Gorillas eine solche Strecke zurückzulegen. Andererseits es ist meines Wissens das erste Mal, dass so etwas überhaupt versucht wird, und vielleicht geht es ja schneller.«

»Habt ihr die Gruppe gezählt?«

»Insgesamt sind es zwölf«, antwortete Marco, »der Silberrücken, drei andere Männchen, drei erwachsene Weibchen, ein junges Weibchen, zwei Kleine, die an ihren Müttern hängen, und ein paar Jungtiere.«

»Was haben sie für Charaktere, Bic? Bei dem Trubel der letzten Tage bin ich nicht dazu gekommen, sie in Ruhe zu beobachten.«

»Schwer zu sagen. Vor allem lässt sich kaum einschätzen, wie sie auf deinen Vorschlag reagieren werden, in den Wald zu fliehen. Ihr Anführer wirkt ziemlich gelassen, aber er ist sehr um den Schutz vor allem der Weibchen und der Jungtiere bemüht, während er das ›Mädchen‹ und die zwei jugendlichen Männchen tendenziell ignoriert. Von den drei Alten kennst du ja Nostril, der eigentlich nur an seinen Magen und die nächste Mahlzeit denkt. Der Zweite ist ein rechter Angeber, dabei jedoch völlig harmlos, während der Dritte mir, ehrlich gesagt, ein bisschen gefährlich vorkommt.«

»Dann werden wir ihn Teo nennen und sehr genau im Auge behalten«, witzelte sie.

»Wenn ich du wäre«, fuhr Bic fort, »würde ich mich an Nostril und das junge Weibchen halten. Die sind sicherlich am ehesten zu einer Luftveränderung bereit. Ersterer, weil er bisher immer der Geselligste war, und Letztere, weil sie darunter leidet, dass der Silberrücken sie ignoriert.«

»Abenteuerlustig?«

»Das würde ich nicht ausschließen. Ich habe solche Fälle schon erlebt. Du musst bedenken, dass diese Gemeinschaft sehr lange völlig isoliert gelebt hat.«

»Wie steht es mit der Bodenbeschaffenheit des Weges?«

»Darüber wissen wir nicht viel, weil wir vom Regen überrascht wurden und umkehren mussten. Die Elefanten haben gute Arbeit geleistet, aber der Pfad ist nicht mehr der neueste und der Wald hat ihn sich größtenteils schon wieder einverleibt. Die Vegetation ist noch sehr jung, und ich vermute, dass sie sich deshalb auf den Radaraufnahmen von der Umgebung abhebt. Das heißt jedoch nicht, dass es sich um einen gut begehbaren Weg handelt.«

Marco mischte sich ein. »Wie wollt ihr die Gruppe beisammenhalten? Ihr lauft doch Gefahr, einzelne Tiere unterwegs zu verlieren ...«

Anna lachte auf. »Wen, die? Die sind wie Schafe, von wegen Gorillas! Die werden alle schön zusammenbleiben, da bin ich mir sicher. Viel schwieriger wäre es, zwölf Welpen in die Freiheit zu führen.«

»Was soll ich tun, wenn in der Zwischenzeit Lazarus oder, schlimmer noch, die Leute vom CDC kommen? Was soll ich denen erzählen? Dass wir zwölf Gorillas geklaut haben?«

»*Play it by ear*, wie der Engländer sagen würde. Erzähl ihm, was dir gerade einfällt. Am Anfang kannst du ja so tun, als wüsstest du von nichts, und sie auf den Hügel schicken.«

»Das wird uns eine Menge Ärger einbringen.«

Anna fuhr hoch wie von der Tarantel gestochen. »Ärger? Das ist deine einzige Sorge? Denkst du denn gar nicht an diese armen Tiere, die vielleicht getötet oder gefangen genommen werden, um als Versuchskaninchen zu enden? Sie können nur in Freiheit überleben. In keinem Zoo der Welt gibt es auch nur einen Einzigen von ihnen ... Einen Flachlandgorilla kannst du in einen Käfig sperren, wenn du willst, aber keinen Berggorilla. Du denkst immer nur an dich, an den Ärger ...«

Hilflos versuchte er, sie zu beruhigen. »Komm schon, Anna, hör auf. Das ist doch übertrieben. Allerdings frage ich mich immer noch, warum du das tust. Manchmal kommt es mir wie falsch verstandene Tierliebe vor.«

Keine andere Bemerkung hätte sie mehr auf die Palme bringen können. »Willst du es denn nicht verstehen, Marco? Ich mache das beileibe nicht aus ›falsch verstandener Tierliebe‹, wie du das nennst. Diesen Gorillas geht es gut, ganz offensichtlich sind sie nicht krank und stellen für niemanden eine Gefahr dar. Selbst wenn sie es wären, würden sie höchstens uns Menschen gefährden und nicht sich selbst. Lassen wir sie doch einfach in Ruhe und Frieden leben, ohne uns in Dinge einzumischen, die uns nichts angehen. Vielleicht fällt es dir schwer, das zu kapieren, aber wir haben keine Rechte an ihnen, nicht ein einziges. Wenn sie uns in diesem Moment anstecken würden, könnten wir eine Art legitime Verteidigung als Grund anführen, obwohl nicht sie es waren, die zu uns gekommen sind, um uns Böses zuzufügen. Doch sie sind eben anders als wir, mein Lieber, und sie haben ein Geheimnis, auf das wir aus sind. Ich verteidige ein Prinzip, mein Lieber, nicht zwölf Gorillas, die es mir kaum danken werden und die ich danach wahrscheinlich niemals wiedersehe. Die Tiere interessieren mich nicht. Mich interessiert das Leben, und das möchte ich, koste es, was es wolle, verteidigen. Merk dir das ein für alle Mal.«

Annas Ankunft in Kilemi war nicht unbemerkt geblieben und die drei Männer tauschten ihre Beobachtungen aus.

»Sie ist mit dem Flugzeug aus Paris gekommen. Keiner weiß, wo sie war. Das Camp gibt es jedenfalls noch.«

»Darf man mal erfahren, wo zum Teufel du gesteckt hast, Fairplay?«, wollte Teo wissen.

»Ganz einfach. Als ich die sechs Leichen gesehen habe, hielt ich es für besser, zu verduften. Ich bin in mein Dorf, um abzuwarten, dass die Wogen sich wieder glätten. Dann ist Mwebe gekommen und hat mir gesagt, dass du zurück bist.«

Der Wächter, der Teo und Martino auf ihrer letzten, glücklosen Mission auf den Berg begleitet hatte, räusperte sich. »Ein paar Tage hatte ich Angst, ebenfalls infiziert zu sein, wegen des Materials, das ich ins Labor gebracht habe.«

»Aber nun bist du hier, gesund und munter. Und bereit, noch einmal mit uns dort hinaufzusteigen.«

»Sie wollen noch einmal auf den Hügel?«

»Ich denke gar nicht daran«, erwiderte Teo. »Ich will ins Camp und dazu brauche ich euch beide – und ein paar Waffen.«

Torbis horchte auf.

»Waffen wofür?«

»Für die Abrechnung. Ganz einfach.«

Mittlerweile überwachte jeder jeden. So war auch Teo Blastis Rückkehr nach Kilemi registriert worden, worüber drei andere Männer sprachen.

»Unser Freund ist aus Mombasa zurück und hat sich sofort mit diesem Torbis Groom getroffen, der mit einem ehemaligen Parkwächter verschwunden war, einem gewissen Mwebe.«

Joffe nickte gedankenverloren. Alles passte zusammen. Der nächste Zug lag beim Italiener, so verlangten es die Spielregeln.

»Was machen wir jetzt?«, wollte der Holländer wissen.

»Wir werden genau dasselbe tun wie er. Wir folgen ihm auf Schritt und Tritt, sogar bis aufs Klo, wenn es sein muss. Habe ich mich deutlich ausgedrückt?«

»Aber was genau suchen wir denn?«

»Ihr haltet euch an die Anweisungen. Wir greifen erst ein, wenn sie den Leuten im Camp gefährlich werden. Das hat absolute Priorität, zumindest vorläufig.«

Basiscamp, Gorillahügel

Am nächsten Morgen lag das Camp in dichten Nebel gehüllt. Anna war so ungeduldig, dass sie sich kurzerhand vor dem Zelt anzog, weil sie sicher war, dass sie sowieso niemand sehen konnte. Eine unruhige Nacht lag hinter ihr. Kurze Momente des Schlafs hatten sich mit langen Wachphasen abgewechselt, in denen sie innerlich noch einmal Jimmys Tipps und die zahlreichen Studien sowie ihre eigenen Erfahrungen mit den Gorillas hatte Revue passieren lassen. Auch wenn sie es nicht zugeben wollte, sie hatte Angst. Zu viel konnte schief gehen. Sie würde in unbekanntes Gebiet vordringen, auf einem Pfad, den allem Anschein nach noch kein menschliches Wesen betreten hatte. Außerdem kannte sie noch nicht einmal ihr genaues Ziel, nur dass es irgendwo östlich von dem jetzigen Standort der Gorillas lag. Ja, und die Gorillas, eine weitere Unbekannte. Würde es ihr gelingen, sie zum Mitkommen zu bewegen? Oder würden die Tiere, was viel wahrscheinlicher war, ganz gelassen an Ort und Stelle bleiben und ahnungslos ihrem Schicksal entgegengehen? Und wie würden sie reagieren, wenn eine Fremde ihre Welt betrat? Gut, sie waren friedliebende Wesen, aber das traf wie immer nur zu, solange sie sich nicht in Gefahr wähnten. Ein Mensch stellte in ihren Augen sicher eine ernsthafte Bedrohung dar.

Sie zog sich eine dicke Windjacke über und band sich das grüne Tuch um den Hals, das Jimmy ihr zum Abschied in Atlanta geschenkt hatte und das ihr Glück bringen sollte. Sie stellte den Computer auf den Tisch und wechselte die

Lithiumbatterien aus. Ihre Hände zitterten so sehr, dass der Rechner beinah herunterfiel, doch sie konnte ihn noch rechtzeitig auffangen.

»Mach jetzt nur keinen Fehler, Anna«, murmelte sie leise.

Aus den weißen Schwaden um sie herum tauchte Bic auf. »Die Jungs sind fertig. Mdua und Pierre werden uns begleiten, die jüngsten und stärksten der Männer. Sie haben die Anweisung, mit allen Mittel einzugreifen, falls eines der Tiere dich anfallen sollte.«

»Das wird nicht geschehen, Bic.«

Er schwieg. Nun war auch Marco herangekommen und gab ihr einen Kuss auf die Wange. Es war, als hätte ihre Auseinandersetzung am Vorabend nicht stattgefunden.

»Nun, Schwesterchen, bist du bereit? Fehlt nur noch der Regenschirm wie bei den japanischen Reiseführern in den Museen.«

»Ich habe etwas viel Besseres.«

»Was denn?«

»Eine Überraschung für die Gorillas.«

»Etwa Bonbons, um sie zu locken?«

Sie sah ihn erstaunt an. »Du bist nahe dran, woher weißt du das?«

Bic wurde ungeduldig, und sie verstaute den Computer in ihrem Rucksack, zusammen mit den wenigen Dingen, die sie mitnehmen wollte.

»Was hast du mit dem Rucksack vor?«

»Oben angekommen, werde ich ihn Bic übergeben. Ich darf in meinen Bewegungen nicht eingeschränkt sein.«

Sie umarmten sich lange schweigend.

»Pass auf dich auf.«

Sie fühlte sich plötzlich klein und zerbrechlich. Seit ihrer Kindheit hatte sich niemand mehr um sie gesorgt.

»Wir bleiben über Funk in Kontakt«, sagte sie, löste sich

aus der Umarmung und folgte den drei Gefährten, die sich schon entfernten.

»Du schaffst es, Anna.«

Marcos letzte Worte klangen dumpf durch den Nebel, der sie schon verschluckt hatte. Sie hatte Mühe, die anderen auf dem langsam ansteigenden Weg einzuholen.

Diese weiße, wie in Watte gepackte, stille Welt begleitete sie noch ein gutes Stück. Erst auf der Spitze des Hügels lichtete sich der Nebel allmählich und gab den Blick auf das Grün der Pflanzenwelt frei. Der wirkliche Urwald war ganz anders als der virtuelle, in dem sie drei Tage im Simulator von Atlanta gelebt hatte. Alles, sagte sie sich, wird ganz anders sein.

Als sie die Gorillagegend erreichten, begannen sie ihr gewohntes Stimmritual, um sich den Tieren zu erkennen zu geben. Mittlerweile war sie Expertin darin; Jimmys GV war sehr hilfreich gewesen.

»Mmm...rrrrrrr.«

Der Laut bestand aus zwei verschieden hohen Tönen: ein Brummen, gefolgt von einem geräuschvollen Ausatmen wie beim Schnarchen. Selbst der erfahrene Bic konnte es nicht besser als sie.

Der Gestank beruhigte sie. Die Gorillas waren also noch da und ganz in ihr Frühstück vertieft.

Sie kamen zum Platz der Weibchen, auf dem besonders viel Betrieb herrschte.

»Das ist das junge Weibchen, von dem ich dir erzählt habe«, flüsterte Bic. »Siehst du, wie der Silberrücken sie, verglichen mit den anderen, links liegen lässt? Dabei ist sie ziemlich aufgeweckt. Vor zwei Tagen habe ich beobachtet, wie sie einem der Jungtiere zu Hilfe kam, das sich in einem Baum verfangen hatte. Sie ist sehr schön, siehst du?«

»Mwelu.«

»Wie bitte?«

»Wir nennen sie Mwelu, wie die Tochter von Digit, Dian Fosseys Lieblingsgorilla.«

»Weißt du, was das in der hiesigen Sprache bedeutet? Schimmerndes Licht.«

»Na«, erwiderte Anna, »dann passt der Name ja. Wir werden sie brauchen.«

»Das dort ist das angeberische Männchen.« Er wies auf das Tier, das zu Beginn ihrer Expedition beinah auf sie draufgerutscht wäre.

»Fonzie.«

»Musst du denn alle sofort mit Namen belegen?«

Sie sah ihn ungläubig an. »Kennst du Fonzie etwa?«

»Stell dir vor, auch das Fernsehen hat in Uganda schon Einzug gehalten.«

Zweite Lektion. Wieder war sie voll ins Fettnäpfchen getappt.

Sie erkannten Sventola mit dem Kleinen wieder.

»Das Weibchen dort neben Sventola«, fuhr Bic fort, »ist sehr sanft. Sie nennen wir Limba.«

»Wer ist Limba?«

»Meine Frau.«

»Einverstanden. Und die andere dort guckt immer so misstrauisch, findest du nicht? Die nennen wir Priscilla.«

»Wer ist Priscilla?«

»Vergiss es.«

»Fehlen noch die zwei Jungtiere, Nostril und das bösartige Männchen.«

»Teo.«

»Teo, genau.«

Sie warteten schweigend ein paar Minuten und beobachteten die Gruppe, die ihre Anwesenheit ohne jede Reaktion zur Kenntnis genommen hatte.

Schließlich gab Anna sich einen Ruck. »Hör zu, Bic, ich wage es jetzt. Ich werde mich ihnen langsam annähern, und dann sehen wir, was passiert. Kennst du eine Pflanze, die *Pygmeum Africanum* heißt?«

Er sah sie überrascht an. »Natürlich kenne ich die. Es gibt ein paar davon hier ganz in der Nähe, aber nicht viele. Sie haben rote Früchte, ähnlich großen Kirschen. Die Gorillas sind ganz verrückt danach. Sie finden hier so wenig Obst, dass sie einen echten Leckerbissen darstellen.«

»Genau«, stimmte sie zu und öffnete einen Tragebeutel, den sie zuvor mit Früchten des *Pygmeum*-Baumes gefüllt hatte.

Bic sah sie erstaunt an. »Willst du sie etwa damit locken?«

»Warum nicht?«

»Weil sie dich dann nicht mehr in Frieden lassen werden. Erinnere dich doch nur an den kleinen Efe, den wir im Urwald getroffen haben, und an die Geschichte mit dem Honig.«

»Eben. Damals wusste ich nicht, wo man Honig findet, jetzt hingegen können wir mit deiner Hilfe die richtigen Bäume suchen. Dorthin will ich sie locken, Hauptsache, in die Richtung unseres Pfades.«

Mittlerweile war ihr jedes Mittel recht.

Bic war skeptisch. »Sei bloß vorsichtig! Ich halte das für keine gute Idee.«

»Ganz ruhig. Ich werde die Früchte schon im richtigen Moment einsetzen. Zuerst muss ich mir ihr Vertrauen verdienen. Ich gehe jetzt.«

Mental kehrte sie nach Atlanta zurück und begann, um sich Mut zu machen, mit leiser Stimme den Countdown.

»Zehn – neun – acht.«

Sie kauerte sich nieder, huschte ein paar Schritte nach vorn und stieß dabei den üblichen Lockruf aus.

»Vier – drei.«

Nun war sie ohne Deckung. Die Gorillas nahmen immer noch keine Notiz von ihr.

»Eins – los!«

Schnell schaute sie nach rechts, nach links, nach hinten. Sie schätzte die Entfernung zum Silberrücken ab und blieb auf Sicherheitsabstand. Nur Sventola sah sie neugierig an, doch auch ihr durfte sie auf keinen Fall zu nahe kommen, weil sie das Junge bei sich hatte. Sie kroch über die Erde und bewegte sich so langsam auf die junge Mwelu zu.

Als ihr bewusst wurde, dass sie sich nicht in der virtuellen Computerwelt befand, war sie schon mitten auf dem Platz der Weibchen.

Gorillahügel

Der Ärger ließ keine Sekunde auf sich warten. Vielleicht hegte das Männchen Teo geheime Ambitionen auf die junge Mwelu, trotz des Wissens, dass die Weibchen einer Gruppe ausschließlicher Besitz des Rudelführers waren, vielleicht wollte er sich aber auch einfach des Eindringlings erwehren. Unter wildem Brustgetrommel rappelte er sich aus dem Gras hoch und galoppierte auf drei Füßen auf sie zu. Anna hatte sich sofort geduckt und tat so, als ob sie fräße, da war das Tier auch schon bei ihr. Die letzten drei Meter ließ er sich rutschen und prallte dann hart auf sie drauf. Der Aufschlag war gewaltig. Sie hatte das Gefühl, in voller Fahrt von einem Auto erfasst worden zu sein, und blieb dann mit dem Gesicht nach unten reglos liegen.

Das ist keine Simulation, das ist keine Simulation!, dröhnte es in ihrem Kopf. Sie hörte das Klicken der Gewehrhähne, behielt jedoch einen kühlen Kopf.

Der Gorilla tat nichts, weder provozierte er sie weiter noch stand er auf, um sich auf die Brust zu schlagen, eine Geste, die immer Aufregung bedeutet, ob nun im Ernstfall oder im Spiel.

»Ruhig, ruhig«, flüsterte sie mit erstickter Stimme Bic zu. Sie bekam kaum Luft. »Alles in Ordnung.«

Undeutliche Schreie ertönten um sie herum, vor allem von den Weibchen, die ihre Kleinen an sich drückten. Der Silberrücken beschränkte sich auf ein lang gezogenes, lautes Grunzen wie das eines mächtigen Schweins, worauf Teo sich langsam auf allen vieren wieder entfernte. Erst da wurde ihr klar, was tatsächlich passiert war.

»So ein Schussel«, flüsterte sie ihren Begleitern zu, »er konnte nicht rechtzeitig abbremsen. Er wollte mich erschrecken und hat dabei eine Dummheit gemacht, wofür er sich jetzt schämt.«

»Nichts gebrochen?«

»Ich glaube nicht.« Ihr Adrenalinspiegel betäubte das Schmerzempfinden, die Beschwerden würden sich sicherlich später einstellen.

Mwelu kam heran. Die beiden halbwüchsigen Tiere begannen, neben ihr zu fressen. Der Gorilla, der auf sie losgegangen war, erklomm nun einen hohen Baum. Die Weibchen hörten zu schreien auf.

Ein paar Minuten hielt sie inne, um Atem zu schöpfen. Irgendwann streifte einer der kleinen Gorillas um ihre Beine, darauf bedacht, ihr nicht wehzutun. Sie nahm das als gutes Omen und entspannte sich ein wenig. Auch der Silberrücken kam nun näher und zeigte ihr auf seine Art, dass er um ihre Gesundheit besorgt war. Das riesenhafte Tier ließ sich majestätisch neben ihr nieder und lauste sich, ohne sie aus den Augen zu lassen. Anna hielt den Blick gesenkt und rührte sich nicht.

Sie hatte ihm noch keinen Namen gegeben. Spontan entschied sie sich für Sly, weil diese Anhäufung von Kraft sie an Sylvester Stallone denken ließ.

Wie Bic gesagt hatte, war Sly ein Anführer, der die Politik des »Leben und leben lassens« verfolgte. Die Gruppe war isoliert und die Weibchen wurden nicht direkt durch fremde Männchen bedroht. Wahrscheinlich hatte er schon lange nicht mehr kämpfen müssen und war ein wenig faul geworden.

Gorillas sind ja im Allgemeinen friedfertige Tiere, dachte

sie, aber diese hier in ihrer Abgeschiedenheit waren es sicher mehr als andere.

Nach einer guten halben Stunde, in der sich der Silberrücken wieder getrollt hatte, kam Nostril heran. Er schien sie tatsächlich wiederzuerkennen, denn kaum dass er sie vom Rand der Lichtung der Weibchen aus erblickt hatte, war er eilig auf sie zugekommen. Einen Meter vor ihr machte er eine halbe Drehung um sich selbst und ließ sich krachend nieder. Sein dickes Hinterteil landete kaum fünf Zentimeter neben Annas Beinen. Ein kleines Versehen und er hätte ihr mit seinen zweihundert Kilo die Knochen zermalmt.

Sie sind nicht bösartig, dachte sie, aber bar jedes Verantwortungsbewusstseins, und ihr wurde klar, dass dies die viel größere Gefahrenquelle darstellte.

Mittlerweile waren die Tiere alle versammelt und sie durfte keine Zeit mehr verlieren.

Möglichst unauffällig schlängelte sie sich durch die Gruppe an den Rand der Lichtung. Von hier bis zum Anfang des Elefantenpfades waren es weniger als sechshundert Meter, die allerdings durch dichteste Vegetation führten, in welche die Gorillas sich noch nie vorgewagt hatten. Dort mussten sie hin und Anna wollte die großen *Pygmeum*-Bäume als Lockmittel benutzen.

»*Naooom, naooom, naooom.*« Diesen Lockruf hatte sie in ihren Büchern entdeckt und in der virtuellen Realität bestätigt gefunden. Das Signal hatte immer irgendetwas mit Futter zu tun. Gleichzeitig zog sie die dicken, roten Früchte hervor und tat so, als wolle sie in eine hineinbeißen. Sie hatte sie probiert und absolut ungenießbar gefunden. Doch immerhin waren es Früchte, und wer Tag für Tag ausschließlich von Salat lebte, empfand ein bisschen Obst als interessante Abwechslung.

Fast alle näherten sich neugierig, wenn auch keiner sie zu

stören wagte, außer Nostril. Der streckte ohne viel Umschweife die Hand nach einer auf den Boden gefallenen Frucht aus und hob sie auf. Aus den Augenwinkeln beobachtete Anna, wie Bic und die beiden Träger einen Halbkreis um sie bildeten und den Tieren damit den Rückweg abschnitten. Psychologischer Druckaufbau, hatten sie das genannt; niemand würde allerdings die Gorillas mit Gewalt davon abhalten, umzukehren.

Es war der entscheidende Moment, das wusste sie nur zu gut. Sie vertraute auf die Neugier der Tiere. Da kommt ein Fremdling mit leckeren Früchten, mal sehen, was er sonst noch zu bieten hat.

Sie traf voll ins Schwarze.

Mit einer Reihe von Grunzlauten und dem üblichen Brummen und Schnarchen schob sie sich acht bis zehn Meter weiter. Sie hatte die Lichtung nun schon verlassen und war ins dichte Astwerk eingedrungen, wo Bic und die anderen ihr im Notfall nur schwer würden beistehen können.

Dann passierte etwas Merkwürdiges. Die Hälfte der Gruppe hatte flink ein paar Bäume erklommen, um ihr von oben zuzusehen. Der Silberrücken trat ein paar Schritte vor, hielt dann jedoch wieder an und tat sich an der Rinde eines *Vernonia*-Bäumchens gütlich. Mit langsamen, stetigen Bewegungen erreichte Anna nach einer halben Stunde einen *Pygmeum Africanum,* und die Gorillas, angelockt von der Aussicht auf ein besonderes Mittagessen, folgten ihr fügsam. Als sie endlich die roten Früchte erkannten, herrschte große Freude.

Das war eindeutig keine Simulation.

Bic kam heran. »Alles in Ordnung?«

»Als wäre ein Laster über mich drübergedonnert. Wie weit sind wir gekommen?«

»Vielleicht zweihundert Meter.«

»So schaffen wir das nie.«

»Vor allem wirst du auf dem Weg nicht viele dieser Bäume finden.«

»Uns wird schon was einfallen, Bic, das Wichtigste war erst einmal, sie von der Lichtung wegzulocken.«

Eines der Jungtiere sprang auf sie zu und wollte spielen. Sein größtes Vergnügen war es, zu versuchen, ihr mit dem Finger ins Auge zu fassen. Sie ließ sich auf das Spiel ein und hoffte, dass der Silberrücken, der sich bisher wenig um die Jungen gekümmert hatte, keinen Anstoß daran nehmen würde.

Sie setzten ihren Weg fort, mussten aber alle zwanzig Meter anhalten, um die Tiere fressen zu lassen. Eins war sicher: Die Gegend war den Gorillas völlig unbekannt, und sie verhielten sich wie Kinder, die im Einkaufswagen durch den Supermarkt fahren, und griffen nach allem, was in ihre Reichweite kam.

Bei einem dieser Aufenthalte gelang es Anna, sich mit Mwelu anzufreunden. Das Weibchen musste sich irgendwie zu ihr hingezogen fühlen, denn eine gute Viertelstunde lang veranstaltete es ein großes Spektakel, raste die Bäume hinauf und hinunter, um ihre Aufmerksamkeit auf sich zu ziehen. An einem gewissen Punkt, als Anna auf dem Boden kauerte und darauf wartete, dass die Gruppe ihre x-te Mahlzeit beendete, kam Mwelu heran und legte sich neben sie. Ihre Gesichter waren weniger als einen halben Meter voneinander entfernt und das Gorillaweibchen sah sie aufmerksam an. Anna wusste nicht, was das Tier ausdrücken wollte, aber in diesem Blick lag mehr als bloße Neugier. Tausend Vermutungen schossen ihr durch den Kopf. Suchte Mwelu eine Verbündete, da sie beide junge Frauen waren und, der Größe nach zu urteilen, etwa gleichaltrig?

Oder suchte sie Sicherheit, eine Stütze, vielleicht Zuneigung, die ihr in der Gruppe verwehrt blieb?

Plötzlich erhob sich Mwelu ohne ersichtliches Motiv wieder und kehrte zu den anderen zurück.

Stunden vergingen, in denen sie immer langsamer vorankamen. Wenn die Tiere nicht zum Fressen anhielten, wollten sie schlafen, und wenn sie nicht schliefen, tollten sie auf den Bäumen herum. Nichts, aber auch gar nichts schien ihnen Sorgen zu bereiten, für sie war das Ganze nicht mehr als ein unbeschwerter Sonntagsausflug.

»Sie haben ihre eigene innere Uhr«, versuchte Anna sich immer wieder zu sagen, »die tickt nun mal anders als meine.«

Endlich erreichten sie den nächsten *Pygmeum*-Baum, und sie hoffte von ganzem Herzen, dass die Tiere einfach an ihm vorübergehen würden. Doch schon wurde ihre Hoffnung betrogen und sie hingen ein paar weitere Stunden fest. Anna nutzte die Pause, um per Funk Marco zu kontaktieren.

»Wie geht es voran?«, erkundigte er sich.

»Immerhin haben wir die Lichtung verlassen. Ich habe es geschafft, sie wegzulocken.«

»Mit den Bonbons?«

»Ja, so ungefähr. Einer der Gorillas ist wahrscheinlich versehentlich auf mich geprallt, ich fürchtete schon das Schlimmste, dann ging allerdings noch mal alles gut. Das Problem ist nur, dass wir nur sehr langsam vorankommen.«

»Wie viel Weg habt ihr zurückgelegt?«

»Keine Ahnung, vier-, fünfhundert Meter. Die lassen ja keinen Rastplatz aus.«

»Wie meinst du das?«

»Stell die vor, du fährst mit zwölf kleinen Kindern auf der Autobahn von Mailand nach Rom und an jedem Picknickplatz und jeder Raststätte wollen sie Pause machen. Da wird man verrückt.«

»Sie haben dich also akzeptiert?«

»Ich weiß noch nicht so recht. Irgendetwas stimmt nicht. Wir müssen sehen, was die nächsten Stunden bringen.«

Am späten Nachmittag, als der rasante Sonnenuntergang der Tropen schon eingesetzt hatte, hielten sie an. Die daraufhin ausbrechende Aktivität gehörte zu dem Ungewöhnlichsten, was Anna je gesehen hatte. Alle Tiere begannen eifrig, sich ein Nest für die Nacht zu bauen. Die einen alleine, die Weibchen an gemeinsamen Schlafplätzen, da sie offensichtlich aus Sicherheitsgründen zusammen schliefen, die größeren Tiere wie der Silberrücken und das Männchen Fonzie auf dem Boden, andere, besonders die jüngeren Tiere, in höheren Gefilden. Nostril richtete sich seinen Schlafplatz wie gewohnt auf einem niedrigen Geflecht aus Ästen und Blättern ein.

Anna und Bic entfernten sich ein Stück.

»Können sie heute Nacht fliehen?«, wollte sie wissen.

»Das glaube ich nicht. Wenn Gefahr droht, dann nur von außerhalb, von irgendeinem anderen Tier, obwohl sie eigentlich niemanden in der Natur fürchten müssen. Oder – hattest du an etwas anderes gedacht?«

»An was?«

»Andere Gorillas.«

»Meinst du, wir könnten auf eine andere Gruppe treffen?«

»Warum nicht? Diese Gegend ist noch völlig unerforscht. Ich würde nicht ausschließen, dass sich hier irgendwo eine Kolonie angesiedelt hat. Dann könnte es allerdings Schwierigkeiten geben, wenn zum Beispiel ein ausgestoßenes Männchen oder ein junger Rudelführer, der die Gruppe verlassen hat, sich herumtreibt und neue Weibchen zur eigenen Familiengründung sucht.«

»Was können wir da tun?«

»Gar nichts. Oder hast du schon mal versucht, zwei kämpfende Silberrücken zu trennen?«

Sie stießen auf eine kleine Lichtung, wo sie ein Feuer für die Nacht anzünden konnten. Endlich kamen auch sie dazu, etwas zu essen und sich ein wenig Wasser heiß zu machen. Als sie die Nachtwachen festlegten, blieb Bic unerbittlich. Er und die Träger würden alle Schichten übernehmen, Anna brauchte absolute Ruhe.

So setzte sie sich vor den Computer und notierte die Vorkommnisse des Tages. Anschließend überflog sie noch einmal einige Seiten, die sie von verschiedenen Universitäten aus dem Internet heruntergeladen hatte. Sie fühlte sich wie an einem ruhigen Abend zu Hause und nicht wie im tiefsten Urwald, wo außer einigen Elefanten wahrscheinlich noch nie jemand vorbeigekommen war. Vielleicht war der Urwald aber auch ihr Zuhause geworden.

Beim Einschlafen fiel ihr ein, dass sie nun für viele Tage keine Dusche zu Gesicht bekäme. Ihr letzter Gedanke an dem anstrengenden Tag galt einem See mit klarem Wasser.

Sie träumte gerade, dass sie sich in einem Fußballstadion befand und die Menge um sie herum aufgeregt brüllte, als sie heftig geschüttelt wurde.

»Wach auf, Anna! Du musst aufstehen!«

Bic.

»Was ist los? Wie viel Uhr ist es?«

»Fast drei. Steh auf und geh in Deckung. Bist du wach?«

»Was ist los? Wer schreit da so?«

»Ein Leopard hat sich unter die Gorillas gemischt. Wir müssen etwas tun.«

Die Schreie wurden immer lauter.

Bic ergriff seine Pistole, die beiden Wachen ihre Gewehre, und mit Anna in ihrer Mitte näherten sie sich der Gegend, wo die Tiere ihre Nester gebaut hatten. Es herrschte völlige Dunkelheit, nur der schwache Schein ihrer Taschenlampen wies ihnen den Weg. Sie hörten die Raubkatze knurren und zur Antwort das Brüllen der Gorillas.

Sie kamen zu einer kleinen, mondbeschienenen Stelle. Vage erkannten sie die silbernen Reflexe auf dem Fell des Raubtiers. Die Gorillas waren nur Schatten, die abwechselnd aus dem Pflanzendickicht hervorsprangen und wieder verschwanden, um den Eindringling zu erschrecken, ohne ihn anzugreifen.

Bics angespannte Stimme ertönte: »Siehst du ihn, Pierre?«

»Ja.«

»Kannst du ihn anvisieren?«

Anna mischte sich ein. »Ihr werdet ihn doch nicht erschießen wollen?!«

Der Wächter schenkte ihr keine Beachtung.

»Pass auf, dass du keinen der Gorillas triffst.«

»Ich gehe noch ein wenig rüber.«

Sie versuchte es noch mal, indem sie Bic am Arm packte. »Du willst ihn doch nicht töten?!«

»Sei still!«

Es gab nur wenige Menschen auf der Welt, die sie mit einem Wort zum Schweigen bringen konnten, doch Bic war einer davon.

Mdua und Pierre gingen ein paar Meter weiter hinter einem dicken Baumstamm in Stellung.

Wenn sie schießen, dachte Anna verzweifelt, dann bricht eine Panik aus und die Gorillas fliehen in alle Richtungen.

Der Leopard verharrte nun ratlos in der Mitte der kleinen Lichtung, von allen Seiten bedroht. Eigentlich suchte er nur einen Fluchtweg, doch die Gorillas hatten ihn eingekreist. Das konnte nun lange so weitergehen.

Der Schuss hallte wie Kanonendonner durch die Nacht. Eine Sekunde herrschte tiefe Stille, dann schien der Urwald zu explodieren. Jemand stieß Anna nieder, die zum zweiten Mal innerhalb weniger Stunden mit dem Gesicht auf dem Boden landete, während sich um sie herum ein starker Wind erhoben hatte. Sie konnte nichts sehen, aber der ohrenbetäubende Lärm ließ ihr das Blut in den Adern gefrieren. Hilflos lag sie da. Dann spürte sie, wie eine Hand sie unter den Achseln packte und wegzog, während zerbrochene Zweige ihr das Gesicht zerkratzten. Sie verlor das Bewusstsein.

Als sie wieder zu sich kam, lag sie neben Bic am Feuer, der ihr das Gesicht säuberte.

»Was ist passiert?«

»Aufregende Nacht. Kommt nur ein Mal unter Tausenden vor, trotzdem kommt es vor. Trotz der Millionen Hektar Urwald gibt es immer wieder jemanden, der im Dunkeln über einen anderen stolpert.«

»Und der Leopard?«

»Tot. Mit einem einzigen Schuss. Pierre ist ein Ass.«

»Was ist mit den Gorillas?«

»Keine Ahnung. Es war dunkel. Sie sind in alle Richtungen auseinander gestoben. Morgen früh wissen wir mehr.«

Anna war immer noch benommen. »Wer hat mich hierher gebracht?«

»Mdua ist quasi über dich gestolpert und hat gut daran getan, dich nicht liegen zu lassen. Jetzt ruh dich aus. Uns steht ein weiterer harter Tag bevor.«

»Und der Leopard?«

»Der wird uns morgen ein schönes Abendessen abgeben.«

Noch bevor ihr ein Kommentar dazu einfiel, war sie eingeschlafen.

Als sie am nächsten Morgen die Augen aufschlug, sah sie als Erstes die beiden Wächter, die ein wenig abseits rauchend miteinander sprachen. Bic war nicht da. Ihr tat alles weh. Der Schlag vom Vortag, dazu diese Nacht, an die sie sich nur undeutlich erinnern konnte, hatten sie übel zugerichtet. Sie wusste keine andere Lösung, als zwei Aspirin zu nehmen und mit der Brühe hinunterzuspülen, die Pierre ihr reichte und die wohl Kaffee darstellen sollte.

Sie zog den Spiegel aus dem Rucksack und blickte hinein. Ein Bild des Schreckens bot sich ihr, das eine Auge war dick geschwollen, als hätte ein Fausthieb es getroffen. Sie suchte nach einem feuchten Tuch und wischte sich damit durch das Gesicht.

Bic erschien.

»Seit wann bist du auf?«

Aus seinem Schweigen entnahm Anna, dass er gar nicht zu Bett gegangen war.

»Was ist mit den Gorillas?«

»Rate mal.«

»Sie sind abgehauen.«

»Sie fressen.«

»Jetzt schon? Sind alle da?«

»Darauf kannst du wetten. Du bist ja ziemlich übel zugerichtet.«

»Sagen wir, ich hatte schon bessere Tage. Gefalle ich dir, Bic?«

Damit hatte der Parkwächter als Letztes gerechnet.

»Viel wichtiger ist, ob du den Gorillas gefällst.«

Das, fand sie, war keine Antwort auf ihre Frage.

Unsensibel. Oder einfach strohdumm. In der Nacht waren sie angegriffen worden und hatten sich verteidigen müssen, und nun spielten, fraßen, rülpsten diese Tiere schon wieder, als wäre nichts geschehen. Anna hatte ihr Leben riskiert, schlecht geschlafen, Schmerzen im ganzen Leib, ein blaues Auge und die Aussicht auf einen weiteren Höllentag, während diese Viecher einfach ihre Bäuche in die Luft reckten und die Morgensonne genossen ...

Die Träger nutzten die Zeit, um den Leoparden zu häuten und ein bisschen Fleisch für das Abendessen zu retten. Viel konnten sie nicht mitnehmen, da es in der Hitze schnell verderben würde. So beschränkten sie sich auf das Notwendigste und deckten eine dünne Erdschicht über den Kadaver, damit nicht andere Tiere von dem Geruch angelockt würden. Bic holte ein wenig Schlaf nach, und Anna, die unruhig war und endlich weiterwollte, spielte in der Zwischenzeit mit den Jungtieren und Nostril, deren größtes Vergnügen es heute war, einen langen, flachen Abhang aus nassem Gras hinabzusausen, bei dem es sich in ihren Augen um eine außergewöhnliche Rutschbahn handelte. Der forschere der beiden Kleinen war ihr auf die Schultern gesprungen, um mit ihr gemeinsam zu rutschen, und den Gefallen tat sie ihm auch.

Doch als Nostril dann mit seinen zwei Tonnen Lebendgewicht herankam, huschte Anna schnell weg zu den Weibchen.

Sie musste ein paar Stunden warten, bevor die Gruppe sich endlich wieder auf den Weg machte, und dieses Mal musste sie ihre gesamten Fruchtvorräte aufbieten.

Am Mittag hatten sie einen halben Kilometer zurückgelegt und endlich den Elefantenpfad erreicht.

Elefantenpfad, Basiscamp

Binnen weniger Minuten verfärbte sich der Himmel von grau zu lila, während die Donnerschläge immer näher rückten. Die Tiere waren extrem nervös und weigerten sich schließlich ganz, weiterzugehen. Anna registrierte mit Verwunderung, dass sie zwar anhielten, aber ausnahmsweise nicht direkt zu fressen anfingen. Sie standen regungslos da und schienen auf etwas zu warten.

Nichts kündigte das Ereignis an als der Donner. Alles Wasser des Äquators hatte sich offenbar genau über dieser Stelle gesammelt und ergoss sich nun auf die ungewöhnlichen Urwaldausflügler. Der Regen fiel nicht einfach herab, er schlug hart auf und zwang die vier Menschen, schnell in der Ausbuchtung eines Baumstammes Schutz zu suchen, die sie mit einer Kolonie lästiger *Toona*-Fliegen teilen mussten. Die Gorillas ließen sich wie üblich nicht aus der Ruhe bringen, schließlich waren sie hier zu Hause.

Bic machte sich am meisten Sorgen. »Es hat viel geregnet in den letzten Tagen. Vielleicht fängt die Regenzeit dieses Mal früher an ...«

»Ist das für die Gorillas irgendwie problematisch?«

Bic überraschte die Frage. »Für sie nicht, außer der Zunahme von Ungeziefer vielleicht. Viel problematischer ist das für uns, wenn es so weitergeht. Schau.«

Er zeigte auf den aufgeweichten Boden.

»Kann es sein, dass wir langsamer vorankommen?«

»Wahrscheinlicher ist, dass wir überhaupt nicht mehr vorankommen. Wir befinden uns hier nicht auf einer asphaltierten Straße, wo ein bisschen überschüssiger Regen höchstens zu ein paar Abflussproblemen führt. Hier formt das Wasser das Terrain oder, wenn du so willst, verändert es die Wege.«

Nicht auch das noch! Zuerst waren die Gorillas langsamer als erhofft, jetzt drohte der Regen, ihnen einen Strich durch die Rechnung zu machen.

»Was schlägst du vor?«

»Wir müssten schneller vorankommen. Ich kenne diesen Weg nicht, doch wenn wir auch nur eine kleine Senke durchqueren müssen, stoßen wir dort vielleicht schon bald auf einen reißenden Fluss.«

»Was wiederum die Gorillas endgültig anhalten lassen würde.«

»Wahrscheinlich. Diese Tiere ziehen die Dusche dem Bad vor. Tiere ihrer Spezies, die in der Savanne leben, durchwandern manchmal aus Not die Sümpfe, wo ihnen der Schlamm bis an die Hüfte reicht, aber ich glaube nicht, dass diese Bergtiere das jemals tun würden.«

»Wenn wir sofort weitergehen, schaffen wir es vielleicht noch.«

Bic machte eine einladende Handbewegung. »Sagst du es ihnen?«

»Da kannst du sicher sein.«

Der Parkwächter verzog keine Miene. Mittlerweile überraschte ihn gar nichts mehr bei dieser Frau.

»Fortbewegung der Gruppe. Die Tiere laufen zwei- oder dreifüßig, während sie sich gegenseitig an den Schultern oder Flanken halten. Auf diese Art können sich zwei oder mehrere Individuen zusammenschließen. Fortbewegung der Gruppe. Die Tiere laufen …« Der Satz ging ihr nicht aus dem Kopf. In dieser Gemeinschaft hatte sie das noch nie be-

obachtet, aber sie erinnerte sich gut, dass sie vor wenigen Tagen im Camp darüber gelesen hatte, als sie am Computer die Unterlagen der Verhaltensforscher im Zoo von Dallas durchgegangen war. Sie konnte es ja einfach ausprobieren, allerdings fehlte ihr dazu noch ein entscheidender Schritt, nämlich Körperkontakt mit den Tieren herzustellen. Bisher hatte sie, mit Ausnahme des Unfalls am Vortag und den Spielen mit den Kleinen, immer noch Distanz zu ihnen gehalten.

Vorsichtig näherte sie sich Mwelu, in der Hoffnung, dass sie ihr Vorhaben vielleicht unterstützen würde. Anna klatschte in die Hände, wie sie es nur bei den erwachsenen Weibchen gesehen hatte und was bedeuten musste, dass jemand von höherem Rang sich für sie interessierte. Sie mochte es sich kaum eingestehen, doch in diesem Moment hatte sie ausnahmsweise mal keine wissenschaftlichen Studien vor Augen, sondern das Filmschweinchen Babe, das mit ein wenig Liebenswürdigkeit und Respekt einfach alles erreichte. Wenn sie jemals einen Bericht über ihre Expedition schreiben müsste, würde sie dieses Detail mit Sicherheit verschweigen.

Als Antwort kam Mwelu zu ihr herüber und warf sich auf den Boden.

»Das Spielgesicht ist an dem halb geöffneten Mund zu erkennen, der den Blick auf die Zähne freigibt, während die Lippen in den Winkeln locker herabhängen und nicht angespannt sind.« Im Geiste ging sie immer noch die Forschungsergebnisse durch und prüfte den Ausdruck des Tieres, der genau auf die Beschreibung passte. Sie entspannte sich und ließ ein dumpfes Grunzen ertönen, wie sie es beim Spielen gehört hatte. Dann stand sie auf, ließ einen Arm zu Boden hängen und umarmte mit dem anderen die Gefährtin, um sie dabei ein wenig zur Seite zu schieben.

Mwelu ließ sich ohne Widerstand wegdrängen, und die beiden Jungtiere, die sich genähert hatten, taten es ihnen gleich, ohne sich um den unerlässlich fallenden Regen zu kümmern. Das Spiel stieß offenbar bei der gesamten Gruppe auf Zustimmung, so dass sie sich ganz allmählich langsam wieder in Bewegung setzten. Sly, der Silberrücken, ging etwa zehn Meter voraus.

Der Pfad war schrecklich anstrengend. Annas Stiefel versanken immer wieder in dem aufgeweichten Grund aus verfaulten Zweigen und Blättern. Der beißende Verwesungsgeruch des Waldes überlagerte manchmal sogar die nicht unerheblichen Ausdünstungen der Gorillas, bei denen die Naturdusche nicht viel ausgerichtet hatte. Sie hatte Mühe, mitzuhalten, während Bic und die beiden Parkwächter eher daran gewöhnt waren. Die Gorillas wiederum störten sich nicht im Geringsten am Zustand des Weges, da sie die Strecke sowieso meist über die Bäume zurücklegten, von Liane zu Liane schwangen oder sich über dünne Äste zur nächsten Station wippen ließen.

Nur Nostril blieb an ihrer Seite, und Anna hatte wieder das schon vertraute, blöde Gefühl, dass diese Tiere sich im tiefsten Innern über sie lustig machten. Der Gorilla trottete mit etwa einem Meter Abstand neben ihr her und ließ sich alle vier Schritte ein wenig zurückfallen, um dann wieder aufzuholen.

Plötzlich und ohne ersichtliches Motiv griff er sie an.

Mit einem kräftigen Stoß seines Kopfes schleuderte er sie gut zwei Meter weit weg, und sie fühlte sich ganz leicht, während eine entfernte Stimme, vielleicht die von Bic, ihr zuschrie, sie solle aufpassen. Sie landete auf einem kleinen Abhang und rollte zehn Meter hinab in den Schlamm. Nachdem sie sich endlich aufgerappelt und festgestellt hatte, dass nichts gebrochen war, wollte sie sich das Gesicht abwischen, doch waren ihre Hände mit kleinen Würmern übersät. Angeekelt versuchte sie, die Tiere mit ein paar heftigen Bewegungen abzuschütteln, und ging langsam zu Nostril zurück.

»Du Mistkerl!«, brüllte sie, während ihr Zornestränen über die Wangen liefen. Etwas anderes fiel ihr nicht ein, Pech für sie, wenn er daraufhin wieder angreifen würde.

Doch machte dem Tier die ihm unverständliche Betitelung nichts aus, ungerührt wiegte der Gorilla sich auf allen vieren rhythmisch vor und zurück.

Bic kam heran. »Hast du nichts gehört?«

»Was gehört?«

»Die Rakete.«

»Welche Rakete? Mach jetzt bitte keine Witze, ich bin wirklich nicht in der Stimmung dazu.«

Der Parkwächter zog sie zur Seite. »Das hier.«

Tatsächlich steckte an der Stelle, wo sie kurz zuvor gestanden hatte, eine Rakete im Boden. Keine echte natürlich, sondern eine ovale, schwere Frucht, die mit Wucht herabgefallen war und sich zu einem Viertel in den Boden gegraben hatte.

»So was passiert nicht oft, aber es passiert«, erklärte Bic. »Ein solches Geschoss aus dieser Höhe kann töten.«

»Willst du damit sagen, dass Nostril mir das Leben gerettet hat?«

»Ich glaube nicht, denn wenn ich recht gesehen habe, hätte dich das Ding um ein paar Meter verfehlt. Dennoch war die Attacke des Gorillas kein Zufall. Er wollte dich beschützen.«

Das Tier war immer noch in seine rhythmische Bewegung vertieft.

»Einen Gorilla zu umarmen ist durchaus nicht unüblich, doch darf die Handlung nicht länger als zehn Sekunden

dauern, weil sie sonst als versuchte Aggression wahrgenommen wird.« Auch das stand in ihren Instruktionen, die sie in dem Fall lieber ignorierte. Für heute hatte sie wirklich genug.

So tat sie gar nichts und Nostril schien auch keine Dankbarkeit zu erwarten.

Der Regen ging heftig über dem Tal nieder und überraschte Blastis Männer etwa hundert Meter vor dem Camp. Mühsam schleppten sie sich die letzten Meter weiter und warfen sich dann zu Boden, um das Lager zu beobachten.

Marco und die beiden Träger versuchten gerade, möglichst viele Sachen ins Trockene zu retten, und wechselten dabei aufgeregte Rufe.

»Kannst du irgendwo die Frau entdecken?«, fragte Teo.

»Nein.« Mwebe wischte die Linse des Fernglases ab. »Nichts zu sehen. Nur der weiße Mann ist draußen, die Frau hält sich wahrscheinlich im Zelt auf.«

Torbis Groom, der etwa fünf Meter hinter ihnen lag, sah sich um. Seit fast einer Stunde war er das deutliche Gefühl nicht losgeworden, dass sie verfolgt wurden, doch hatte er niemanden ausmachen können. Nun verschwand alles hinter dem dichten Regenschleier.

»Gib her!«, befahl Teo und ergriff das Fernglas. Fünf Minuten verfolgte er das hektische Treiben auf dem Lagerplatz. Von Anna keine Spur. Komisch war auch, dass ihr Zelt dunkel war, aber vielleicht schlief sie ja. Endlich zogen sich Marco und die zwei Träger zurück und das Camp lag völlig still da.

Die Männer stimmten ihr weiteres Vorgehen ab.

»Ich und Mwebe gehen ins Camp. Du, Torbis, bleibst hier im Versteck und hältst uns den Rücken frei, falls sie sich wehren. Es dürfte nicht lange dauern.«

Sie warteten noch eine Viertelstunde in der Hoffnung, dass der Regen nachlassen würde, dann stand Teo auf und legte in großen Sprüngen die wenigen Meter zu dem Zelt zurück, in dem Marco verschwunden war. Er schob die Plane weg und trat ein, während Mwebe draußen Wache hielt.

Marco traute seinen Augen nicht.

»Du? Wo kommst du denn her? Was machst du noch hier? Wolltest du nicht längst in Italien sein?«

»Oho, so viele Fragen auf einmal«, erwiderte Teo und griff nach einem Handtuch, um sich das Gesicht abzutrocknen. »Nein, wie du siehst, bin ich nicht nach Italien zurückgekehrt. Ich suche ein wenig Gastfreundschaft für mich und meine beiden Freunde. Schließlich zahle ich nach wie vor dieses Lager hier.«

Marco brauchte nicht lange, um zu begreifen, dass dieser Mann seine Feindseligkeit nicht länger verbarg. Er ging in die Defensive. »Nur zu. Du hast Recht, das ist dein Camp.«

Ohne um Erlaubnis zu bitten, packte Teo eine Flasche mit Likör und schenkte sich ein.

»Ist Anna nicht da?«, fragte er und schaute sich um, als erwarte er, sie in diesem Zelt zu finden.

»Vielleicht ist er nur ihretwegen zurückgekehrt«, dachte Marco. Was sollte er ihm sagen? »Nein, ist sie nicht. Sie ist – in den Staaten. In Atlanta bei ihrem Exmann.«

»Sie war in den Staaten bei ihrem Exmann.« Teos Blick versprach nichts Gutes, und Marco fragte sich, ob er vielleicht Drogen genommen hatte. »Sie ist schon wieder zurück. Und du behauptest, sie sei nicht hier.«

»Nein, sie ist weg.«

»Verstehe. Weg wohin?«

»Das hat sie mir nicht gesagt.«

»Das hat sie dir nicht gesagt? Los, Marco, wir sind hier nicht im Kindergarten!«

Ein Teil der Wahrheit würde sicher nicht schaden.

»Sie ist mit Bic auf den Gorillahügel gestiegen. Wahrscheinlich wurden sie dann vom Regen überrascht und haben es nicht mehr rechtzeitig zurück geschafft. Sie werden wohl die Nacht dort oben verbringen.«

Eine Spur von Genugtuung schwang in Teos Worten mit. »Siehst du? Warum also die Geheimniskrämerei? Dann werde ich mir in der Zwischenzeit ihre Liege borgen, wenn du nichts dagegen hast.«

»Bitte.«

Ohne ein weiteres Wort verließ Teo das Zelt und ging zu Annas Unterkunft. Drinnen war alles perfekt aufgeräumt, fast zu perfekt. Er merkte sofort, dass etwas fehlte. Er durchwühlte den großen Sack mit den Kleidern zum Wechseln, fand jedoch nicht, was er suchte.

In diesem Moment kam Marco herein, der ihm gefolgt war.

»Ich glaube nicht, dass Anna damit einverstanden wäre.« Er versuchte, ruhig zu bleiben. »Ich meine, dass ein Fremder ihre Wäsche durchwühlt.«

»Ach, keine Sorge«, lächelte Teo. »Sagen wir, ich habe etwas bei ihr vergessen, was mir gehört. Ein persönliches Andenken.«

»Und deshalb bist du hergekommen?«

Teo überging die Ironie. »Natürlich nicht. Wo ist übrigens der Computer?«

»Den hat sie mitgenommen.«

»Verstehe. Sie führt wahrscheinlich ein Tagebuch über die Ereignisse?«

»Da kannst du sicher sein.« Worauf wollte dieser Kerl nur hinaus mit seinen Fragen?

»Ich möchte sie nur bitten, mich vor der Pharmacon nicht allzu schlecht zu machen, das ist alles. Vielleicht könnte sie ja die peinlichsten Stellen aus den Dateien löschen.«

»Das weiß ich nicht. Das muss *sie* entscheiden.«

Teo nickte mit einem merkwürdigen Leuchten im Blick. »Ja, das muss *sie* entscheiden. Deshalb werde ich morgen zu ihr auf den Berg steigen.«

Marco schwieg. Das roch geradezu nach Schwierigkeiten.

»Was tun wir jetzt?«

Die Stimme des Holländers klang durch den Regen.

»Wir suchen einen Platz, wo wir die Nacht verbringen können. Immerhin ist gewiss, dass sie heute nicht mehr weitergehen, bei dem Regen. Die Frau habe ich allerdings nicht gesehen.«

»Wir auch nicht, vielleicht hält sie sich im Zelt auf.«

»Das glaube ich nicht. Es gab ein großes Kommen und Gehen, aber sie war nicht dabei. Sehr merkwürdig.«

»Soll ich das mal überprüfen, Oberleutnant?«

»Ich mach das schon. Deckt ihr lieber die Sachen ab.«

Sie hatten beobachtet, wie der dicke Fairplay mit Mwebe sich im Zelt der Träger eingenistet hatte. Im Camp herrschte nun wieder Ruhe. Joffe kroch leise bis an den Rand der Lichtung und begann dann, stets in Deckung, sie zu umrunden. Es wurde schnell dunkel, ihm blieb nicht viel Zeit. Er prüfte ein Zelt nach dem anderen und stellte fest, dass die Frau nicht da war. Wahrscheinlich befand sie sich oben bei den Gorillas.

Er machte kehrt und zog sich mit den Holländern einige hundert Meter zurück, um selbst ein Nachtlager zu errichten. Hier konnten sie sogar ein Feuer anzünden, ohne vom Camp aus bemerkt zu werden.

Anna triefte vor Nässe wie ihre gesamte Umgebung. Vor ihr lagen viele Stunden Dunkelheit, die nicht leicht werden würden. Die Gorillas hatten wie am Vortag ihre Nester hergerichtet, diesmal alle in sicherer Entfernung zum Erdboden. Zu ihrer Überraschung hatte sich der Silberrücken der beiden Jungtiere angenommen, die sich nun dicht an ihn drängten. Was Nostril betraf, so hatte der Regen ihn nicht von einem ausgiebigen Abendmahl abgehalten, wie man selbst aus dieser Entfernung deutlich vernehmen konnte.

»Wie lange regnet es für gewöhnlich?«, fragte sie Bic.

»Schwer zu sagen, aber in dieser Jahreszeit wohl ein paar Stunden lang.«

»Ein paar Stunden sind schon vorbei.«

»Dann wird es bald aufhören. Du kannst es nun mal nicht anordnen.«

Eine Stunde später ließ der Regen nach. Sie hatte die Gelegenheit genutzt, sich unter den Wassermassen zu waschen und dann etwas Trockenes aus dem Rucksack anzuziehen, den sie den Trägern anvertraut hatte. Mit ein paar Zweigen bastelte sie in der Nähe des Feuers eine Stange, über die sie die nassen Sachen hängte. All das tat sie, ohne sich um die Blicke von Bic und den Trägern zu kümmern – überflüssiges Schamgefühl hatte sie im Lager zurückgelassen.

»Wie weit sind wir heute gekommen?«, fragte sie, als sie sich am Feuer wärmte und einen Energieriegel knabberte.

»Weiß nicht genau, auf jeden Fall mehr als einen Kilometer Luftlinie. Mir macht nur ein bisschen Sorgen, dass wir bergab gehen.«

»Meinst du, wir könnten auf einen Fluss treffen?«

»Genau das fürchte ich.«

»Weißt du«, sie wechselte das Thema, »dass gerade Lazarus' Ultimatum ausläuft? Morgen müsste der Tanz losgehen. Mit dem feinen Unterschied, dass wir nicht da sind, um mitzutanzen.«

»Sie werden uns suchen.«

»He, Bic, merkst du denn gar nichts? Der Regen war ein echter Segen für uns, wenn man es recht bedenkt.«

»Das stimmt. Unsere Spuren sind jedenfalls verwischt.«

Ihr kam ein anderer Gedanke. »Und wir? Werden wir den Rückweg finden?«

»Wir haben das Funkgerät und den Kompass.«

»Regnet es morgen wieder?«

»Das kannst du unseren Herrgott fragen.«

»Glaubst du an Gott, Bic?«, erkundigte sie sich. Zwischen ihnen war eine Vertrautheit gewachsen, die ihre Neugier nur normal erschienen ließ.

»Ja, ich glaube an Gott. Und du?«

»Ich auch. Findest du das merkwürdig?«

Bic antwortete nicht.

»Die Frage ist nur«, fuhr sie fort, »ob der Gott, von dem wir reden, ein und derselbe ist.«

»*Natürlich* ist er derselbe, Anna.«

Überrascht von der Heftigkeit seiner Antwort, wollte sie weiterfragen, doch Bic war schon damit beschäftigt, seine Sachen für die Nacht herzurichten.

An diesem Abend ignorierte sie den Computer mit seinen Forschungsberichten und beschloss, sich eine Atempause zu gönnen und in Erinnerungen zu schwelgen. Sie dachte an das große Haus auf dem Berg, in dem sie mit ihrer Mutter aufgewachsen war. Und an ihren Vater, der in ihrer Jugend immer nur kurz aufgetaucht war, um dann wieder für Jahre zu verschwinden, immer unterwegs auf geheimnisvollen Reisen. Bis er dann irgendwann gar nicht mehr gekommen war. Sie dachte auch an die vielen Jahre an verschiedenen amerikanischen Universitäten, an die Hochzeit mit Greg, an die zum Bersten gefüllten Stadien, wo er auf dem Feld wie ein Held Homers seine Mannschaft anführte, um sich später zu Hause in zahllosen Empfindlichkeiten zu verlieren. An die Forschungsaufenthalte in Afrika und die angstvollen ersten Nächte unter einem Zeltdach, wenn sie schlaflos mit aufgerissenen Augen dagelegen hatte und auf jedes noch so winzige Anzeichen von Gefahr gelauscht hatte.

Jetzt war sie wieder dort, mitten in der afrikanischen Nacht, diesmal sogar ohne Zelt, um mit einer Gruppe Gorillas über einen unbekannten Pfad zu fliehen. Und alles nur für die Verteidigung eines Prinzips.

Sie wusste, es war ein Traum, dem sie nachjagte, und doch wünschte sie, dass die Nacht schnell vergehen möge.

Basiscamp, Gorillahügel, Elefantenpfad

Am nächsten Morgen herrschte reges Treiben in dem kleinen Stückchen Afrika. Teo Blasti, Fairplay und Mwebe brachen in aller Frühe zum Gorillahügel auf, um Anna abzufangen. Unter Drohungen, die fast schon einer Entführung glichen, hatten sie Marco dazu überredet, sie zu begleiten. Joffe und die beiden Holländer, die sich noch vor Morgengrauen in der Nähe des Camps auf die Lauer gelegt hatten, verfolgten die Gruppe mit einigem Abstand. Die Jahre im Urwald hatten sie gelehrt, sich unsichtbar zu machen. Etwas höher und östlicher trieben Anna und ihre Gefährten die Gorillas weiter den Elefantenpfad entlang, der zum Glück nicht sehr unter dem Unwetter gelitten hatte.

Weiter südlich in Kilemi tat Lazarus in seiner Praxis inzwischen das, was er als seine ärztliche Pflicht ansah, aller freundschaftlicher Verbundenheit zu Anna oder allgemeiner Solidarität mit den Gorillas zum Trotz. Er rief das Center for Desease Control and Prevention in Atlanta an und teilte den Verantwortlichen die Entdeckung eines neuen, unbekannten Virus und seine eigenen Untersuchungsergebnisse mit. Nun lag der Ball im Feld des CDC, das allein entscheiden konnte, ob, wann und wie er gespielt wurde.

Kurz vor Mittag näherte sich Teo mit seiner Gruppe dem Platz der Weibchen, und er erkannte den Baum wieder, unter den er den bewusstlosen Martino gebettet hatte. Die Erinnerung daran rief keinerlei Gefühlsregung in ihm wach. Diese Geschichte gehörte definitiv der Vergangenheit an, mit der er komplett abgeschlossen hatte. Vorsichtig schoben sie sich durch das Unterholz näher und stießen die üblichen Geräusche aus, um sich den Gorillas zu erkennen zu geben.

Alles blieb still. Verdächtig still.

Der Platz war wie ausgestorben, auch in den umstehenden Baumwipfeln nahmen sie keine Regung wahr außer dem wilden Geflatter von Vögeln aller Art. Nach einer Weile beschlossen sie, zu der nächsten Lichtung zu gehen, wo die Webcam installiert war. Auch hier war niemand. Teo trat an die Kamera, um sie von nahem zu betrachten, und merkte, dass ein Teil fehlte, das gesamte Objektiv war abmontiert. Das erklärte zumindest, warum er in den vergangenen Tagen keine Bilder mehr im Netz gefunden hatte.

»Was wird hier gespielt, Marco?«

»Das Objektiv war kaputt, wahrscheinlich ist eines der Tiere dagegen gestoßen. Als wir es fanden, lag es zerbrochen auf der Erde.«

Teo war nicht überzeugt. Das sah so gar nicht nach einem Unfall aus, da der übrige Teil des Geräts völlig intakt war.

Über eine Stunde durchkämmten sie den Hügel, ohne jemanden zu finden.

Die Gorillas waren verschwunden.

Teos Stimme schnitt scharf durch die Stille: »Es reicht, Marco! Deine Spielchen haben jetzt lange genug gedauert! Wo sind die Gorillas? Und wo vor allem ist Anna?«

»Ich habe nicht die leiseste Ahnung. Im Gegenteil, ich fange allmählich an, mir ernsthaft Sorgen zu machen. Vielleicht sind alle tot, gestorben wegen deinem leichtsinnigen Experiment.«

Der Schlag traf ihn voll ins Gesicht und warf ihn zu Boden.

»Von jetzt an sind unsere Beziehungen anderer Natur«, teilte ihm Teo mit, der ihm einen Stiefel auf die Brust gesetzt hatte und ihn zu Boden drückte. »Ich will sofort wissen, wo Anna ist!«

»Das wüsste ich auch gerne«, keuchte Marco mühsam in seiner ungewohnten Position. »Warum versuchst du nicht, sie über Funk zu erreichen? Vermutlich wird sie sich freuen, dass du hier bist.« Er hatte fest vor, sich seine Angst nicht anmerken zu lassen.

»Ja, gute Idee, doch ich halte mich lieber erst mal bedeckt. Ruf du sie an.« Er nahm den Fuß weg und Marco stand auf. Während er nach dem Funkgerät griff, tauchte in Teos Händen eine Pistole auf.

»Keine faulen Tricks, klar? Versuch, ganz normal zu klingen. Ich will nur wissen, wo sie ist. Spiel nicht den Helden, mein Freund, das bringt nur Unglück.«

Marco nickte und versuchte, eine Funkverbindung über die Frequenz herzustellen, die sie für Notfälle vereinbart hatten. Vielleicht würde das ja genügen, um Anna zu alarmieren.

Nach einigen erfolglosen Versuchen ertönte durch viel Rauschen und Knacken Annas Stimme.

»Rede, was ist los? Hat mich jemand gesucht?«

Innerlich dankte Marco der Geistesgegenwart seiner Freundin. Der Anruf auf diesem Kanal musste sie überrascht haben, dennoch gab sie ihm die Chance für ein paar Andeutungen. In Wirklichkeit gingen Annas Befürchtungen in diesem Moment dahin, dass die Männer vom CDC schon im Camp eingetroffen sein könnten.

»Ja, Professor Joe Treiber von der Universität Wisconsin.«

Das heißt, überlegte Anna, dass Marco nicht allein ist und nicht frei sprechen kann. Dass er Treiber erwähnte und ihn mit einem Professorentitel ausstattete, konnte nur bedeuten, dass es sich hier um kein normales Gespräch handelte und sie äußerste Vorsicht walten lassen musste.

»Dummkopf, Treiber ist doch an der Universität von Atlanta.« Ihre Stimme klang absolut ruhig.

»Nein, Atlanta hat mit alldem nichts zu tun. Wo bist du gerade?«

Es waren also nicht die vom CDC, schloss sie daraus, dennoch handelte es sich um einen eindeutigen Notruf. Was sollte sie ihm nur antworten? Sie versuchte Zeit zu gewinnen.

»Sag lieber mal, wo *du* bist, im Camp?«

Marco sah fragend zu Teo, der den Kopf schüttelte und mit dem Finger auf den Boden wies. Wie dumm von dir, dachte er, daraus drehe ich dir einen Strick.

»Nein, Anna, ich bin auf dem Gorillahügel und suche dich. Wo zum Teufel bist du? Wo sind die Tiere?«

Sie hatte keine Zeit zum Nachdenken und wusste beim besten Willen nicht, was sie sagen sollte. Sie musste ausweichen. »Die Gorillas sind umgezogen und ich folge ihnen.«

Teo machte ungeduldige Gesten mit den Armen.

»Wohin umgezogen?«, fragte Marco.

Als Antwort hörte er nur knackende Störgeräusche, gefolgt von einem anhaltenden Rauschen.

Anna hatte den einfachsten Weg gewählt, um sich der Affäre zu entziehen: Sie hatte die Batterien aus ihrem Gerät genommen.

Teo schäumte. Er konnte sich denken, dass sie ihn an der Nase herumgeführt hatten und Anna Verdacht geschöpft hatte. Er entriss Marco das Funkgerät und übergab es Fairplay.

»Los!«, sagte er. »Weit können sie nicht sein. Wir werden sie suchen.«

Marco schwieg und folgte ihnen. Immerhin drückte sich ihm eine Pistolenmündung in den Rücken.

Auch Marcel Joffe, der die ganze Szene aus etwa fünfzehn Metern Entfernung verfolgt hatte, war nicht entgangen, dass nun Waffen im Spiel waren. Sein Herz klopfte, doch bestimmt nicht aus Angst oder wegen der Dinge, die er gesehen hatte, sondern vielmehr wegen all jenem, was er in der Umgebung eben nicht sah. Er machte den beiden Holländern Zeichen, sich für den Aufbruch bereitzuhalten.

Drei Kilometer weiter östlich bewahrheiteten sich für Anna und die Gruppe die schlimmsten Befürchtungen. Der Weg führte bergab, und sie mussten damit rechnen, demnächst einen Wasserlauf zu erreichen. Und das, wo bisher doch alles so gut gegangen war und sie das letzte Stück sogar in einem ordentlichen Tempo zurückgelegt hatten. Anna hatte einige vorgetäuschte Angriffe des Gorillamännchens Teo über sich ergehen lassen müssen, bis sie begann, ihn mit Ästen bewaffnet abzuwehren. Der Silberrücken kümmerte sich nicht um sie, obwohl er alles genau beobachtete.

Der letzte Teil des Abstiegs führte sie durch einen fast kahlen Wald mit sehr lichter Vegetation. Es ging sanft bergab.

Unvermittelt erhoben sich aus der Gorillagruppe spitze Schreie. Irgendetwas erschreckte oder erregte die Tiere, denn sie begannen sich abwechselnd auf den Brustkorb zu trommeln und einander nervös zu umkreisen.

»Was ist los?«, fragte Anna besorgt, beruhigte sich jedoch sofort, als sie Bics gelassenen Gesichtsausdruck bemerkte.

»Du hast sie in einen Vergnügungspark geführt, schau nur!«

Eine natürliche Rutsche, das war es, was die Gorillas entdeckt hatten und weshalb sie sich so aufregten. Ein Riesenspaß erwartete sie.

Die beiden Halbwüchsigen machten den Anfang, ihnen folgten einer nach dem anderen die übrigen Tiere, sogar der würdevolle Silberrücken. Im Sitzen, auf dem Rücken oder, für die Waghalsigeren, auf dem Bauch rutschten sie über das nasse Gras den Abhang hinunter. Anna folgte ihnen und rechnete sich erfreut aus, dass sie auf diese Weise mühelos ein weiteres Stück Weg zurücklegen könnten.

Doch sie hatte sich verkalkuliert, denn von Baum zu Baum hangelten sich die Gorillas, kaum waren sie unten angekommen, wieder eilig nach oben, um noch einmal zu rutschen. Ein weiterer langwieriger Aufenthalt stand ihnen bevor, und die Tiere von dem Spiel loszureißen, stellte ein neues Problem dar.

Sie ließen einen Wächter vor Ort zurück und nutzten die Pause, um ins Tal hinabzusteigen. Dort stießen sie tatsächlich auf ein schmales Flüsschen, das fröhlich plätschernd Erdreich und Geäst mit sich trug. Am andern Ufer stieg das Gelände wieder an.

Bald machten sie eine flache Furt ausfindig.

»Was meinst du, Bic, werden sie hier den Fluss überqueren?«

»Bei denen schließe ich nichts mehr aus. Du hast ja gesehen, wie unberechenbar sie in ihrem Verhalten sind. Vielleicht werden sie sich rigoros weigern, auch nur einen Fuß ins Wasser zu setzen, vielleicht entscheiden sie sich jedoch für ein kleines Rafting. Ich blicke da wirklich nicht durch, du?«

»Offen gesagt, nein. Aber ich finde die Gruppe sehr sanftmütig und verspielt.«

»Das stimmt.«

»Dann liegt die Lösung darin, aus der Flussüberquerung ein Spiel zu machen.«

»Ja, doch damit sind wir noch nicht weiter. Wie sollen wir das konkret tun?«

Anna sah sich suchend um.

»Pygmeum Africanum.«

Mwebe wies auf den mächtigen Baum, der ein wenig einer Eiche ähnelte und all seiner Früchte beraubt war.

»Was meinst du?«

»Die Gorillas sind hier vorbeigekommen. Sie sind verrückt nach diesen Früchten und der Baum müsste in dieser Jahreszeit eigentlich voll davon hängen. Sie haben hier angehalten, um zu fressen. Vielleicht ist das eine Spur.«

Teo kam heran. »Gut, dann lass uns der Fährte auf dem Boden folgen.«

Der Wächter schüttelte den Kopf. »Ich glaube nicht, dass wir da etwas finden. Wenn sie gestern hier entlanggegangen sind, hat der Regen sämtliche Spuren weggewaschen. Bleibt nur die Fährte über unseren Köpfen. Gorillas bewegen sich auch über die Bäume fort, dort können wir vielleicht den einen oder anderen Hinweis finden. Das wird zwar länger dauern, aber wir holen sie trotzdem ein. Wir sind auf jeden Fall schneller als sie.«

Marco schwieg, doch er dachte an das Gespräch mit Anna über die Bonbons. Er betete, dass sie schon weit, weit weg war, obwohl er immer noch nicht genau verstand, warum Teo sie unbedingt finden wollte.

Die Jäger begannen, ihre Beute zu jagen.

Sie ahnten immer noch nicht, dass sie selbst gejagt wurden. Joffe und seine Männer folgten ihnen lautlos.

»Werden wir es schaffen?«, fragte Anna und zeigte auf einen langen, dünnen Stamm, der vom Fluss angeschwemmt worden war und quer auf dem Ufer lag.

»Er wird unter ihrem Gewicht zerbrechen. Das Holz sieht nicht sehr stabil aus.«

Ein plötzliches Geräusch ließ sie herumfahren. Pierre, der Wächter, der sie begleitete, packte sein Gewehr und Bic legte die Hand auf den Griff seiner Pistole. Da war es wieder, das Geräusch kam eindeutig aus dem Wald jenseits des Wasserlaufes.

Eilig gingen sie hinter einem Gebüsch in Deckung.

»Wer kann das sein?«, fragte Anna flüsternd.

Bic, der ihre ewige Fragerei allmählich leid war, machte eine ungeduldige Handbewegung, die so viel bedeutete wie: »Meine Liebe, ich bin auch nicht schlauer als du.«

Nun traten zwei mit Lanzen bewaffnete Männer aus dem Wald und wateten eilig durch das Wasser.

Anna lieh sich das Fernglas und nahm sie ins Visier.

»He, den einen kenne ich doch! Schau nur, Bic, erinnert der dich nicht an jemanden?«

Der Parkwächter sah nun selbst durch das Glas. »Die Welt ist wirklich klein. Klein wie die Efe-Jäger.«

Es war der Mann, den sie vor Tagen im Urwald getroffen hatten und der vehement nach mehr Honig verlangt hatte.

Bic war schon hinter dem Gebüsch hervorgesprungen und ging mit großen Gesten auf die Pygmäen zu. Als er bei ihnen war, begann er auf sie einzureden, und Anna sah, wie er die Haltung der Affen nachmachte und dabei auf das Gebüsch zeigte, hinter dem sie kauerte.

Der Wächter kam zurück. »Ich habe ihm gesagt, dass die Frau mit dem Schimpansenhirn hier ist, und sie gebeten, uns zu helfen. Ihr könnt jetzt ruhig rauskommen, und Pierre, steck das Gewehr weg, du brauchst es nicht.«

Am Ufer des Flüsschens trafen sie sich, während der Efe seinem Gefährten die Lage erklärte und dabei eifrig auf Anna, die Äffin, zeigte. Beide fanden die Angelegenheit höchst amüsant.

Nachdem die üblichen Höflichkeiten ausgetauscht waren, kam Anna zur Sache.

»Frag sie, wo sie herkommen.«

»Habe ich schon«, antwortete Bic. »Sie kommen von dem Berg vor uns. Dort ist der Wald sehr dicht. Und uns erwartet eine Überraschung, von der ich nicht weiß, ob sie dich erfreut.«

»Sag schon, mich kann nichts mehr schockieren.«

»Gorillas.«

»Was? Willst du sagen, dass dort drüben andere Gorillas sind?«

»Sieht ganz so aus.«

Das änderte die Lage natürlich beträchtlich.

»Wie viele sind es? Und wo sind sie?«

»Das habe ich nicht genau verstanden.«

Die Neuigkeit war zu wichtig, um ihr nicht nachzugehen, und so beschloss Anna, die Sache selbst in die Hand zu nehmen, und wandte sich mit der allgemein gängigen, improvisierten Zeichensprache an die beiden Pygmäen. Sie ahmte einen Gorilla nach, was sie mittlerweile bis zur Perfektion beherrschte. Die beiden lachten und nickten.

Dann hob sie fragend die Finger: Wie viele?

Die zwei sahen sich an, hoben dann ein paar Dinge vom Boden auf und legten sie vor Anna. Sie begriff nicht, ebenso wenig Bic. Sie wollte schon nachfragen, als der kleinere Efe zwei kleine Äste parallel anordnete, darauf zwei Steine legte und daneben einen einzelnen Zweig mit vier Steinen. Dann machte er das internationale Zeichen für »warten«, entledigte sich aller Steine bis auf zwei und legte sie daneben.

Anna glaubte ihren Augen nicht. Das Zeichensystem, in dem der Efe ihr antwortete, mochte Bic schleierhaft sein, ihr hingegen ganz und gar nicht.

Wortlos ergriff sie ihrerseits ein paar Zweige und Steine und legte sie nacheinander auf den Boden: zwei Zweige mit vier Steinen darauf, dann drei Zweige mit drei Steinen.

Die Efe sahen ihr aufmerksam zu. Dann wiederum ordnete sie mit den flinken Bewegungen eines Taschenspielers alles folgendermaßen an: ein Stein, daneben zwei parallel liegende Zweige mit zwei Steinen.

Die Efe sahen sie einen Augenblick überrascht an und nickten dann energisch.

»Erstaunlich«, meinte sie.

Bic mischte sich ein. »Kannst du mir das bitte mal erklären?«

»Wirklich erstaunlich. Mathematik der Maya mit der Basiszahl Zwanzig.« Sie fragte ihn lieber nicht, ob er die Maya kannte, um sich nicht noch einmal zu blamieren.

»Ich weiß zwar, wer die Maya waren«, erklärte Bic prompt, »aber das mit der Mathematik verstehe ich nicht.«

»Unglaublich«, sagte Anna, während sie eine neue Anordnung probierte und wieder zustimmende Zeichen von den Pygmäen erntete. »Basiszahl Zwanzig. Ich dachte, dieses Rechensystem sei längst ausgestorben. Schau, Bic, die Maya hatten ganz außergewöhnliche mathematische Fähigkeiten, so dass ihre Rechenleistungen vor Jahrtausenden exakt dem entsprachen, was unsere Computer heute erledigen. Das Ganze funktionierte so: Die Steine sind in unserem Fall die Einerschritte, die Zweige bedeuten jeweils fünf. Sobald du zwanzig oder ein Vielfaches davon erreichst, rückt die Ziffer eine Spalte weiter nach links. Zwei Zweige und vier Steine bedeuten also beispielsweise vierzehn, drei Zweige und drei Steine sind achtzehn. Die Summe ist zweiunddreißig. Ein einzelner Stein in der Zwanzigerspalte und zwei Zweige plus zwei Steine in der Einerspalte. Macht zweiunddreißig. Wenn man das ein wenig übt, stellt man fest, dass es für komplexe Rechenvorgänge einfacher zu verwenden ist als unser Zahlensystem.«

Sie wandte sich wieder an die Efe und fragte sie, wie viele Gorillas sie gesehen hatten.

Die Pygmäen wiederholten die Anordnung von vorher.

»Zwei Gruppen«, schloss Anna daraus. »Eine mit zwölf und eine mit neun Tieren.«

Sie gestikulierte und deutete mit dem Arm zum Himmel. »Wie viele Tage von hier entfernt?«

Vier Steine. Das war einfach.

Nun wandte sie sich an Bic. »Sie sind nicht in unmittelbarer Nähe. Meinst du, wir können die Efe um Hilfe bitten, eine Brücke über den Fluss zu schlagen?«

Der Wächter sprach schnell mit den beiden, die für seine Bitte vollstes Verständnis hatten. Auf dem Boden hob ein wildes Hin- und Herschieben von Zweigen und Steinen an, mit dem die Pygmäen ihre furiose Diskussion begleiteten, während sie immer wieder die Köpfe schüttelten, Gorillas imitierten und auf den Baumstamm zeigten. Ihr Streit dauerte eine gute Viertelstunde, in der die beiden mehr als einmal beinah aufeinander losgingen, dann beruhigten sie sich, und der Ältere bedeutete Anna, näher zu kommen.

Offenbar warteten noch mehr Überraschungen auf sie. Mit Gesten, Grunzen sowie den Zweigen und Steinen schaffte der Mann es, sich mitzuteilen.

Ohne ein Wort zu verstehen, wurde Anna Zeugin einer Lektion in Sachen Forstwissenschaft. Die Pygmäen hatten das Gewicht der Gorillas, die Tragkraft der Bäume und die gesammelte Körperkraft von ihnen fünf berechnet, die die Stämme tragen mussten, und zeigten ihr nun die Ergebnisse. Sie mussten nicht einen, sondern vier von den langen, schlanken Stämmen herbeischaffen und sie mit Lianen zusammenbinden. Nur so konnte die Brücke den über zweihundert Kilo eines Gorillas standhalten, vorausgesetzt, dass überhaupt eines der Tiere den Fuß darauf setzen würde.

Da war sie tatsächlich auf zwei perfekte, mit Lanzen bewaffnete Ingenieur-Pygmäen gestoßen. Das würde ihr in Italien niemand abnehmen. Dafür musste ihre Kenntnis der Mathematik im Zwanziger-System ihr Ansehen bei den beiden Eingeborenen mächtig aufgewertet haben.

Sie machten sich an die Arbeit. Nach weniger als einer Stunde lag die Brücke fertig über dem Fluss. Sie sah sehr robust aus.

Jetzt kam der schwierigste Teil. Sie mussten die zwölf Gorillas dazu bewegen, die Brücke zu überschreiten.

Elefantenpfad, Kampala

An diesem Nachmittag brach die Natur den Frieden der letzten Tage und schlug erneut zu. Torbis Groom starb, und das auf banalste Art und Weise. Der Mann, der vor Jahren das Massaker in den Kentrax-Lagern überlebt hatte und kürzlich dem tödlichen Virus entkommen war, wurde von einer der seltenen Schlangen im Urwald in den Hals gebissen. Durch die Halsschlagader gelangte das Gift unverzüglich in den Blutkreislauf und legte innerhalb weniger Minuten sein zentrales Nervensystem lahm, so dass er keine Luft mehr bekam und erstickte. Teo Blasti, der Wächter Mwebe und Marco konnten nur hilflos zusehen. Sie beerdigten ihn nicht einmal. Der Wald hatte ihn getötet, der Wald würde dafür sorgen, dass schon bald keine Spur des Geschehenen zurückblieb.

Eine halbe Stunde später stießen sie auf eine weitere Leiche. Es war der Leopard, der in der Nacht die Gorillas in Angst und Schrecken versetzt hatte.

»Hier haben sie übernachtet«, sagte der Schwarze, als er die Spuren des Aufenthalts begutachtete. »Sie haben das Tier erschossen und einen Teil des Fleisches mitgenommen.«

»Kannst du ersehen, wie lange das her ist?«

»Einen Tag, höchstens zwei. Wenn sie mit den Gorillas wandern, können sie nicht weit sein. Bis morgen Vormittag haben wir sie eingeholt. Das Wichtigste ist, dass wir ihre Spur nicht verlieren. Aber es könnte gefährlich werden, denn sie sind bewaffnet.«

»Wir auch«, stieß Teo aus und setzte sich wieder in Bewegung. »Wir auch.«

Ein Stück entfernt entging Joffe und den anderen kein Wort der Unterhaltung.

Es war ein Leichtes, die Gorillas von ihrem Spiel loszueisen, denn sie waren schon ermüdet. Schwieriger war es, sie zum Ufer des Flusses zu treiben, doch verließ Anna sich dabei auf Nostrils und Mwelus Hilfe, die aus unerfindlichen Gründen ganz begierig waren, voranzukommen. Echte Probleme bekamen sie wie vermutet erst, als die Tiere den Fluss erblickten, besser gesagt, als sie das Wasser rochen. Sie regten sich nicht auf, bekamen keine Tobsuchtsanfälle und protestierten nicht, sondern setzten sich einfach nur in einem Kreis auf die Erde und demonstrierten die feste Absicht, sich um keinen Preis der Welt fortzubewegen. Außerdem fanden sie ein paar Schnecken im Gras, die sie sich mit Genuss einverleibten als willkommene Abwechslung zu ihrer sonst streng vegetarischen Kost.

Anna bot all ihre Überzeugungskünste von Schmeicheln bis Schimpfen auf, doch vergeblich. Keiner war bereit, ihr zu folgen. Die Pygmäen waren längst wieder gegangen, und so mussten sie diesmal die versammelten Kilos alleine schätzen: die vier Menschen etwa zweihundert, die Gorillas tausendfünfhundert. An Gewaltanwendung war nicht zu denken und alles Drohen und Umgarnen war ins Leere gelaufen. Anna blieb also nur noch Täuschung und Glück. Sosehr sie sich auch den Kopf zerbrach, kam ihr keine zündende Idee, und die Schatten der Bäume wurden schnell länger.

Wie schon am Abend zuvor erhoben sich die Gorillas irgendwann wie auf ein geheimnisvolles Zeichen hin und zogen sich etwa dreißig Meter zurück, um im dichteren Wald ihre Nester zu bauen.

Anna sah Bic an und hob hilflos die Arme.

In dieser Nacht geschah eines dieser Wunder, wie nur die Natur sie zu vollbringen vermag. In einem der achtundvierzig Chromosomen des Gorillas Nostril lief eine biologische Uhr ab und gab den Startschuss für ein in einer winzigen DNA-Sequenz im Lauf von Millionen Jahren Evolution entwickeltes Programm. Neue Enzyme wurden produziert und neue Hormone gerieten in den Kreislauf. Elektrochemische Impulse erreichten das Gehirn, wurden registriert und mit den entsprechenden Reaktionen beantwortet. Ein kleiner Sturm fegte durch den friedlichen Riesenkörper, der in der Astgabelung eines Baumes schlummerte.

Keiner konnte es sehen, aber der Ansatz des dichten Fells begann langsam, seine Pigmentierung ins Graue hinein zu verändern.

Die Zeit des Spielens war vorbei.

Nostril wurde ein Silberrücken.

Am nächsten Morgen wurde Anna von den Schreien der Gorillas geweckt. Sie öffnete die Augen und erkannte sofort, was geschehen war. Jenseits der Brücke, am anderen Ufer, spielten die beiden Jungtiere Fangen, wobei ihr größtes Vergnügen zu sein schien, sich unvermutet hinzuhocken und den Rivalen als Zeichen der Verachtung anzupinkeln.

Am liebsten hätte sie vor Freude geschrien. Sie dachte daran, über wie viele Brücken, nicht materielle wie diese, eine Spezies im Laufe ihrer Entwicklung wohl gehen musste. Und sie kam zu dem Schluss, dass dies nicht immer aus Not oder Zweckmäßigkeit geschah, sondern oftmals wie bei diesen kleinen Gorillas ganz spielerisch.

Nun wusste sie genau, was zu tun war. Die Sorge der Tiere über ihre auf der anderen Seite tollenden Jungen würde ihr in die Hände arbeiten. Sie mischte sich unter die Gruppe, ohne sich an der nervös aufgeladenen Stimmung zu stören, und zog mit hektischen Bewegungen, die zeigen sollten, dass auch sie aufgeregt war, die allgemeine Aufmerksamkeit auf sich. Dann tat sie das denkbar Einfachste. Sie ging auf die Brücke zu und überquerte sie langsam auf allen vieren. Es bestand nicht die geringste Gefahr, denn das Bächlein war höchstens dreißig Zentimeter tief, so dass sie im Fall der Fälle nur ein frisches Bad nehmen würde. Auf der anderen Seite begann sie, in aller Seelenruhe mit den beiden Jungtieren zu spielen.

Wieder einmal war es Nostril, der ihr als Erster folgte. Wer weiß, warum er solche Eile an den Tag legt, wunderte Anna sich. Dann kam Mwelu, das zweitungeduldigste Exemplar der Gruppe. Danach trotteten sie einer nach dem anderen über die Brücke, zuerst die Mütter, deren Kleine sich ängstlich an ihren Rücken festklammerten, das prahlerische Männchen Fonzie und der düstere Teo. Das Schlusslicht bildete unter gewaltigem Grunzen der dicke Sly. Die Brücke, dieses Wunderwerk pygmäischer Baukunst, hielt allen stand, und niemand riskierte den Sturz ins Wasser, nicht einmal der mächtige Silberrücken. Nun waren alle jenseits des Flusses und feierten die überstandene Gefahr mit einem üppigen Mittagsmahl.

Wenn Anna gehofft hatte, bald ihren Weg fortsetzen zu können, so hatte sie sich getäuscht.

Erst zwei Stunden später brachen sie auf, da sie nach dem Essen noch eine kleine Mittagsruhe hatten einlegen müssen, auch wenn es noch früh am Tag war.

Sie gab zwar den Weg vor, das Tempo jedoch bestimmten eindeutig die Tiere.

Im selben Moment, als die Gorillas die Behelfsbrücke überquerten, stiegen zwei Männer am Flughafen von Entebbe aus einem Jumbojet. Sie gehörten zu den fünfundsechzig Ärzten des Epidemic Intelligence Service, die zwei Jahre lang Dienst in der Abteilung Noteinsätze des CDC schoben. Nachdem man den einen von einem Golfplatz in Kalifornien, den anderen aus einem Krankenhaus in Montana geholt hatte, saßen sie wenige Stunden später schon mit ihrer gesamten Ausrüstung im Flugzeug nach Uganda. Sie brachten nicht viele Gerätschaften mit, da der CDC das Aids-Forschungszentrum in Masaka technisch ausgerüstet hatte, dessen Mitarbeiter sie abholen und unterstützen würden.

Lazarus Boma empfing die Herren am Flughafen und ihre erste Begegnung verlief nicht gerade angenehm. Die beiden waren offensichtlich interessiert daran, die Angelegenheit möglichst schnell hinter sich zu bringen, um zu ihren Beschäftigungen in den Vereinigten Staaten zurückkehren zu können. Ihn selbst behandelten sie von oben herab, und ihre einzige Sorge galt einem Detail, das ihm herzlich gleichgültig war.

»Seien Sie unbesorgt, falls es tatsächlich neu ist, werden wir es selbstverständlich *Uganda Boma* nennen, da Sie es als Erster isoliert haben.«

Als ob das wichtig wäre! Zumal es nicht sein größter Traum war, ausgerechnet einem tödlichen Virus seinen Namen zu leihen.

Während der Fahrt nach Masaka berichtete er ihnen, was passiert war. Sie wollten nicht glauben, dass jemand absichtlich die Gorillas infiziert hatte, um damit ein Schnupfenmittel zu entdecken. Einen Augenblick lang vermuteten sie sogar, es mit einem Irren zu tun zu haben, der die ganze Geschichte erfunden hatte, um sich wichtig zu machen.

Zwei Stunden kamen sie zügig voran, bis sie auf eine große Lichtung stießen. Diesmal ordnete Anna den Halt an und die Gorillas ließen sich das nicht zweimal sagen. Sie wollte sich über den zurückgelegten Weg und die von den Pygmäen erhaltenen Informationen klar werden. Etwas abseits ließ sie sich mit Bic auf der Erde nieder.

»Also, vier Tagesreisen von hier gibt es zwei Gorillakolonien, richtig?«

»Langsam, Anna. Ich bin nicht sicher, ob du die Zeichen der Efe richtig gedeutet hast.«

»Ich bin aber sicher! Ich kenne diese Mathematik mit der Basiszahl Zwanzig.«

»Nein, das meine ich nicht. Ich meine die Distanz, die uns von den Tieren trennt.«

»Ich weiß nicht, was du willst. Vier Tage, das war doch unmissverständlich.«

Der Wächter schüttelte den Kopf. »Nein, Anna, das war alles andere als unmissverständlich. Das Einzige, was wir kennen, ist die Zahl Vier, doch die Zeiteinheit? Du glaubst, es handelt sich um Tage, aber was meinten sie? Ich wäre mir da nicht so sicher.«

»Du meinst, die Gorillas befinden sich vier ›irgendwas‹ vom Fluss entfernt?«

»Genau.«

»Stunden?«

»Ich würde es fast ausschließen, dass die Efe in Stunden zählen. Fragen können wir sie nur leider nicht mehr. Doch das macht nichts, ich wollte damit ja auch nur sagen, dass wir theoretisch jeden Moment auf die Gorillas treffen können, sonst nichts.«

Sie waren auf eine Brücke gestoßen und entnahmen den Spuren, dass hier jemand die Nacht verbracht hatte. Mwebe war sich ganz sicher: Sie waren erst vor wenigen Stunden aufgebrochen, und wenn sie sich beeilten, hätten sie die Gruppe schnell eingeholt. Marco machte sich auf das Schlimmste gefasst. Sie drangen in den Wald vor. Kurz darauf stießen Joffe und die beiden Holländer auf dieselben Spuren, und dem Oberleutnant war klar, dass die Jagd nun bald ein Ende hatte.

Während Anna allein am Rand der Lichtung über die nächsten Schritte nachdachte, passierte etwas Merkwürdiges. Nostril kam heran. Irgendwo hatte er eine große gelbe Blume gefunden, die er nun vorsichtig zwischen den Fingern balancierte. Die Geschicklichkeit dieser Tiere im Gebrauch ihrer Hände überraschte sie immer wieder. Der Gorilla streckte sich neben ihr aus und stieß eine Reihe von Kehllauten aus, als fordere er sie auf, es ihm gleichzutun. Anna gehorchte, erstaunt über dieses Verhalten und neugierig, was das Tier vorhatte. Sie sahen nun beide in den Himmel, dann fühlte sie eine leichte Berührung an ihrer Wange, wandte den Kopf und erstarrte.

Nostril berührte sie mit der Blume und sein Gesichtsausdruck war eindeutig. Er bewegte den Stiel hin und her, wobei er genau den richtigen Druck ausübte, um ihn zu biegen, aber nicht zu brechen. So ging das eine ganze Weile und sie fühlte sich völlig überrumpelt von dieser unermesslichen Zärtlichkeit. Sie erinnerte sich, irgendwo gelesen zu haben, dass eben Dian Fossey ein ähnliches Verhalten beobachtet hatte, doch im selben Moment verfluchte sie all die Artikel, Bücher und Forschungsarbeiten, die sie gelesen hatte, und genoss in aller Ruhe das Gefühl, gestreichelt zu werden.

Dann ließ Nostril die Blume fallen und verschwand im Grünen.

Sie wusste noch nicht, dass sie ihn niemals wiedersehen würde.

Das wurde ihr erst eine Stunde später klar, als einer der Wächter ihr mitteilte, dass ein Gorilla abgehauen sei.

»Wie, abgehauen?«

»Er ist nicht mehr da, Bic und Pierre suchen nach ihm und haben mir aufgetragen, dir Bescheid zu sagen.«

»Welcher Gorilla?«

»Nostril.«

Es war wie ein Schlag in die Magengrube.

»Nostril? Bist du sicher? Und der Silberrücken hat ihn ziehen lassen?«

»Das kann ich dir nicht sagen.«

Als die anderen beiden zurückkamen, begriff Anna, dass sie Nostril nicht gefunden hatten, und begann wie ein kleines Mädchen zu weinen.

»Was hast du, Anna? Warum weinst du?«

Sie konnte nicht aufhören und sie schämte sich nicht einmal dafür. »Ich verstehe das nicht. Warum hat er uns verlassen?«

»Komm schon, wo ist die große Wissenschaftlerin geblieben?«

»Ich kann es einfach nicht verstehen.«

Bic lächelte ihr zu. »Du verstehst es sehr gut, aber du willst es nicht wahrhaben.«

»Was soll ich nicht wahrhaben wollen?«

»Nostril ist einfach erwachsen geworden. Er ist nun im richtigen Alter und kann nicht das ganze Leben mit Fressen und Spielen verbringen. Es war an der Zeit, dass dieser Faulenzer sich endlich aufrappelt.«

»Meinst du, er ist ...«

»Er ist weggegangen, um eine eigene Familie zu gründen.

Ja, Anna, Nostril ist nun ein Silberrücken, auch wenn sein Fell noch schwarz und glänzend ist. Er hätte hier bleiben und mit Sly kämpfen können, doch du kennst ihn ja, das ist nicht seine Art. Der Rudelführer ist noch bei vollen Kräften und ein Kampf im Innern der Gruppe hätte verheerende Folgen gehabt.«

»Nostril? Ein Silberrücken?«

»Du redest wie eine Mutter, die nicht zulassen will, dass ihr Sohn erwachsen wird und das Haus verlässt. Es ist normal, völlig normal. Oder haben deine Forschungen da etwas anderes ergeben? Wie es der Zufall so will, macht Nostril sich genau dann davon, wenn andere Gruppen in der Nähe sind, bei denen er einige Weibchen umwerben oder entführen kann.«

»Wie meinst du das?«

»Das kann dir doch nicht entgangen sein, Anna. Das würde mich wundern. Oder bist du so naiv, zu glauben, dass du wirklich aus eigener Kraft zwölf Gorillas durch den halben Urwald schleifen kannst? Hast du nicht gemerkt, wie Nostril immer wieder drängte, weiterzugehen? Und nicht nur er, soweit ich das beobachten konnte. Jemand anders wird uns auch bald verlassen.«

Allmählich begriff sie. »Du meinst Mwelu?«

»Genau. Ich wette, dass sie noch heute Abend oder morgen früh weggeht, um sich ein junges Männchen zu suchen, das ihr mehr Aufmerksamkeit schenkt. Ich habe das Gefühl, dass die anderen Gorillagruppen sehr viel näher sind, als wir dachten. Und Nostrils Verhalten bestärkt mich darin.«

»Du willst also behaupten, Bic, dass die Gorillas, oder wenigstens einige von ihnen, sowieso den Hügel verlassen wollten und mich regelrecht für ihre Zwecke ausgenutzt haben?«

»Ausgenutzt ist vielleicht der falsche Ausdruck. Sagen

wir mal, sie haben davon profitiert. Diese Schlauberger haben jemanden gefunden, der sie zu den *Pygmeum*-Bäumen und über einen bequemen Pfad geführt hat, ihnen dann sogar einen schönen Leoparden erlegt und damit viele Unannehmlichkeiten erspart hat. Insgesamt nicht schlecht.«

»Ja, wirklich nicht schlecht.« Sie sah die Gorillas, die auf der sonnendurchfluteten Lichtung mit den gewohnten Dingen beschäftigt waren, nun mit anderen Augen.

Mwebe hielt mit einer entschiedenen Handbewegung inne.

»Ich glaube, ich habe vor uns Geräusche gehört.«

Alle verstummten. Teo vernahm nichts.

»Ich bin sicher, da vorne ist jemand. Sehr wahrscheinlich Gorillas, aber ich glaube auch Stimmen von Menschen zu erkennen. Wir müssen sehr vorsichtig sein, wenn wir sie überraschen wollen. Sie sind zu viert und wir nur zu dritt, vergesst das nicht, und der hier«, er wies auf Marco, »ist garantiert nicht auf unserer Seite.«

Sie beschlossen, ihn sicherheitshalber zu knebeln und ihm die Hände auf dem Rücken zu fesseln.

»Wenn du uns verrätst, bringe ich zuerst dich um und danach deine kleine Freundin. Ist das klar?«, zischte Teo.

Marco nickte in den Lauf der Pistole hinein, die vor seiner Nase tanzte.

»Es ist so weit. Sie müssen etwas gehört haben.«

Joffe versteckte sich leise mit den beiden Holländern im Blätterdickicht.

»Jungs«, grinste er, »gleich beginnt der Tanz.«

Die drei Männer vor ihm schlichen sich nun vorsichtig an. Sie hatten keine Ahnung, dass sie seit Kilemi verfolgt wurden.

Anna ging zu den Gorillas, die Nostrils Weggang offenbar gleichmütig akzeptiert hatten. Ihr war doch noch einiges im Verhalten dieser merkwürdigen Tiere fremd. Sie begann, mit den beiden Jungtieren zu spielen, während sie aus den Augenwinkeln Mwelu beobachtete und darauf wartete, dass auch sie unversehens verschwand.

Bic wollte sich ein wenig ausruhen. Er war nicht mehr der Jüngste, und die vergangenen Tage hatten ihn sehr angestrengt, auch wenn er das niemals vor einer Frau zugegeben hätte.

Die beiden Wächter stellten ihre Gewehre ab und ließen sich nieder, um eine Zigarette zu rauchen. Es würde ein langer Aufenthalt werden und irgendwie mussten sie die Zeit totschlagen. Bic hatte ihnen immerhin versprochen, dass sie bald ihr Ziel erreicht hatten.

Die Rucksäcke lagen auf einem Haufen außer Reichweite der Gorillas, die immerzu neugierig auf diese merkwürdigen Dinger waren.

Mittlerweile hörte auch Blasti die Stimmen der Wächter. Sie hatten den Rand der Lichtung beinahe erreicht und nahmen schon den Gestank der Gorillas wahr. Noch ein paar Schritte und er konnte die ganze Szenerie überblicken. Mwebe war ein paar Meter zurückgeblieben und hielt Marco in Schach.

Teo sah, wie Anna sich aus der Gorillagruppe löste. Sie wirkte noch dünner als damals im Zelt, wo er sie das letzte Mal gesehen hatte. Er fragte sich, wo sie wohl das Ding aufbewahrte, hinter dem er her war und dessentwegen er zwei Tage durch den Urwald marschiert war. Jetzt näherte sich die Frau den Rucksäcken und hob etwas vom Boden auf.

Es war eine große gelbe Blume.

Anna strich sich mit der Blume über die Wange und dachte an Nostril. Seine Geste war also kein Zufall gewesen und auch kein Spiel. Auf seine Weise hatte er ihr Adieu sagen wollen. In den vielen Büchern, die sie gelesen hatte, wurde beschrieben, wie Gorillas fraßen, schliefen, sich paarten, wanderten, spielten, stritten, kämpften. Keine Zeile, nicht eine einzige Zeile handelte davon, wie sie sich von jemandem verabschiedeten.

Sie hörte ein metallisches Klacken hinter sich und drehte sich um.

Damit hatte sie trotz aller Überraschungen nicht gerechnet.

»Teo!«, stieß sie schließlich hervor. Sie kam sich vor wie in einem Alptraum.

Sie sah die Waffe an, die auf sie gerichtet war, und hörte gleichzeitig seine Stimme.

»Endlich sieht man sich wieder.«

Da erst wurde ihr bewusst, wie absurd die Situation war. Sie standen sich gegenüber wie in einem Duell, doch während er mit einer Pistole bewaffnet war, lag in ihrer Hand eine einzelne Blume.

LARAS TOD

Kampala

Aufmerksam studierten die beiden Ärzte vom CDC die Unterlagen, die Lazarus ihnen zu dem Fall zusammengestellt hatte, und machten zu seiner stillen Entrüstung keinen Hehl aus ihrer wachsenden Bewunderung für seine analytischen Fähigkeiten. In dem Hochsicherheitslabor von Masaka begutachteten sie das Virus ausgiebig unter dem Elektronenmikroskop, um sich dann seiner genetischen Information zuzuwenden.

Schließlich sahen sie sich ernst in die Augen.

»Wie sollen wir verfahren? Standardprogramm starten oder sofort nach Kampala zurückkehren?«

»Letzteres.«

Die Reise verlief schweigsam, und Lazarus fragte sich, warum sie ihn bloß in die Hauptstadt mitschleppten.

Dort angekommen, ließen sie sich auf dem schnellsten Wege in die amerikanische Botschaft fahren. Erst am großen Portal angekommen, vor dem ein hünenhafter Marines-Soldat Wache schob, tat einer von ihnen endlich wieder den Mund auf.

»Macht es Ihnen etwas aus, hier auf uns zu warten?«

Warum nur hatte Lazarus das deutliche Gefühl, dass, wenn er sich auch nur einen Schritt entfernte, der Soldat aus seiner Starre erwachen und ihn kurzerhand mit einem Schuss in den Rücken niederstrecken würde?

Es war 17.07 Uhr.

Nun ging alles sehr schnell.

Die beiden Ärzte wechselten wenige Worte mit einem

der Funktionäre, der sie unverzüglich ins Fernmeldebüro führte.

Um 17.15 schickten sie eine verschlüsselte Botschaft an das CDC in Atlanta.

Um 17.30, Ortszeit Kampala, wurde das Dokument, das vom Direktor persönlich begutachtet worden war, ebenfalls verschlüsselt an ein Spezialbüro im Pentagon weitergeleitet, das bereits in höchster Alarmbereitschaft darauf wartete.

Um 17.40 schickte das Pentagon das Dokument an die Archive des U. S. Army Medical Research Institute of Infectious Deseases in Fort Detrick, Maryland, wo das Verzeichnis derjenigen chemisch-biologischen Waffen aufbewahrt wird, die sich im Besitz der amerikanischen Streitkräfte befinden.

Um 18.03 wurde eine einzelne Seite des Dokuments in ein Gerät gelegt, das es automatisch scannte und die gelieferte Information mit dem Database abglich.

Der Computer brauchte exakt drei Sekunden für die Antwort.

Um 18.04 lief über die abhörgeschützten Leitungen ein Telefonanruf aus dem Büro in Maryland im Pentagon ein, wo sofort eine Telefonkonferenz mit Atlanta und der Botschaft in Kampala einberufen wurde.

Um 18.06 erhielten die beiden Ärzte die Antwort auf ihre Frage und vom Leiter des CDC den Startschuss zum Handeln.

Um 18.07 verließen sie das Büro und traten zu dem wartenden Lazarus.

Das Ganze hatte exakt eine Stunde gedauert, in welcher der Marines-Soldat sich keinen Millimeter von der Stelle bewegt hatte.

»Kommen Sie bitte mit, Doktor.« Das war schon kaum mehr eine Einladung zu nennen.

Sie schlossen sich in einen vollkommen leeren Raum ein. Lazarus konnte das dichte Stahlnetz nicht sehen, das in die Wände einbetoniert war, um das Mithören über Funk unmöglich zu machen.

»Doktor Boma«, begann einer der beiden nach einem Räuspern, »wer ist über Ihre, sagen wie mal, Entdeckung informiert?«

»Nur ich, so viel ich weiß. Ich habe selbstverständlich mit niemandem darüber geredet.« Sein Freund in Masaka fiel ihm ein, doch den wollte er lieber aus dieser Geschichte heraushalten, die gerade eine ungeahnte Wendung nahm.

»Das erleichtert die Angelegenheit enorm. Es tut uns Leid, aber dieses Virus wird nun doch nicht *Uganda Boma* heißen können. Haben wir uns verstanden?«

»Absolut, das ist mir auch vollkommen gleichgültig.« Die beiden gingen ihm ganz schön auf die Nerven. »Dürfte ich vielleicht jetzt den Grund dafür erfahren?«

»Aus zwei Gründen, die sich auf den ersten Blick widersprechen. Erstens, weil das Virus nicht neu ist. Zweitens, weil Sie es nie gesehen haben.«

Er glaubte, sich verhört zu haben.

»Wie bitte?«

»Dieses Virus existiert nicht, Doktor.«

»Aber ich habe es doch gesehen.«

»Und dennoch existiert es nicht.«

In diesem Moment fielen ihm Anna und all ihre Befürchtungen ein.

»Wollen Sie damit sagen, dass Sie kein Interesse haben, den Wirt des Virus zu finden und zu untersuchen? Die Gorillas, meine ich?«

»Ich weiß nicht, wovon Sie reden, Doktor. Wir brauchen keinen Wirt von einem Virus, das nicht existiert.«

Da war einfach kein Weiterkommen. Andererseits hatte

er es vorher gewusst. Der Ball befand sich in ihrem Feld, und es war ihre Entscheidung, ob, wann und wie sie ihn spielten.

Ob, wann und wie.

»Gütiger Himmel«, dachte Lazarus, »du bist anscheinend wirklich zu blöd, um da durchzusteigen.«

Nach einigen Sekunden verlegenen Schweigens ergriff er das Wort. »Machen wir es so: Ich übergebe Ihnen die gesamte Dokumentation, die Analysen, die Proben und den Rest, besser gesagt, ich übergebe Ihnen nichts, da es ja nichts zu übergeben gibt. Ich meinerseits vergesse dann alles, was passiert ist, besser gesagt, ich brauche nichts zu vergessen, da ja nichts passiert ist. Die Gorillas sind uninteressant, weil sie nicht an einem Virus erkrankt sind, den es nicht gibt. Und Sie verlassen Kampala reichlich genervt, weil sie für nichts und wieder nichts nach Afrika gerufen wurden. Habe ich das richtig verstanden?«

»Goldrichtig, Doktor. Sie sind wirklich in Ordnung. Gönnen Sie sich doch mal ein paar Tage Urlaub.«

»Danke, verehrte Kollegen. Ihr könnt mich mal kreuzweise.«

»Entschuldigung, was meinten Sie?«

»Ich? Ach, nichts. Wir kennen uns ja nicht mal.«

Allerdings wusste Lazarus nicht, dass die ganze Angelegenheit sich innerhalb der drei Sekunden in Luft aufgelöst hatte, als der Computer das Genom des Virus mit dem Bestand der militärischen Datenbasis verglichen hatte und dabei eines gefunden hatte, das mit dem Virus hundertprozentig übereinstimmte. Eine der zahlreichen Waffen der bakteriologischen Kriegsführung, die vom Pentagon aus nur zu nahe liegenden Gründen der Wissenschaftsgemeinde verschwiegen wurde.

Es war eine rein zufällige zeitliche Übereinstimmung, doch am selben Tag wurde auch von anderer Seite auf die gesammelten Genome der Database von Fort Detrick zugegriffen. Die Japaner von Aum Shinrykyo hatten den Vertrag mit der TEC an die Bedingung geknüpft, dass es sich um ein unbekanntes Virus handelte, und Song Ho hatte persönlich dafür garantiert. Immer noch schob der Chinese von seinem Zimmer im Raffles aus die Figuren über das Spielbrett. Er telefonierte mit dem Präsidenten eines der weltweit größten Pharmakonzerne, dem er gerade gegen großzügige Entlohnung das unwahrscheinlichste aller Patente angedreht hatte: das Blut einiger Hagahai-Eingeborenen aus Papua-Neuguinea, die auf den TEC-Feldern arbeiteten und deren Gene einzigartige Charakteristiken aufwiesen, mit deren Hilfe man womöglich den degenerativen Mechanismen des zentralen Nervensystems auf die Spur kommen konnte. Aufgrund ähnlicher Interessen arbeitete ein bestimmter Zweig der pharmazeutischen Industrie sehr eng mit den Militärs des USAMRIID zusammen, so dass es für den Pharma-Boss nicht sonderlich schwierig war, Zugriff auf die Daten des Virus-Archivs zu bekommen. Die Antwort, die endlich im Raffles eintraf, war mit jener identisch, die die amerikanische Botschaft in Kampala erreicht hatte. Es handelte sich keineswegs um ein neues Virus, sondern um eines, das bereits im Besitz der Amerikaner war. Song Ho sah die ausgehandelte Summe von siebzig Milliarden dahinschwinden und er ließ sofort jegliche Zahlung an Blasti stoppen. Der Geldstrom drohte zu versiegen, doch hatte just vor wenigen Tagen ein Prospektor der TEC ihn darauf aufmerksam gemacht, dass im Urwald von Madagaskar, wo sie Bäume fällten, ein spezieller Schimmelpilz wuchs, mit dem die Eingeborenenstämme eine bestimmte Form von Depression behandelten. Bald würde ein Gesandter im Raffles eintreffen, um diese neue, viel versprechende Fährte abzuklopfen. Deswegen trauerte der Chinese seinem misslungenen 70-Milliarden-Dollar-Coup kaum hinterher. Das gehörte nun mal zur Biopiraterie dazu. Irgendwo gab es immer Beute, man musste nur als Erster da sein und zugreifen.

Lichtung

In völliger Unkenntnis darüber, dass ihm mittlerweile sämtliche Geschäftspartner abhanden gekommen waren und er niemals irgendwelches Geld sehen würde, zielte Teo mit der Pistole auf Annas Herz. Nach allem, was zwischen ihnen vorgefallen war, fand Anna die Situation eher absurd als beängstigend.

Mwebe hielt von seinem Posten aus die ganze Gruppe mit dem Gewehr in Schach und stieß Marco, um ihn aus dem Weg zu haben, in Richtung der Frau, die ihn sofort von dem Knebel und den Fesseln um die Handgelenke befreite.

»Hallo, Marco«, sagte sie nur.

Dann wandte sie sich an Teo. »Was soll das werden? Das letzte Kapitel der Akte LARA?«

Überrascht fragte er sich, woher sie von dem Projekt erfahren hatte. Aber das konnte ihm nun auch egal sein.

»Du hast es erfasst. Nur dass die Akte LARA in der Zwischenzeit eine Veränderung durchgemacht hat.«

»Das Erkältungsmittel interessiert dich wohl nicht mehr, stimmt's?«

»Stimmt genau, sehr gut.«

»Stattdessen interessiert dich dieses Virus.«

»Auch das stimmt.«

»Tja, schade, dass du hier nichts finden wirst. Du hast den kleinen Spaziergang ganz umsonst gemacht, mein Lieber.«

Er antwortete im selben Tonfall. »Das glaubst du, *meine*

Liebe. Das Virus ist hier, und ich bin gekommen, um es mir zurückzuholen.«

Jetzt erst spürte Anna die Angst in sich aufsteigen. Da war etwas, was sie nicht wusste. »Hier? Du bist verrückt! Wer sollte es denn mitgenommen haben?«

»Du, Anna.«

»Ich?«

Teo weidete sich an ihrer Überraschung. »Dürfte ich bitte mal den Computer haben?«

»Meinen Computer?«

Die Pistole vollführte eine kleine Bewegung. »Her mit dem Ding, sage ich. Ich habe eine Probe mit dem Virus in seinem Gehäuse versteckt in der Nacht, als du, ähm, in meinem Zelt geschlafen hast. Sie ist dort gut aufgehoben, da kaum etwas mit mehr Sorgfalt behandelt wird als ein Laptop. Die Temperatur ist ideal. Das Virus überlebt bis vierzig Grad und rührt sich nicht, solange es nicht irgendeine Zelle angreifen kann. Es schläft. Ich hoffte, ihn im Camp zu finden, doch du hattest ihn ja mit auf diese dramatische Wanderung genommen.«

»Schon gut«, sagte sie verdächtig sanftmütig. »Ich werde den Rechner holen und dann verschwindest du für immer.«

»Nein, meine Liebe. Du sagst mir, wo er ist, und Mwebe wird ihn holen. Sonst richtest du noch irgendein Unheil an.«

Sie versuchte Zeit zu gewinnen. »Hast du denn schon einen Käufer? Sag mir wenigstens, wie viel es wert ist.«

Teo antwortete nicht. Er machte Mwebe ein Zeichen in Richtung der Rucksäcke, bei denen er das Gesuchte vermutete.

Der Schwarze tat zwei Schritte nach rechts, wobei er die Gruppe im Visier behielt. Plötzlich riss ihn etwas brutal nach hinten und drohte ihn zu ersticken. Einer der Holländer hatte ihm eine Schlinge um den Hals gelegt und zugezogen.

Anna sah ihn im Dickicht verschwinden, wie von einer geheimnisvollen Macht eingesogen. Teo, der mit dem Rücken zum Geschehen stand, hatte nichts mitbekommen.

Dann geschah alles innerhalb von Sekunden.

Eine Pistole tauchte auf, eine andere zielte genau auf Teos Nacken.

»Wirf die Waffe weg!«

Die Stimme kam aus dem Gebüsch, aus dem sich nun ein Mann erhob.

Das war zu viel für Annas Nerven.

Dies war wirklich der Tag der Überraschungen.

»Du?«

»Ja. Ich. Wie geht's deiner Mutter?«

Dieser Satz ließ die Anwesenden zu Stein erstarren, und einer der Holländer nutzte die Gelegenheit, um Teo zu entwaffnen und festzuhalten. Pierre und Mdua eilten zu Hilfe, so dass er innerhalb weniger Sekunden an Händen und Füßen gefesselt war. Der andere Holländer hatte inzwischen Mwebe außer Gefecht gesetzt.

»Das wär's«, sagte Joffe und steckte seine Waffe weg.

Nun sahen alle Anna an, die völlig benommen dastand.

Marco fand als Erster die Sprache wieder. »Wer ist dieser Mann, Anna? Kennst du ihn?«

Sie schwieg noch immer.

»Wollen Sie mir vielleicht antworten, Herr ...?«

»Marcel Joffe, Teufel noch eins! Sehr erfreut«, und er reichte ihm die Hand. »Ich bin Annas Vater.«

»Stimmt das?«

Sie nickte.

Joffe schien sich königlich zu amüsieren. »Ach, mein Mädchen, ich lasse mich ja selten bei euch blicken, aber immerhin bin ich da, wenn ich gebraucht werde. Da bist du ja in einen schönen Schlamassel hineingeraten ...«

Endlich machte sie den Mund auf. »Darf ich mal erfahren, was du hier tust?«

»Ich habe drei Tage lang diesen Typen hier verfolgt«, er zeigte auf Teo. »Ich kenne ihn gut und ich werde dir gleich sagen, woher. Aber ich wusste, dass ich am Ende auf dich treffen würde und auch, dass er dich suchte. Von deiner Anwesenheit hier in Afrika habe ich durch einen befreundeten Arzt unten in Kilemi erfahren.«

»Lazarus?«

»Genau der. Ich hatte gehört, dass eine Frau als Beraterin für einen Gorilla-Film kommen würde, und das hat mich doch neugierig gemacht. Immerhin gibt es nicht viele Italienerinnen, die sich mit Affen beschäftigen. Dann hat Lazarus mir deinen Namen verraten, und da dachte ich mir: Schau mal einer an, dann ist also mein kleines Mädchen im Lande.«

»Von wegen dein kleines Mädchen.« Allmählich erholte sie sich von dem Schock und lief zu alter Form auf. »Zehn Jahre lang lässt du dich nicht blicken, um dann plötzlich im tiefsten Afrika im Tarnanzug vor mir zu stehen. Was erwartest du eigentlich, kannst du mir das sagen?! Dass ich mich dir vor Rührung heulend um den Hals werfe? Nein, mein Lieber, da hast du dich geschnitten.«

Joffe wandte sich an Marco. »Ist die immer so?«

Die folgende halbe Stunde war alles andere als einfach. Vater und Tochter fanden immer neue Vorwände, um sich Vorwürfe zu machen, während Bic und Marco am liebsten sofort aufgebrochen wären, um die Geschichte endlich zu Ende zu bringen, auch weil sie nicht wussten, wohin mit den beiden Gefangenen. Außerdem stand immer noch diese absurde Geschichte mit dem Virus im Raum, der im Computer versteckt lag und Schrecken verbreitete. Vorsichtig hatte Marco das Gehäuse geöffnet und tatsächlich eine in einen kleinen Zwischenraum geklemmte Ampulle gefunden. Vorsichtshalber hatte er den Rechner sofort wieder verschlossen.

»Darf ich mal dazwischenfragen«, unterbrach Marco in einer Atempause das Wortgefecht, »wie ihr euch vorstellt, die zwei hier wegzuschaffen?«

Joffe grinste. »Keine Sorge, darum kümmere ich mich. Ihr habt doch ein Funkgerät hier, oder?« Er zog einen winzigen Gegenstand aus seiner Tasche.

»Wir haben sogar zwei Funkgeräte, wenn es darum geht.«

»Perfekt.« Er zeigte ihnen das Ding in seiner Hand. »Kleine Kriegslist: Quarzsteuerung mit Notfrequenz. Gib her.«

Er hantierte ein paar Minuten an dem Sende- und Empfangsgerät herum, dann gab er es zurück. »Das wär's. Auf Kanal vier liegt jetzt die Frequenz des TEC-Lagers. Wenn du sie anfunkst, kommt in einer halben Stunde ein Hubschrauber und transportiert die beiden Herren ab. Nun?«

Alle waren einverstanden, und Joffe entfernte sich ein Stück mit der Entschuldigung, der Empfang sei dort besser.

Nach einer Viertelstunde kam er zurück. »Jetzt müssen wir nur noch warten.« Er wandte sich an Teo. »Übrigens habe ich schlechte Nachrichten für dich. Die ugandische Polizei hat aus Italien eine dicke Akte über dich zugeschickt bekommen. Da steht alles drin und die lokalen Behörden haben bereits eine lange Reihe von Anklagen gegen dich formuliert. Von mutwilliger Brandstiftung an einem Dorf bis zum Mord an den sechs Männern, die in dem Kentrax-

Lager starben, von illegaler Einfuhr unter Umgehung des Zolls bis zur unmotivierten Gewalt gegen Tiere. Die Gorillas sind das Vermögen dieses Landes, wusstest du das nicht? Die Polizei erwartet dich, um dich hinter Gitter zu bringen. Keine besonders angenehme Erfahrung, das kannst du mir glauben. Willst du hören, was dem letzten Weißen passiert ist, der einen Fuß dort hineingesetzt hat? Also ...«

Auf einen viel sagenden Blick Annas hin ließ er von seinem Vorhaben ab.

»Euer Parkwächter, Bic, wenn ich den Namen richtig verstanden habe, und die beiden Holländer werden den Gefangenen im Hubschrauber begleiten. Leider ist es schon sehr spät und der Helikopter wird heute kein zweites Mal kommen können. Wir müssen die Nacht hier verbringen und werden morgen alle zurückkehren, Anna, Marco, die restlichen Wachen und ich. Seid ihr einverstanden?«

Anna grummelte vor sich hin. Die Anwesenheit ihres Vaters hatte ihr eindeutig die Laune verdorben und sie jeglicher Kontrolle über die Situation beraubt.

»Gütiger Himmel«, rief sie plötzlich aus, »der Hubschrauber kann hier doch gar nicht landen!«

»Warum nicht?«, fragte Joffe.

»Weil er mir die Gorillas verschreckt!«

Nun nahm Bic, der seit Teos Auftritt keinen Ton mehr gesagt hatte, sie beiseite und zwang sie, sich zur Lichtung umzudrehen. »Die Gorillas, Anna, sind längst nicht mehr da.«

Alles war verlassen und still.

»Sie sind verschwunden!«

»Nein, sie sind frei.«

»Dann haben wir es also geschafft?«

»Jawohl, woran ich niemals gezweifelt habe.«

In diesem Moment kam Marco mit dem Funkgerät heran. »Kanal vier, es ist Lazarus, er möchte dich sprechen.«

Sie ergriff das Gerät. »Lazarus, endlich! Wo bist du?«

»Ich bin gleich mit dem Hubschrauber bei euch.«

»Zu spät. Ich habe die Gorillas weggebracht.«

»Ich weiß, bin schon über alles informiert. Vergiss nicht, dass ein Freund von mir dort bei euch ist. Er hat mir alles erzählt. Im Übrigen kannst du beruhigt sein. Die Männer vom CDC waren hier, sind jedoch schon wieder abgereist. Sie interessieren sich nicht im Geringsten für die Gorillas.«

»Was sagst du da? Aber das Virus ...«

»Das ist eine lange Geschichte.«

Mdua und Pierre hatten ein Feuer angezündet, obwohl es noch hell war. Bevor der Hubschrauber kam, lief Anna zu ihrem Rucksack, um noch im Beisein Teos etwas Wichtiges zu erledigen.

Sie nahm den Computer, wog ihn kurz in den Händen und warf ihn dann unter den entsetzten Blicken der Umstehenden schwungvoll ins Feuer.

»Verabschiede dich, Teo Blasti. LARA stirbt.«

Lichtung

Als der Sonnenuntergang die Wälder in Brand setzte und der Himmel in das tiefe Violett des Abends überging, begann Marcel Joffe, der Mann, der über viele Tage unsichtbar aus dem Hintergrund heraus die Fäden gezogen hatte, zu erzählen. Langsam wurde Anna klar, dass diese Geschichte, in die sie verwickelt war und von der sie gedacht hatte, selbst ihren Fortgang zu bestimmen, in Wirklichkeit ganz andere Wege genommen hatte, die nichts mit ihren Entscheidungen zu tun hatten.

»Das Unglaublichste«, berichtete Lazarus gerade, »war das Verhalten dieser beiden Ärzte vom CDC. Zuerst waren sie an allem brennend interessiert, dann änderten sie unvermittelt ihre Meinung und empfahlen mir eindringlich, die ganze Geschichte sofort zu vergessen. Dafür kann es nur eine Erklärung geben. Die Amerikaner haben das Virus in ihrem Waffenarsenal und wollen nicht, dass jemand davon erfährt.«

Marcel Joffe, der sich gerade eine Pfeife anzündete, brummte: »Das stimmt nicht ganz.«

»Welche Erklärung gibt es sonst dafür, Joffe?« Der Arzt sah ihn neugierig an.

»Weißt du, was das Komische an der ganzen Sache ist? Diese beiden Idioten haben vollkommen Recht. Das Virus existiert nicht.«

Alle betrachteten ihn schweigend. Joffe sah aus wie ein Taschenspieler, der seine Lieblingsnummer vorführt.

»Sieh mal, Lazarus, nach unserer Begegnung im Elephant in Kilemi habe ich mich ein wenig umgehört, natürlich unter allergrößter Vorsicht. Ich verstehe nichts von Genomen und noch weniger von Computern, aber aus einer Summe von Unkenntnis kann manchmal Wissen entstehen. Ich hatte alle genauen Angaben zu dem Virus in der Hand, du hattest sie mir ja selbst gegeben. Und da habe ich mir die naive Frage gestellt: Was ist das letztlich mehr als eine Abfolge von Buchstaben, A, C, T und was weiß ich noch, nur blöde Buchstaben, die vom Computer auch als solche behandelt werden, ohne danach zu fragen, was sie bedeuten. Doch dazu später. Am selben Tag hast du mich auf dieses Zentrum in Atlanta hingewiesen, das immer dann eingreift, wenn eine neue Krankheit entdeckt wird. Da fiel mir wieder ein, dass mir schon einmal jemand davon erzählt hatte, ein amerikanischer Offizier, dem ich bei Unruhen vor der Botschaft in Nigeria das Leben gerettet hatte. Dieser Mann arbeitet für das USAMRIID von Fort Detrick in Maryland, in der Einrichtung also, die das militärische Pendant zu dem Zentrum in Atlanta darstellt. Da er mir noch einen Gefallen schuldete, rief ich ihn an. Er hat mir eine Menge Sachen über bakteriologische Waffenarsenale erzählt, und in der Flut der Informationen entdeckte ich einen Baumstamm, an dem ich mich festklammern konnte. Er berichtete mir nämlich, dass die Amis, sobald sie auf etwas Unbekanntes stoßen, als Erstes abklären, ob da nicht irgendwie das Militär im Spiel ist. Fast so wie mit den UFOs: Du siehst ein geheimnisvolles Flugobjekt am Himmel, das wie ein fremdes Raumschiff aussieht, und alarmierst sofort alle lokalen Behörden. Weißt du, was die Sheriffs in Amerika dann tun? Sie kontaktieren die Luftfahrt und fragen: ›Ist das etwa wieder eine neue Teufelei von euch? Eine Luftübung oder so etwas?‹

Dann war da noch die Sache mit der TEC. Aus Singapur

bekam ich den Befehl, eine geheimnisvolle Probe ausfindig zu machen, die Teo Blasti, der Mann, mit dem mein oberster Chef Song Ho ins Geschäft gekommen war, irgendwo versteckt haben musste. Auch wenn nicht offen von einem tödlichen Virus die Rede war, brauchte es nicht viel, um zu verstehen, was anlag. Vor allem nach dem, was hier passiert war und was du, Lazarus, mir im Elephant Hotel erzählt hast, an dem Abend, als ich dir offenbarte, dass ich Annas Vater bin.

Nun stand ich plötzlich vor mehreren dringenden Problemen. Erstens: vor Teo Blasti an diese Probe heranzukommen. Zweitens: die Geschäfte der TEC zu verhindern, die, wäre sie in den Besitz des Virus gekommen, es auf dem Schwarzmarkt weiterverkauft hätte. Drittens und am wichtigsten: meine Tochter zu beschützen, die, wie ich wusste, tief in die Sache verstrickt war und in höchster Gefahr schwebte.

Zu den Geschäften der TEC übrigens hat mir der amerikanische Freund noch ein anderes wichtiges Detail offenbart. Diese Viren haben nur dann einen Wert, wenn sie völlig neu sind und niemand über ein wirksames Antidot verfügt. Eine bakteriologische Waffe, für die es einen Impfstoff oder eine Behandlungsmöglichkeit gibt, büßt augenblicklich ihren größten Wert ein. Insofern war es wichtig, auf die ein oder andere Weise zu verbreiten, dass unser Virus bekannt war und somit wenig oder gar nichts mehr wert. Ich wusste nicht, wer der Käufer war, doch eines stand fest: Er würde niemals so viel Geld ausgeben, ohne sich über geheime Quellen seiner absoluten Neuheit und somit der zerstörerischen Macht versichert zu haben.

Aber Vorsicht: Dabei spielte es keine Rolle, ob das Virus in Wirklichkeit existierte oder nicht. Allein die Illusion seiner Existenz würde genügen. Und was wusste ich schon von ihm? Nur eine Abfolge von Buchstaben. Ergebnis: Ich fand einen Weg, auf dem mein Freund seine Schuld für jenen Tag in Nigeria abbezahlen konnte. Dabei habe ich gar nicht viel von ihm verlangt. Er sollte nur vorübergehend eine bestimmte Buchstabenfolge in die Datenbank des USAMRIID von Fort Detrick einschleusen, nämlich genau die Daten des Genoms, die Lazarus mir gegeben hatte. Dort würden sie ein paar Tage bleiben, lang genug, damit die Ärzte vom CDC einerseits und die Spione des geheimnisvollen Käufers andererseits sie entdecken konnten und glauben würden, es mit einer bereits in den Arsenalen befindlichen Waffe zu tun zu haben.

So gab es das Virus also vorläufig nur im Computer. Dennoch existierte es, wenn auch Teo Blasti als Einziger wusste, wo. Deshalb habe ich ihn bis zum Camp verfolgt, weil ich sicher war, dass hier die letzte Runde gespielt würde. Trotz aller Warnungen durch Lazarus habe ich nicht mit der Starrköpfigkeit meiner Tochter gerechnet und mit dem teuflischen Einfall des Italieners, die Probe im Computer zu verstecken. Als ich begriff, dass Anna nicht mehr im Camp war, dachte ich sofort, dass sie zu ihren Gorillas gegangen ist, um sie zu verstecken und vor den Männern des CDC zu schützen. Ich hätte niemals gedacht, dass sie die Tiere gleich wegführt. Auf jeden Fall würde Teo Blasti mich zu ihr bringen. Was er dann ja auch prompt getan hat.

Als ich sah, wie dieser Mann die Pistole auf meine Tochter richtete, war klar, dass ich eingreifen musste. Ich bin also keineswegs plötzlich aufgetaucht, mein kleines Mädchen ... In Wirklichkeit beschütze ich dich schon seit vielen Tagen, seitdem ich begriffen hatte, dass du in der Nähe warst und in Schwierigkeiten stecktest. Was glaubst du, warum ich dir so bereitwillig den Hubschrauber geschickt habe, wenn nicht, um ein Auge auf dich zu haben? Wozu

Hartnäckigkeit bei der Suche nach dem Geheimnis des Kentrax-Lagers, obwohl längst klar war, dass der TEC dabei kein Schaden entstand? Warum die Abmachung mit Lazarus? Und warum sollte ich mich zur lebendigen Zielscheibe machen, jetzt, wo Mister Song Ho durch mich einige zig Milliarden verloren hat?

Nun existiert das Virus tatsächlich nicht mehr. Das einzige Exemplar ist in die Flammen gewandert, zusammen mit Annas Computer. Teo Blasti kann nichts mehr verkaufen. Die TEC kann nichts mehr kaufen. Der CDC kann nichts mehr überprüfen. Die Gorillas brauchen nichts mehr zu befürchten. In ein paar Tagen wird sich die Datei im Computer von Fort Detrick von selbst löschen, so dass auch die letzte Spur sich verliert.

Bleibt nur noch eine Sache zu klären: Wer zum Teufel ist diese Lara, die gestorben ist?«

LARAS ERBE

Teo Blasti kam nie in Kilemi an. Er stürzte aus achthundert Metern Höhe in den Urwald. Was genau sich abspielte, konnten auch die Ermittlungen nicht mehr eindeutig klären. Bics Zeugenaussagen zufolge, der sich ebenfalls an Bord befunden hatte, musste der Hubschrauber, der an den Passagierseiten keine Türen hatte, eine enge Kurve fliegen. Anscheinend hatte sich der Sicherheitsgurt des Italieners geöffnet, so dass er ins Leere fiel. Der Helikopter wurde von den ugandischen Polizeikräften untersucht und anschließend seinem rechtmäßigen Eigentümer übergeben, Marcel Joffe von der TEC. Der Staatsanwalt erklärte den Fall zum Selbstmord und damit für abgeschlossen. Die Geschichte hatte auch kein Nachspiel, abgesehen von dem pikanten Detail, dass der Pilot des Hubschraubers viele Monate lang mit Geld nur so um sich warf, als sei er von seinem Boss für einen Spezialauftrag bezahlt worden.

Die Timber East Company fuhr mit den illegalen Abholzungen im Urwald fort. Wie Lazarus es bei seinem ersten Überflug der Gegend vorausgesagt hatte, dehnte die kleine Lichtung sich rasant aus und schnitt sich bald wie eine großflächige Wunde in den Berg. Doch so immens die Profite auch waren, die aus ihm erwuchsen, blieb der Handel mit Edelhölzern der schöne Deckmantel eines ganz anderen, weitaus einträglicheren Geschäfts. In Wirklichkeit befehligte Song Ho von seiner Festung im Raffles in Singapur aus eine riesige Flotte von Biopiraten, die über die weiten grünen Meere der Welt kreuzten. Der geheimnisvolle Virus aus Uganda war nichts als das Ergebnis der zahlreichen »Bioprospektionen«, die unaufhörlich auf dem Schreibtisch des kleinen Chinesen landeten. Tatsächlich handelte er mit dem kostbarsten aller Güter: mit Lebensformen. Ein an extreme Bedingungen gewöhntes Bakterium aus der Antarktis, das auch in feindlicher Umgebung überlebt, ein Schimmelpilz, den Schamanen in Südamerika zur Schmerzlinderung einsetzen, eine Rinde, die wahrscheinlich die Tumorbildung bremst, das Blut einer winzigen Ethnie mit überraschend niedrigen Cholesterinwerten, die genetische Information einer Amazonaspflanze, die als Basis für ein neues Antibiotikum dienen könnte – alles Material, das es zu rauben und als Erster zu patentieren galt, um milliardenschwere Profite damit zu erzielen.

Lazarus Boma begegnete dem tödlichen Virus nie wieder, der Martino Dosi und Norman Yves getötet hatte. Vielleicht war es mit seinen beiden Opfern für immer verschwunden, vielleicht steckte es aber auch noch irgendwo im undurchdringlichen Urwald, keiner konnte das wissen. Außerdem verschwand es für immer aus der Datenbank des USAMRIID, als hätte es nie existiert.

Nostril wurde der Silberrücken einer neuen Gorillafamilie, die niemals erforscht wurde. Schade, denn für ihre Spezies wies sie höchst ungewöhnliche Eigenschaften auf. So vertrieben sich alle Familienmitglieder ihre Zeit mit Fressen und weigerten sich, gegen rivalisierende Gruppen zu kämpfen. Mwelu trennte sich noch am selben Tag, an dem die Tiere die Lichtung verlassen hatten, von den anderen. Wenige Stunden später hatte sie schon eine neue Gemeinschaft gefunden, in der mehrere Männchen um ihre Gunst wetteiferten. So war sie endlich glücklich.

Marcel Joffe verschwand wieder von der Bildfläche.

Anna dachte häufig an die Tage in Afrika zurück, und sosehr sie sich auch bemühte, den Ereignissen einen Sinn zu geben, kam sie doch immer zu demselben Ergebnis: Am Ende hatte der Urwald alles für sich behalten, das unbekannte Virus, die Geheimnisse der Gorillas, das Medikament gegen Erkältung, die erstaunlichen Fähigkeiten der Efe, Bics außergewöhnliche Menschlichkeit, Teos Leben, sogar ihren Vater. Alles hatte er gierig an sich gerissen im Tausch für eine einzige gelbe Blume.

Nachbemerkung des Autors

Die vorliegende Geschichte ist frei erfunden, aber über weite Teile inspiriert vom fruchtbaren Humus der modernen Wissenschaft. Auf große Teile des bibliografischen Materials stieß ich im Internet, beim stundenlangen Surfen im World Wide Web. Hier können leider nur die wichtigsten Quellen genannt werden, die ich zur Recherche herangezogen habe.

Grundlegend für das Verhalten der Gorillas war die »Collection of Gorilla Ethograms«, eine Untersuchung der Gorilla Behaviour Advisory Group unter Beteiligung von Fachleuten aus den Zoologischen Gärten von Atlanta, Boston, Brookfield, Los Angeles und St. Louis. Über Gorillas allgemein und ihre komplexe Beziehung zum Menschen hielt ich mich besonders an zwei Artikel: »Gentle Gorillas, Turbulent Times« von George Shaller und »Gorillas and Humans. An Uneasy Truce« von Paul F. Salopek, die beide in der Oktober-Ausgabe des *National Geographic* von 1995 erschienen sind. Sie vervollständigen die mittlerweile zu Klassikern gewordenen Artikel von Dian Fossey, die mehrmals im *National Geographic* veröffentlicht wurden. Zahlreiche Untersuchungen gibt es über Tierpharmazie und den medizinischen Nutzen, den Tiere aus Pflanzen ziehen. Besonders hilfreich waren dabei folgende Artikel: »The medicinal Use of Plants by Chimpanzees in the Wild« von Michael A. Huffman vom Primaten-Forschungsinstitut in Kyoto, »Mountain gorilla diet could yeld health secrets of impenetrable forest's salad bar. Bacteria-fighting fruit is favorite item of Uganda's gorillas«, *Cornell University Science News*, sowie »Jungle Medicine« aus *Scientific American*. Die Details um den Gorilla-Simulator im Zoo von Atlanta stammen aus zwei Quellen: »Gorillas in the Bits« von Amanda Crowell, Georgia Institute of Technology, und »Virtual Gorillas« von Kathy Svitil, *Discover Magazine*, April 1997. Anregungen zum Thema Viren und bakteriologische Kriegsführung kamen aus einem Interview, das Jay Schadler mit Doktor Peter Jahrling von der USAMRIID und dem französischen Wissenschaftler Pierre Formenty im Juli 1997 im Auftrag des amerikanischen Fernsehsenders ABC führte. Außerdem aus den Artikeln »The germs of war«, der in der *Washington Post* vom 9. Dezember 1998 erschien, »Monkeypox outbreak in Zaire poses threat«, veröffentlicht am 22. April 1997 in den *San José Mercury News*, »Outbreak of Fear«, publiziert am 22. Mai 1995 in *Newsweek*. Wichtige Einzelheiten lieferten die Artikel »Viruses« und »The desease detectives«, die der *National Geographic* in der Juli-Ausgabe von 1994 beziehungsweise der Januar-Ausgabe von 1991 veröffentlichte. Für die schwierige Geschichte der Biopiraterie war die Titelstory in *Time* am 30. November 1998 mit der Überschrift »Who Owns Nature?« grundlegend, daneben die Untersuchung »An Introduction to Ethical Considerations in Biopiracy and Life Patenting« von T. Preszler sowie »Saving the Rainforest« von Leslie Taylor, herausgegeben von der Raintree Group Inc. Das Material über den Spaceshuttle im Besonderen und Weltraumforschung im Allgemeinen stammt gänzlich von der NASA selbst. Das Genom des menschlichen Rhinovirus 21 ist auf verschiedenen Internetseiten einsehbar.

Darüber hinaus möchte ich einigen Menschen danken. Zuerst meiner Frau Stefania, die Biologin ist und die ich mit ständigen Fragen genervt habe, oft in den ungünstigsten Augenblicken des häuslichen Lebens. Außerdem danke ich Dottoressa Anna Borri vom San-Raffaele-Krankenhaus in Mailand und Carolina Mensi vom Vireninstitut der Universität Mailand. Es sei jedoch auch gesagt, dass für eventuelle wissenschaftliche Ungenauigkeiten oder Irrtümer ich allein verantwortlich zu machen bin, da ich alle Mahnungen zur Vorsicht wiederholt in den Wind geschlagen habe.

Nationa

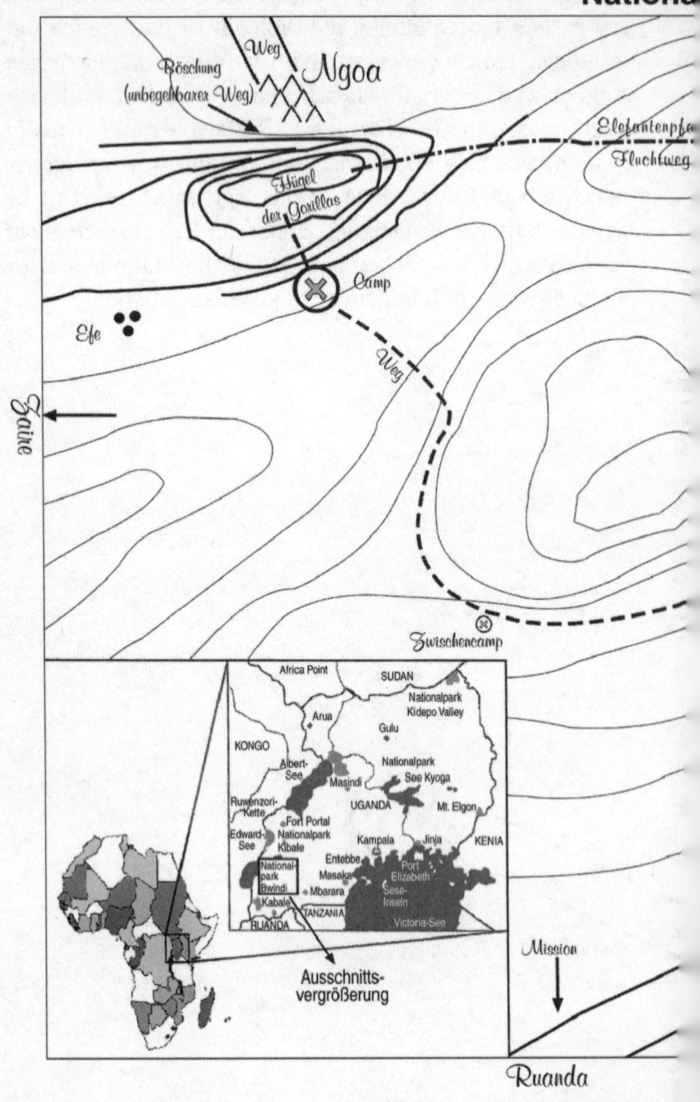
Weg
Böschung
(unbegehbarer Weg)
Ngoa
Elefantenpfa
Fluchtweg
Hügel
der Gorillas
Camp
Efe
Weg
Zaire
Zwischencamp
Africa Point
SUDAN
Nationalpark
Kidepo Valley
Arua
Gulu
KONGO
Albert-
See
Masindi
Nationalpark
See Kyoga
Ruwenzori-
Kette
UGANDA
Mt. Elgon
Fort Portal
Edward-
See
Nationalpark
Kibale
Kampala
Jinja
KENIA
Entebbe
Port
Elizabeth
National-
park
Bwindi
Masaka
Mbarara
Sese-
Inseln
Kabale
TANZANIA
Victoria-See
RUANDA
Ausschnitts-
vergrößerung
Mission
Ruanda

Bwindi

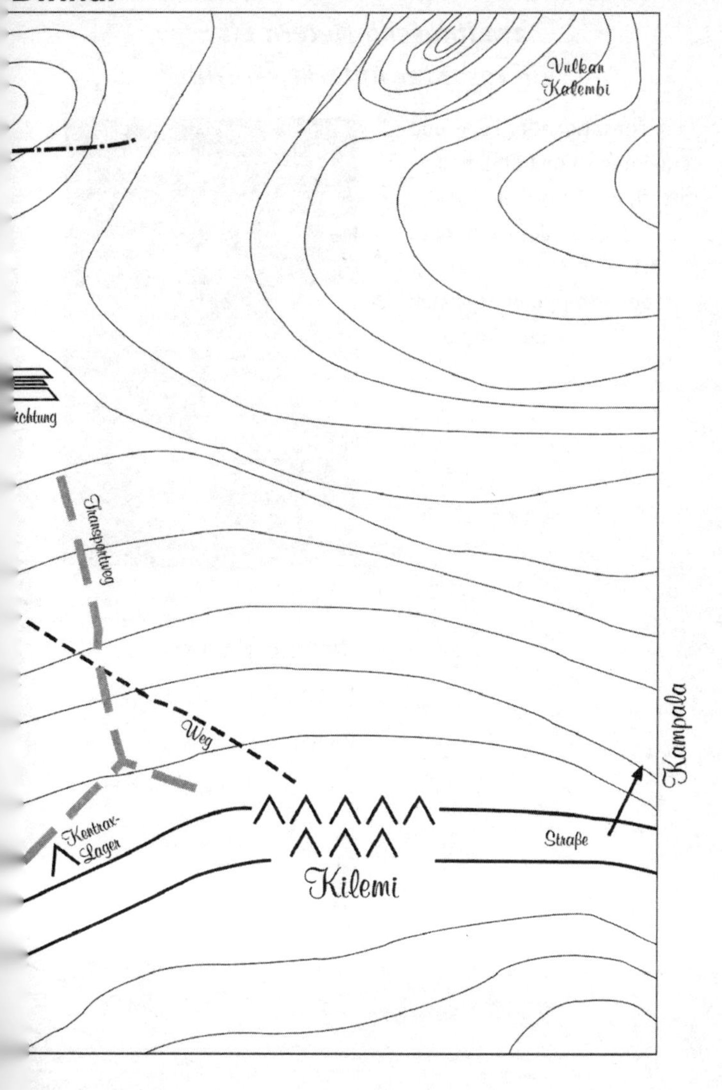

Vulkan
Kalembi
ichtung
Transportweg
Weg
Kentrax-
Lager
Kilemi
Straße
Kampala

Spuren einer menschlichen Siedlung unter zweitausend Metern Eis – ein rasanter Antarktis-Thriller.

Ein sensationeller Fund und
eine ebenso bedrohliche wie
rätselhafte Botschaft aus der
Vorzeit der Menschen:
Für Ash und Michelle beginnt
der Trip in den Alptraum
einer Utopie ...

Richard Hayer
Palmer Land
Roman

ULLSTEIN TASCHENBUCH

UB48